基于 STCW 公约马尼拉修正案的航海技术专业课程确认

黎法明　郑又新　著

哈爾濱工程大學出版社
Harbin Engineering University Press

内容简介

航海技术专业课程确认是STCW公约马尼拉修正案和我国船员培训管理规则的一项明确要求，其目的是促进航海技术专业课程教育质量的提升，在世界各国海员培训体系中得到广泛认可和运用。本书根据STCW公约马尼拉修正案和我国船员培训管理规则的相关规定要求组织编写，主要内容包括课程确认背景、公约与规则对课程确认的规定、航海技术专业课程确认与课程设置、船员培训课程确认材料提交要求、航海技术专业课程确认、专业合格证课程确认。

本书可为我国航海院校及培训机构开展航海技术专业课程确认提供参考和借鉴。

图书在版编目(CIP)数据

基于STCW公约马尼拉修正案的航海技术专业课程确认/黎法明，郑又新著. —哈尔滨：哈尔滨工程大学出版社，2020.8

ISBN 978-7-5661-2772-3

Ⅰ.①基… Ⅱ.①黎… ②郑… Ⅲ.①航海学—课程—教学研究 Ⅳ.①U675-4

中国版本图书馆CIP数据核字(2020)第161186号

选题策划 史大伟 薛 力
责任编辑 张志雯
封面设计 李海波

出版发行 哈尔滨工程大学出版社
社　　址 哈尔滨市南岗区南通大街145号
邮政编码 150001
发行电话 0451-82519328
传　　真 0451-82519699
经　　销 新华书店
印　　刷 北京中石油彩色印刷有限责任公司
开　　本 787 mm×1 092 mm 1/16
印　　张 19.75
字　　数 502千字
版　　次 2020年8月第1版
印　　次 2020年8月第1次印刷
定　　价 98.00元
http://www.hrbeupress.com
E-mail:heupress@hrbeu.edu.cn

前　言

航海技术专业课程确认是STCW公约马尼拉修正案和我国船员培训管理规则的一项明确要求，其目的是促进航海技术专业课程教育质量的提升，在世界各国海员培训体系中得到广泛认可和运用。我国交通运输部办公厅于2017年颁布了《海船船员培训大纲(2016版)》(以下简称《培训大纲》)。为使《培训大纲》得到很好的落实，交通运输部海事局以海船员函〔2017〕412号《交通运输部海事局关于实施〈海船船员培训大纲〉的通知》，就实施《培训大纲》的相关事项进行了说明。船员培训机构对新招录的学员应按照《培训大纲》要求开展培训，结合各自实际情况合理设置培训课程，制定培训计划，确保培训质量；要重点加强对学员实际操作能力的训练，着力培养应用型航海技术专业人才。航海技术专业课程确认，就是核实航海技术专业课程安排，对实施培训大纲的覆盖性、符合性和可行性进行论证、确认。

2017年3月至今，笔者作为船员培训机构的教师，是航海技术专业课程确认负责人，负责广东交通职业技术学院的航海技术专业课程论证、确认主持工作，并参加多个培训机构及学校开展的航海技术专业课程确认的评审，对如何开展航海技术专业课程确认及课程教学人员资格认证、培训课时的要求、采用模拟器培训教学训练方案等有着深刻的认识与理解。经过近三年的努力，完成《基于STCW公约马尼拉修正案的航海技术专业课程确认》一书，为我国航海院校及培训机构开展航海技术专业课程确认提供参考和借鉴。

广东交通职业技术学院蒋祖星教授在本书的撰写过程中提出了很多宝贵的意见，广东交通职业技术学院的陈溶、刘明明、张少明、高炳、王海松、叶强、林忠英、梁高金、林凌海、王海松、连廷耀、黄峰等老师在本书研究、资料收集及整理方面给予较大帮助，在此一并表示感谢！

囿于作者水平有限，错误和不妥之处在所难免，希望广大读者批评指正。

黎法明　郑又新

2020年5月

目　　录

第1章　课程确认背景

根据STCW公约(海员培训、发证和值班标准国际公约)马尼拉修正案提出的主管机关应对培训课程确认要求,其中STCW规则第A-Ⅰ/2节第6段“培训课程的认可”规定在认可培训课程和计划时,缔约国应考虑到相关国际海事组织(IMO)示范培训课程会帮助该类课程和计划进行准备,并且确保课程和计划适当涵盖所建议的详细学习目标。我国交通运输部海事局与欧盟海事局(European Maritime Safety Agency,EMSA)开展了双边检查评估协商计划,2012年10月15日至24日,EMSA对我国海员教育、培训、考试、评估和发证程序进行了为期10天的检查评估,审核了交通运输部海事局、辽宁海事局、大连海事大学、上海海事大学四家单位。EMSA审核组由其第二个部门下属的海员培训部的两名官员组成,其中一名高级项目主管担任此次检查评估的组长,另一名项目官员担任审核员,检查评估的工作语言为英语。在EMSA双边检查评估中开具的缺陷项中,有一项涉及培训机构的课程设置及海事主管机关对培训课程的认可。欧盟认为,在检查评估中发现,我国对于培训机构的课程设置及海事主管机关对培训课程的认可存在薄弱环节,被认定为缺陷项。为此,我国交通运输部办公厅于2017年颁布了《海船船员培训大纲(2016版)》(以下简称《培训大纲》)。为使《培训大纲》得到确实的落实,交通运输部海事局也以海船员函〔2017〕412号《交通运输部海事局关于实施〈海船船员培训大纲〉的通知》,就实施《培训大纲》的相关事项进行了说明。并对课程论证(确认)给出相关规定要求,2019年9月27日发布《中华人民共和国海事局关于印发〈《中华人民共和国船员培训管理规则》实施办法〉的通知》(海船员〔2019〕340号)对船员课程培训论证(确认)进一步详细规定,要求各培训机构应按要求开展课程论证(确认),通过课程论证(确认)后,才能开展课程的培训。

第2章　公约与规则对课程确认的规定

船员培训课程确认，主要来自国际公约和国内规章的强制规定。

1. STCW 公约马尼拉修正案对“培训课程认可（确认）”的要求

STCW 公约马尼拉修正案第 A－I/2 节第 6 段“培训课程的认可”规定在认可培训课程和计划时，缔约国应考虑到相关 IMO 示范培训课程会帮助该类课程和计划进行准备，并且确保课程和计划适当涵盖所建议的详细学习目标。

STCW 公约马尼拉修正案第 A－I/6 节第 7 段要求：将认可培训课程、培训机构或培训机构所核准的资格作为其按公约签发证书的部分要求的各缔约国应保证，将教员和评估人员的资格和经历纳入第 A－I/8 节的质量标准条款的适用范围。该资格、经历和质量标准的运用应纳入适当的教学技术培训以及培训和评估方法与实践，并应符合第 4 段至第 6 段所有适用的要求。

STCW 公约马尼拉修正案第 A－I/6 节第 4 段要求：在船上或岸上对海员进行旨在用于根据公约取得发证资格的在职培训的任何人员应

（1）对培训计划有正确认识并对所进行的特定种类培训的具体目标有充分了解；

（2）可胜任所进行的培训工作；

（3）如果使用模拟器进行培训，则

①接受过有关使用模拟器的教学技术的适当指导；

②具有对所使用的特定种类模拟器的实际操作经验。

STCW 公约马尼拉修正案第 A－I/6 节第 6 段要求：在船上或岸上对海员进行旨在用于根据公约取得发证资格的在职适任评估的任何人员应

（1）对所评估的适任能力具有适当水平的知识和理解；

（2）可胜任所执行的评估任务；

（3）接受过有关评估方法和实践的适当指导；

（4）已获得评估的实际经验；

（5）如果所进行的评估涉及模拟器的使用，那么应具有在有经验的评估人员监督下取得令其满意的特定种类模拟器的实际评估经验。

2. 国内相关规则对“培训课程确认”的要求

（1）《中华人民共和国船员培训管理规则（2019 修正）》

《中华人民共和国船员培训管理规则（2019 修正）》中的第二十二条规定：培训机构应当按照交通运输部规定的船员培训大纲和水上交通安全、防治船舶污染等要求设置培训课程、制订培训计划并开展培训。培训机构开展培训的课程应当经过海事管理机构确认。

（2）《〈中华人民共和国船员培训管理规则〉实施办法》

《〈中华人民共和国船员培训管理规则〉实施办法》（海船员函〔2019〕340 号）的以下条款，分别对课程确认做出规定：

第十条 培训机构按照《培训规则》第二十二条规定申请课程确认，应当按照培训项目分别向管辖的直属海事管理机构或省级地方海事管理机构提出，并提交以下材料：

（一）与培训项目相关的总体安排、制度及保障措施；

（二）培训计划；

（三）教学大纲和详细的教学方案；

（四）由不低于该培训课程教学人员标准的人员对拟开展培训课程出具论证报告（格式见附录9，仅适用于海船船员培训项目）；

（五）采用模拟器培训的，还应提交模拟器训练方案满足模拟器训练标准要求的测试报告；

（六）培训机构认为与培训课程确认相关的其他说明材料。

培训课程确认，培训机构可以在申请相应培训项目许可时一并提出。

第十一条　海事管理机构对培训课程的确认，主要核实培训课程安排对实施培训大纲的覆盖性、符合性和可行性：

（一）采用的培训教材和培训内容是否满足培训大纲和水上交通安全、防治船舶污染等要求；

（二）培训内容的理论和实操学时安排是否合理，并符合培训大纲的相应要求；

（三）教学人员的数量是否满足培训规模的需要和教学能力是否胜任既定的培训目标；

（四）采用模拟器培训的，模拟器训练方案是否满足相应的训练要求，达到相应的训练目标；

（五）培训采用的培训方式和资源保障是否科学、有效，完成课程后是否能达到规定的适任标准。

对经过确认的培训课程，海事管理机构应当留存副本，并可以根据培训机构的需要出具相应的船员培训课程确认证明。

第十二条　培训课程经确认后，培训机构应当按照确认的课程开展培训。

船员培训大纲发生变化，培训机构应当及时对培训课程进行调整，并经海事管理机构重新确认。

经确认的培训课程发生重大变化的，培训机构应及时向直属海事管理机构或省级地方海事管理机构报告课程变动情况，并经海事管理机构重新确认。

第3章　航海技术专业课程确认与课程设置

根据国际公约和国内相关规则的要求,对航海技术专业课程的确认应结合船员课程培训大纲来进行,同时进行相关课程设置。我国为有效履行STCW公约马尼拉修正案,交通运输部办公厅发布了《培训大纲》,该大纲自2017年4月1日起施行。交通运输部海事局专门印发了实施《培训大纲》的通知,为促进《培训大纲》的有效落实提出了要求。作为船员教育培训机构,按照相关法规和新版《培训大纲》的要求,应结合《培训大纲》、专业课程设置来进行培训课程的确认,以便有效实施《培训大纲》。

1.航海技术专业课程确认和设置的必要性

(1)STCW公约马尼拉修正案强制要求航海技术专业课程以STCW公约为船员培训、发证和值班方面的国际标准,并详细列出了各缔约国为充分地实施该公约所需保持的最低标准。该公约通过其自身的安全管理机制和具体要求,促使船员提高素质和能力,达到安全管理的质量目标。STCW公约马尼拉修正案附则第A-I/2节"证书和签证"中规定证书申请人应完成本规则对所申请培训的课程要求的相关强制性培训,这就意味着航海技术专业课程是强制性的,学员申请适任证书应完成相应内容的课程培训,以满足STCW公约马尼拉修正案要求。

STCW公约马尼拉修正案第A-I/2节"证书和签证"中规定,在认可培训课程和计划时,缔约国应考虑到STCW规则A部分脚注中指明的IMO示范培训课程能够帮助该类课程和计划的准备,并且确保适当涵盖所建议的详细学习目标。在第A-I/6节"培训和评估"中规定,各缔约国应确保对按公约申请发证的海员的所有培训和评估是按照书面计划来组织进行的,该计划中应包括为达到规定的适任标准所必需的授课方法和手段、程序和教材,以及由具备资格的教师来实施、监督、评价并予以支持。这就要求航海技术专业课程和计划应得到缔约国的认可,并保证提供必要的保障资源以确保达到培训的质量目标。

(2)我国法规要求培训课程的管理要切实提高船员的培训质量,从2013年开始交通运输部海事局对《中华人民共和国船员培训管理规则》进行了多次修订,并颁布《〈中华人民共和国船员培训管理规则〉实施办法》,针对培训课程在修订中增加了以下几个方面的要求:一是在培训机构许可条件中船员培训管理制度方面,增加了培训课程设置制度,明确培训机构应增加培训课程设置的制度要求;二是增加了应按照培训大纲等规定设置培训课程的要求;三是增加了培训机构开展培训的课程应当通过海事管理主管机关确认的要求。这就从制度上解决了对培训课程设置和确认的要求。按照交通运输部海事局实施《培训大纲》的通知要求,各培训机构在开展专业培训时,应完成专业培训课程的论证(确认),并于开班前将书面培训计划、培训课程,以及培训课程论证情况和培训课程安排对照报给辖区直属海事管理机构审核,未经海事管理机构确认课程的培训机构,不得开展培训。

2.《培训大纲》

《培训大纲》依据STCW公约的船员适任要求进行编写,同时参考了IMO出版的相关示范课程和我国海船船员考试大纲,并充分考虑我国航海教育与培训的实践和规律,体现了适任标准的全面性、符合性和系统性。由于《中华人民共和国船员条例》第三十八条规定:从事船员培训业务的机构,应当按照国务院交通主管部门规定的船员培训大纲和水上交通安全、防治船舶污染、船舶保安等要求,在核定的范围内开展船员培训,确保船员培训质量。《培训大纲》实质上就是船员培训的适任标准。航海技术专业的培训课程也应根据《培训大纲》的课程或模块来进行设置。下面简要介绍一下《培训大纲》。

(1)主要内容

《培训大纲》内容按适用对象、等级和项目分为驾驶和通信、轮机和电子电气、基本安全和专业技能、特殊培训4个部分4大类45小项,总计35万余字,涵盖了STCW公约马尼拉修正案规定的船长和大副(管理级)、操作级驾驶员、轮机长和大管轮(管理级)、操作级轮机员、全球海上遇险与安全系统(GMDSS)操作员、电子电气员等高级船员和普通船员在内的所有船员的培训项目,分别与STCW规则第Ⅱ、Ⅲ、Ⅳ、Ⅴ、Ⅵ章对海员的培训和适任要求标准相对应,每项大纲由适用对象(项目)、适任要求、理论知识、实际操作技能、课时和评价标准等部分组成,内容上按照职能模块进行划分。航海技术专业课程应参照操作级驾驶员的培训大纲内容来设置。《培训大纲》在满足STCW公约马尼拉修正案要求的基础上,充分考虑了我国海船船员培训实际、特点和航运科技发展现状,适当提高了我国船员特别是船长、轮机长等管理级船员适任标准的要求。

(2)颁布的重大意义

当前,国际上很多国家直接引用STCW公约马尼拉修正案的海员适任标准,培训中使用IMO示范课程和推荐教材,船员培养和评价模式简单。而我国海船船员培训大纲在满足公约要求的基础上,还充分考虑了我国航海教育与培训的实践和规律,源于公约且部分项目(如值班水手、值班机工)高于公约,在国际上尚属首次。故必将给我国履行国际公约和开展国际交流带来积极影响,进而提升我国船员培训和管理的国际话语权;《培训大纲》统一了我国海船船员的培训适任标准,给我国履行国际公约、促进海员教育培训国际交流与合作带来很大影响。《培训大纲》是我国第一次制定的涵盖各等级、职务船员的大纲,它改变了我国原有的以船员考试大纲为指导的船员教育培训现状,是构建积极落实《中国船员发展规划(2016—2020年)》建立应用型海员为主的培养模式,打造高素质的船员人才队伍的培训目标,建立健全船员教育培训规范标准,按照船员不同职务资格和岗位的适任能力要求,形成系统的船员培训知识体系的一项重要举措,将引导航运业更加关注海员的培训,促进我国船员培训从应试型向应用型转变,构建多元化的船员教育培训体系,为促进航运企业和船员教育培训机构联合办学,推行订单式和模块化分段式培养,以及“师傅带徒弟”培训奠定了技术模式,确保我国船员队伍健康发展。

(3)课程确认应结合《培训大纲》实施的灵活性

根据交通运输部海事局实施《培训大纲》的通知要求,自2017年4月1日起,我国相关的船员教育培训机构对新招录的学员应按照《培训大纲》要求开展培训,应结合各自实际情况合理设置培训课程,制订培训计划,确保培训质量。该通知对实施《培训大纲》提出了以下要求:

一是教育培训机构应按照机构自身制度、质量控制体系要求,对培训课程进行设置并进行论证,培训课程论证应由资格相当的人员进行,以满足相关要求。

二是教育培训机构按照《培训大纲》内容设置课程,安排培训课时,但培训课时低于《培训大纲》推荐课时的,应对可行性进行详细说明,即对不同入学标准的培训对象,可以做出合理的课时安排。

三是对采用模拟器培训的，还应提交模拟器训练方案满足相应训练要求的测试报告。海事主管机关对实施大纲提出的原则性要求，不妨碍教育培训机构对培训课程灵活设置，以充分满足培训需要。

四是对于设置培训课程应注意的问题，船员培训机构应当在开展培训前完成培训课程的确认工作，未经海事管理机构确认课程的，不得开展培训。故船员培训机构应按照相关要求，及时开展培训课程设置，并申请课程确认。

3. 航海技术专业课程开展课程设置确认需注意的问题

(1)航海技术专业培训课程设置制度应与机构的船员教育和培训质量管理体系有机结合。《中华人民共和国船员教育和培训质量管理规则》第七条“教学和培训计划”明确规定：培训机构的教学和培训计划编制，应满足船员教育和培训相关国际公约、法规和规章的强制性要求，充分考虑适用对象、教学手段、师资力量、教学设备等因素，并考虑以往教学和培训计划执行的效果、船员市场需求等。专业人才培养计划（方案）、课程教学大纲（标准）的编制和评审人员应包括具有管理级船员经历的人员，编制和评审活动应由不同人员进行。培训机构应根据《中华人民共和国船员培训管理规则》设置培训课程，包括教学和培训计划、课程教学大纲（标准）等在内都应充分考虑相关因素。进一步落实课程设置制度这一要求，培训机构应将其与船员教育和培训质量管理体系有机结合起来，在修订船员教育和培训质量管理体系时，在教学和培训计划这一基本要求中，纳入培训课程设置的相关要求，明确培训课程设置的职责、程序和标准等要求，以满足 STCW 公约马尼拉修正案和我国相关法规的要求。

(2)航海技术专业培训课程设置培训课程应符合教育培训规律，避免照抄照搬。新《培训大纲》发布后，由于大纲是按照职能模块进行编排的，部分教育培训机构的教员认为大纲的实施会对航海教育产生冲击，尤其是对航海教育模式产生较大的冲击，包括科目设置、教研室设置等，这实际上是对大纲的错误认识。特别是一些航海院校，大纲的职能模块与现在教材的内容不一致，新的教材还没有全部出版。大纲本身就是一个适任标准，主管机关没有要求教育培训机构照抄照搬大纲内容结构、框架来开展培训，而是由船员教育培训机构根据自身教育培训实际情况，科学合理地将大纲内容进行分配，可以采用不同的培训方式和内容组合，培训科目设置、模块拆分等完全由培训机构根据自身情况确定，特别是航海院校，更应结合自身特点，实现教育培训的灵活性。设置培训课程时，教员应识别《培训大纲》对不同学员实际的入门水准要求之间的差异，应当考虑到学员知识和技能的实际水平；课程设置时，可以将学员已经掌握的知识和技能的内容从课程中删除或不作为重点，满足培训的最低要求。对学员可能还没有掌握的知识、技能训练应增加相应的内容和训练要求，以确保设置的培训课程符合实际情况，提升培训教学的质量。

(3)航海技术专业培训课程设置应参考 IMO 示范课程特点，遵守课程确认的要求。《中国船员发展规划（2016—2020 年）》提出，要推进 IMO 示范课程在我国船员教育培训中的应用，进一步提高我国船员的教育培训教学质量。示范课程是 IMO 推荐的完全符合 STCW 公约马尼拉修正案标准的并被国际上普遍公认的权威课程，培训课程采用统一的结构模式，分为 7 个部分——课程介绍、课程框架、课程纲要和时间表、详细的教学大纲、教员手册、评估及附件，所有示范课程都基本涵盖了上述部分，结构清晰。示范课程将涉及船员培训的教员、学员、培训场地、设备和设施、教材及辅助资料、安全防护、考试方式、评估方法等培训相关要素有机融合在一起，对每一个知识点都做出相应的详细要求，比较有利于培训的开展，形成培训的系统性。每章节学习内容设置的目的性十分明确，并详细列出学习该章内容应具备的相关知识，这对指导该章内容的教学起到非常好的作用，为实施培训提供了实用性较强的指导。

对航海技术专业培训课程的确认，主管机关应明确主要核实课程安排对实施《培训大纲》的覆盖性、符合性和可行性：一是采用的培训教材和培训内容是否满足国家规定的《培训大纲》和水上交通安全、防治船舶污染等要求；二是培训内容的理论和实操学时安排是否合理；三是师资的数量是否满足培训规模的需要，教学能力能否胜任既定的培训目标；四是采用模拟器培训的，模拟器训练方案是否满足相应的训练要求，能否达到相应的训练目标；五是培训采用的授课方法、手段、程序和资源保障是否科学、有效，是否能达到规定的适任标准和规模要求。故在设置培训课程时，应充分考虑上述五个方面的确认要求，并结合 IMO 示范课程结构模式的特点，做好航海技术专业培训课程的设置工作。

(4)以应用为导向设置培训课程，满足航海技术专业课程培训创新模式。船员教育培训机构应以新《培训大纲》发布为契机，以应用为主要导向，促进航海学类专业教育和船员培训有机结合，进一步强化船员实际操作能力训练和综合素质培养，合理调整实际操作和理论培训权重及结构，推进校企深入开展船员教育培训合作。船员教育培训机构在设置航海技术专业培训课程时，应根据培训类型不同，创新培训模式，合理设置多种培训模式的课程。如本科、高职层次的船员教育培训，培训课程应能够体现其教育特点和水平，在科目的划分、内容深度和广度上体现差别。对于开展校企合作的培训机构，设置航海技术专业培训课程时，可以考虑模块化分段式培训，将部分课程放在船上进行培训，可将在船培训纳入整个培训课程设置，使整个培训计划、培训内容符合《培训大纲》的要求。《培训大纲》也势必会影响到未来船员考试评估模式的改革，比如完成船上见习后再申请考试评估。故船员培训机构在设置航海技术专业培训课程时，不应担心考试科目与培训课程之间的对应关系，而是应该以如何创新教育培训模式、提高培训质量为出发点进行培训课程设置，以保证课程确认后的培训质量。

(5)课程确认材料的编制，应根据各自船员教育培训机构的设施设备、师资力量情况，结合法律规章的要求，编制时应注意以下几点：

①每天每一教员培训课时不能超过 8 h；

②每一培训项目(课程)每一天安排的培训时间也不能超过 8 h；

③对可以合并的理论课程，不能超过 2 个班的规模；

④对于实操(实践)项目，应根据《培训大纲》中分组的人员要求和培训时间要求，合理安排教员、场地设备来进行培训教学，不能一位教员指导多组学员；

⑤在安排实操(实践)项目的培训时间时，应确保每一小组(人员)每一实操内容(项目)的培训时间不低于《培训大纲》的要求；

⑥当《培训大纲》模块与航海类各专业人才培训方案的课程目录不一致时，可以用表列明《培训大纲》模块内容与航海类各专业人才培训方案的课程对照。

第4章　船员培训课程确认材料提交要求

根据主管机关要求,编制课程确认材料,除法律规章的要求外,还可按以下要求整理确认材料。

1. 培训计划

培训计划至少应包括:

(1)课程培训总体培训目标　要明确学员在完成该项目培训后,能够达到的适任能力水平或能够掌握的专业技能水平。

(2)培训规模　是指本培训计划所适用的培训规模,是主管机关许可的培训规模,该规模确定后,该培训计划中的每个培训内容均据此规模设计。

(3)学员入学标准　培训机构根据相关法规和规定,并结合自身办学要求,明确学员的招收录取标准,包括学员年龄、身体健康状况、水上服务资历等。同时,培训机构在制订培训计划时要根据录用学员入门水平的不同做出相应的调整。

(4)总学时安排　应列明理论课和实践课的总课时安排,同时须列明该培训项目中每一门课程的学时安排,培训的总学时不能少于主管机关公布的培训大纲要求的学时。

(5)教员名单　均应为担任该培训项目经许可验收过的教员。

(6)场地、设施与设备清单　包括该培训课程实施过程中所使用的硬件和软件设备,场地、设施与设备要满足法律规章的最低要求。

(7)教材、实训指导书、教辅工具及参考资料　明确该课程所使用的教科书、详细的实训指南、教学辅助工具及参考资料、在线教学资源等。

(8)教学大纲　可通过课程表方式体现,但至少包括以下内容:

①培训内容安排　所安排的培训内容须体现培训大纲的要求,诸如理论培训安排在哪个科目中,具体到章节;实操培训安排了哪个训练,具体到训练方案。

②培训方式　应明确本课程各模块内容所采用的培训方式,如课堂理论授课、模拟器培训、实验室设备培训、船上培训等培训方式。

③教员安排和师生配比　明确该课程理论授课、实践训练的具体师生配比数,不能少于法律规章的最低要求。

(9)教学管理和资源保障　包括教学组织、教学管理,相关制度和安全、应急措施的制定,教学管理人员的配备,以及教学效果的评价和改进方式等。

2. 实操训练方案

实操训练方案至少应包括以下内容:

(1)明确学员分组情况,包括每组学员数、学员之间的合理搭配情况;

(2)明确教员安排情况,包括教员姓名、数量、教员之间的合理分工与合作关系;

(3)详细的训练内容和训练时间安排;

(4)设定的实训环境、条件及使用的实训设施设备;

(5)实训结束后学员应达到的预期能力水平;

(6)适当的实训考核方法和安排,明确对学员的培训考核安排,包括是否合格的判定标准、对考核不合格学员的处置等。

3. 采用模拟器培训的,还应提交模拟器训练方案满足相应训练要求的测试报告

培训机构应保证每个训练方案均在模拟器上实际检验测试过,并确定是满足训练要求的,据此形成一个测试报告,该报告至少包含:训练内容与模拟器所具备的硬件设备、软件环境和训练性能是否匹配;训练方案设计是否完整、合理、符合逻辑,通常至少要明确模拟器训练的初始状态、结束状态,训练过程中场景(视景和船模)设置、事件(应急、偶发、常规)设定、人员(学员、教员)活动安排等是否能完全包含训练内容并达到预期的训练效果;测试人员姓名和测试日期。

第 5 章　航海技术专业课程确认

5.1　航海技术专业课程确认说明

航海技术专业课程确认,根据主管机关的要求,只对航海技术专业航海类课程进行课程三确认,本书将对三年制的航海技术专业航海类课程进行确认论证,理论课程 10 门,整周实操课程 10 门,共 20 门课程。培训规模根据各培训机构申报的规模进行确认,以下确认是根据 40 ×6 规模进行的。

5.2　课程的总体安排、制度及保障措施

5.2.1　课程培训的总体安排

本项目课程总体安排依据《中华人民共和国船员条例》、《中华人民共和国船员培训管理规则》(交通运输部令 2019 年第 5 号)、《培训大纲》、《中华人民共和国海事局关于印发〈《中华人民共和国船员培训管理规则》实施办法〉的通知》(海船员〔2019〕340 号)、《中华人民共和国船员培训和船员管理质量管理规则》(2019 年 10 月 1 日实施)等规定制定,目的是有效履行 STCW 公约马尼拉修正案,进一步规范海船船员培训,提高培训质量。

经交通运输部海事局的核准,本培训机构具有“航海技术专业(500 总吨及以上三副)”培训资质,培训规模为 40 人/班 ×6 班。

“航海技术专业(500 总吨及以上三副)”课程分三年(6 个学期)完成,理论课程教学安排两个班合班(40 人/班 ×2 班)进行授课,实操课程分班交叉进行。

“航海技术专业(500 总吨及以上三副)”课程包括理论课程 10 门、整周实操课程 10 门,共 20 门课程。各培训课程实际设置学时见表 5 – 1。

表 5 –1　培训课程实际设置学时

<table>
<tr><th rowspan="2">序号</th><th rowspan="2">课程性质</th><th rowspan="2">课程设置名称</th><th colspan="3">课程实际设置学时</th></tr>
<tr><th>理论</th><th>实操</th><th>总学时</th></tr>
<tr><td>1</td><td>理论课程</td><td>航海学(地文、天文)</td><td>74</td><td>8</td><td>82</td></tr>
<tr><td rowspan="5">2</td><td rowspan="5">整周实操课程</td><td rowspan="5">毕业顶岗实习(船上)</td><td rowspan="5">0</td><td>11</td><td rowspan="5">49</td></tr>
<tr><td>16</td></tr>
<tr><td>8</td></tr>
<tr><td>8</td></tr>
<tr><td>6</td></tr>
</table>

表 5-1(续)

序号	课程性质	课程设置名称	课程实际设置学时		
			理论	实操	总学时
3	整周实操课程	航线设计	28	36	64
4	理论课程	航海学(仪器)	48	0	48
5	整周实操课程	航海仪器的使用	46	34	80
6	整周实操课程	雷达操作与应用	20	20	40
7	整周实操课程	电子海图显示与信息系统	20	20	40
8	理论课程	航海学(气象)	56	0	56
9	理论课程	船舶操纵与避碰(避碰)	48	0	48
10	理论课程	驾驶台资源管理	20	0	20
11	理论课程	值班水手业务	10	0	10
12	整周实操课程	水手工艺与值班	0	13	13
13	理论课程	船舶操纵与避碰(操纵)	44	2	46
14	整周实操课程	船舶操纵、避碰与驾驶台资源管理	0	56	56
15	理论课程	船舶结构与货运	89	1	90
16	整周实操课程	货物积载与系固	4	36	40
17	整周实操课程	基本安全	10	4	14
18	理论课程	船舶管理	42	8	50
19	理论课程	航海英语	122	22	144
20	整周实操课程	航海英语听力与会话	0	48	48
合计			681	357	1 088

说明:《培训大纲》要求船上实践共 47 学时,其中地文航海和沿海航行实操 11 学时、天文航海实操 16 学时、海图和航海图书资料 8 学时、罗经差测定实操 8 学时、航海气象基础知识实操 6 学时。广东交通职业技术学院航海技术专业顶岗实习共 20 周,安排在第 6 学期,在船上实习,满足《培训大纲》的要求。

“航海技术专业(500 总吨及以上三副)”课程总学时为 1 038 学时,其中理论为 681 学时,实操为 357 学时;专业合格证(小证)总学时为 242 学时,其中理论为 134 学时,实操为 108 学时。

《培训大纲》要求的课程总学时为 979 学时,其中理论为 631 学时,实操为 348 学时,故“航海技术专业(500 总吨及以上三副)”培训课程达到大纲课时要求。

课程安排覆盖了《培训大纲》的要求,见本书 5.2.2 节专业课程设置与《培训大纲》对照表。

采用的培训教材和培训内容满足国家规定的《培训大纲》和水上交通安全、防治船舶污染等要求;培训采用的授课方法、手段、程序和资源保障科学有效,能达到规定的适任标准和规模要求。

培训内容的理论和实操安排合理,详见本书 5.5.3 节及 5.5.4 节。

师资的数量满足培训规模的需要，教学能力能胜任既定的培训目标，见本书5.4.5节。

模拟器训练方案满足相应的训练要求，达到相应的训练目标，详见本书5.6.1节。模拟器测试报告详见本书5.6.2节。

5.2.2 专业课程设置与《培训大纲》对照

专业课程设置与《培训大纲》对照见表5－2。

表5－2 专业课程设置与《培训大纲》对照表

<table>
<tr><th rowspan="2">《培训大纲》要求项目内容</th><th rowspan="2">《培训大纲》理论学时</th><th rowspan="2">《培训大纲》实操学时</th><th rowspan="2">课程设置名称</th><th colspan="2">课程实际设置学时</th><th rowspan="2">课程设置说明</th></tr>
<tr><th>理论</th><th>实操</th></tr>
<tr><td rowspan="2">1.1.1 天文航海</td><td>26</td><td>8</td><td>航海学（地文、天文）</td><td>26</td><td>8</td><td rowspan="9">《航海学（地文、天文）》82学时，其中理论74学时，实操8学时；航线设计2周，共64学时，其中理论28学时，实操36学时；顶岗实习20周，其中地文航海和沿海航行实操11学时，天文航海实操16学时，海图和航海图书资料8学时</td></tr>
<tr><td>0</td><td>16</td><td>毕业顶岗实习（船上）</td><td>0</td><td>16</td></tr>
<tr><td rowspan="3">1.1.2 地文航海和沿海航行</td><td>42</td><td>0</td><td>航海学（地文、天文）</td><td>42</td><td>0</td></tr>
<tr><td>0</td><td rowspan="2">14</td><td>毕业顶岗实习（船上）</td><td>0</td><td>11</td></tr>
<tr><td>0</td><td>航线设计</td><td>0</td><td>4</td></tr>
<tr><td>1.2.3 船舶定线制</td><td>4</td><td>0</td><td>航海学（地文、天文）</td><td>4</td><td>0</td></tr>
<tr><td>1.2.5 船舶报告制</td><td>2</td><td>0</td><td>航海学（地文、天文）</td><td>2</td><td>0</td></tr>
<tr><td rowspan="2">1.1.3 海图和航海图书资料</td><td>0</td><td rowspan="2">40</td><td>毕业顶岗实习（船上）</td><td>0</td><td>8</td></tr>
<tr><td>28</td><td>航线设计</td><td>28</td><td>32</td></tr>
<tr><td>小计</td><td>102</td><td>78</td><td>小计</td><td>102</td><td>79</td><td></td></tr>
<tr><td rowspan="2">1.1.4 电子定位和导航系统</td><td rowspan="2">20</td><td rowspan="2">6</td><td>航海学（仪器）</td><td>10</td><td>0</td><td rowspan="12">航海学（仪器）48学时；航海仪器的使用2周，共80学时，其中理论46学时，实操34学时；雷达操作与应用1周，其中理论20学时，实操20学时；顶岗实习用于罗经差测定实操8学时</td></tr>
<tr><td>航海仪器的使用</td><td>10</td><td>6</td></tr>
<tr><td>1.1.5 回声测深仪</td><td>2</td><td>2</td><td>航海仪器的使用</td><td>2</td><td>2</td></tr>
<tr><td rowspan="2">1.1.6 磁罗经和陀螺罗经原理的知识</td><td rowspan="2">20</td><td rowspan="2">6</td><td>航海学（仪器）</td><td>12</td><td>0</td></tr>
<tr><td>航海仪器的使用</td><td>8</td><td>6</td></tr>
<tr><td rowspan="2">1.1.7 罗经差测定</td><td rowspan="2">8</td><td rowspan="2">10</td><td>航海仪器的使用</td><td>8</td><td>2</td></tr>
<tr><td>毕业顶岗实习（船上）</td><td>0</td><td>8</td></tr>
<tr><td rowspan="2">1.2.4 使用来自导航设备的信息保持安全航行值班</td><td rowspan="2">19</td><td rowspan="2">5</td><td>航海学（仪器）</td><td>10</td><td>0</td></tr>
<tr><td>航海仪器的使用</td><td>9</td><td>6</td></tr>
<tr><td rowspan="3">1.2.7 雷达导航</td><td rowspan="3">45</td><td rowspan="3">32</td><td>航海学（仪器）</td><td>16</td><td>0</td></tr>
<tr><td>航海仪器的使用</td><td>9</td><td>12</td></tr>
<tr><td>雷达操作与应用</td><td>20</td><td>20</td></tr>
<tr><td>小计</td><td>114</td><td>61</td><td>小计</td><td>114</td><td>62</td><td></td></tr>
</table>

表5-2(续1)

《培训大纲》要求项目内容	《培训大纲》理论学时	《培训大纲》实操学时	课程设置名称	课程实际设置学时		课程设置说明
				理论	实操	
1.3 使用ECDIS[①]保持航行安全培训	20	20	电子海图显示与信息系统	20	20	1周,共40学时
小计	20	20	小计	20	20	
1.1.9 航海气象基础知识	30	6	航海学(气象)	30	0	航海学(气象)56学时;顶岗实习共20周,用于航海气象基础知识实操6学时
			毕业顶岗实习(船上)	0	6	
1.1.10 海上天气系统及其特征	18	0	航海学(气象)	18	0	
1.1.11 航海气象信息的获取与应用	8	0	航海学(气象)	8	0	
小计	56	6	小计	56	6	
1.2.1 避碰规则	40	0	船舶操纵与避碰(避碰)	40	0	船舶操纵与避碰(避碰)48学时
1.2.2 航行值班中应遵守的原则	6	0		8	0	
小计	46	0	小计	48	0	
1.2.6 驾驶台资源管理	8	0	驾驶台资源管理	8	0	驾驶台资源管理20学时
3.7 领导力和团队工作技能的运用	12	0		12	0	
小计	20	0	小计	20	0	
1.1.8 操舵控制系统	2	6	值班水手业务/水手工艺与值班	2	6	值班水手业务共45学时,用于1.1.8操舵控制系统理论2学时、1.7.1国际信号规则理论6学时、1.7.2莫尔斯信号通信理论2学时;水手工艺与值班4周,用于1.1.8操舵控制系统实操6学时、1.7.1国际信号规则实操6学时、1.7.2莫尔斯信号通信实操1学时
1.7.1 国际信号规则	6	6		6	6	
1.7.2 莫尔斯信号通信	2	1		2	1	
小计	10	13	小计	10	13	
1.8 船舶操纵与操作	42	0	船舶操纵与避碰(操纵)	42	0	船舶操纵与避碰(操纵)46学时
1.5 搜寻与救助	2	2		2	2	
小计	44	2	小计	44	2	

表5－2(续2)

《培训大纲》要求项目内容	《培训大纲》理论学时	《培训大纲》实操学时	课程设置名称	课程实际设置学时		课程设置说明
				理论	实操	
1.2.1 避碰规则	0	22	船舶操纵、避碰与驾驶台资源管理	0	22	船舶操纵、避碰与驾驶台资源管理1周,共56学时,利用周六、周日,每天8节课
1.2.2 航行值班中应遵守的原则	0	6		0	6	
1.2.5 船舶报告制	0	4		0	4	
1.2.6 驾驶台资源管理	0	24		0	24	
小计	0	56	小计	0	56	
2.1 货物装卸、积载与系固	71	36	船舶结构与货运	67	0	船舶结构与货运共90学时,其中理论89学时,实操1学时;货物积载与系固1周,共40学时,其中理论4学时,实操36学时
			货物积载与系固	4	36	
2.2 检查和报告货舱、舱盖和压载舱的缺陷和损坏	4	0	船舶结构与货运	4	0	
3.2.1 船舶稳性	8	0	船舶结构与货运	8	0	
3.2.2 船舶构造	10	1	船舶结构与货运	10	1	
小计	93	37	小计	93	37	
1.4.1 应急程序	10	4	基本安全	10	4	基本安全3周,其中用于应急程序理论10学时,实操4学时
小计	10	4	小计	10	4	
1.4.2 船舶碰撞或搁浅初步应急措施	4	4	船舶管理	4	4	船舶管理50学时,理论42学时,实操8学时
1.4.3 救助落水人员、协助遇险船舶、港内应急反应应遵循的程序	2	0		2	0	
3.1 防止海洋环境污染和防污染程序	8	3		8	4	
3.6 监督遵守法定要求	28	0		28	0	
小计	42	7	小计	42	8	

表5-2(续3)

《培训大纲》要求项目内容	《培训大纲》理论学时	《培训大纲》实操学时	课程设置名称	课程实际设置学时		课程设置说明
				理论	实操	
1.6 航海英语	74	16	航海英语	122	22	航海英语144学时,其中理论122学时,实操22学时;航海英语听力与会话2周,实操48学时
	0	48	航海英语听力与会话	0	48	
小计	74	64	小计	122	70	
合计	631	348	合计	681	357	

注:①ECDIS指电子海图显示与信息系统。

5.3 保障措施管理制度

5.3.1 制度保障

根据《中华人民共和国船员教育和培训管理规则》《中华人民共和国船员教育和培训质量管理规则》和《中华人民共和国船员教育、培训和船员管理质量管理体系审核实施细则》的规定,广东交通职业技术学院建立了船员教育和船员培训质量体系,并于1999年首次通过中国海事局船员教育和培训质量体系审核,于2017年通过了国家海事局质量体系再有效审核。学校严格按海事部门的有关法规及规定开展各项船员培训业务,认真做好船员培训教学的实施、保障、检查和督促工作,所开展的船员教育和各项船员培训业务均在该单位的质量管理体系监控之下。该单位的船员教育和培训质量管理体系,在管理制度上,确保了培训的有效开展。现代化的多媒体教室,为提高学员理论水平、改善教学效果起到了很好的作用。

5.3.2 场地设施设备保障

该课程培训设施设备符合《中华人民共和国船员培训管理规则》三副场地、设施、设备的要求,能满足学校目前培训规模(40人/班×6班)的培训教学要求。

5.3.3 师资配备

目前学校配备16名教师,13位通过了交通运输部海事局的师资培训班的考核,取得师资培训合格证比例达81.25%。

16名教师中,14名为航海类专业教师,2名为专职英语教师,都具有丰富的理论知识和实践经验。所有教师都可开展实操教学,并满足培训规模(40人/班×6班)的要求。该课程培训师资符合《中华人民共和国船员培训管理规则》航海技术专业(500总吨及以上三副)师资的要求,能满足学校目前培训规模(40人/班×6班)的培训教学要求。

综上所述，该培训机构在师资、设备设施、课程安排、公约与法规的跟踪、时效性等方面完全具备航海技术专业（500总吨及以上三副无限航区）的办学和培训能力要求，毕业生能满足STCW公约马尼拉修正案的适任要求，培训内容及技能覆盖《培训大纲》的全部内容及技能要求。

5.4 课程培训计划

5.4.1 培训目的

本培训计划系根据我国交通运输部办公厅颁布的《培训大纲》的通知精神，并结合培训中心《船员培训许可证》中40人/班×6班的规模情况而制定的。目的是使受训学员掌握STCW公约马尼拉修正案要求的相应知识和技能，并通过考试，取得无限航区500总吨及以上船舶二/三副适任证书。

5.4.2 培训对象

本计划的培训对象为航海院校航海技术专业学生、社会培训班学员及符合参加无限航区500总吨及以上船舶二/三副适任证书考试资格人员。

完成基本安全培训Z01、精通救生艇筏和救助艇培训Z02、高级消防培训Z04、精通急救培训Z05、保安意识培训和负有指定保安职责船员的培训Z07/Z08，完成相应的三副岗位适任培训。

5.4.3 培训时间

《培训大纲》要求理论课631学时，实际执行理论授课681学时。

《培训大纲》要求实操课348学时，实际执行实操授课357学时。

《培训大纲》要求979学时，实际培训安排1 038学时（注：不含小证培训学时数）。

5.4.4 师资配置表

师资配置情况见表5－30。

表5－3 师资配置情况表

机构名称			
法定代表人		负责人	
培训项目	无限航区500总吨及以上二/三副		
对教学人员的要求			
基本条件： 1. 航海英语和航海英语听力与会话教员应满足下列条件之一： （1）具有英语专业本科及以上学历，海上资历不少于3个月并具有中级及以上职称的专业教师； （2）具有航海专业本科及以上学历，不少于1年的无限航区三副及以上任职资历，并具有不少于1年的专业英语教学/助教经验。 2. 航海气象与海洋学、船舶结构与货运、航海仪器教员应满足以下条件之一：			

表5－3(续1)

(1)具有相关专业本科及以上学历,海上资历不少于6个月并具有中级及以上职称的专业教师;
(2)具有大专以上学历,不少于1年的相应航区等级大副及以上任职资历,且具有不少于1年的教学经验。
3.船舶操纵、避碰与驾驶台资源管理教员应满足下列条件之一:
(1)具有不少于2年的相应航区等级船长或大副任职资历;
(2)具有副高及以上职称,并具有不少于1年的海上服务资历的专业教师。
4.其他教员须满足下列条件之一:
(1)具有不少于2年的相应航区等级三副及以上任职资历,且具有不少于1年的教学经验;
(2)具有不少于1年的相应航区等级三副及以上任职资历,具有中级及以上职称的专业教师。
其他要求:
(1)理论教员须自有;
(2)船舶操纵、避碰与驾驶台资源管理教员中至少1名为相应航区等级的船长,并按照每台本船船舶操纵模拟器至少1名教员、主控台1名教员;
(3)其他实训教员按照师生比1:20配备,可外聘。

实际教学人员情况

姓名	学历	专业	所持证书	教学资历/月	船上资历/月	教学科目	备注(注明自有或兼职,如兼职应注明工作单位)
教员一	研究生	航海技术	教师资格证/甲类船长/副教授	60	128	船舶操纵与避碰/船舶管理/船舶操纵、避碰与驾驶台资源管理/驾驶台资源管理/航海英语听力与会话/航海英语/航海气象与海洋学/航海学/航线设计	自有/驾驶台资源管理师资、航海英语师资/值班水手业务
教员二	本科	船舶驾驶	教师资格证、船员服务簿	186	15	船舶结构与货运/航海气象与海洋学/航海仪器/航海仪器的使用/电子海图/雷达操作与应用/船舶结构与货运/货物积载与系固/基本安全	自有/ECDIS师资培训
教员三	研究生	航海技术	甲类三副/讲师	18	18	航海英语听力与会话/航海英语/航海学/电子海图/航线设计/船舶结构与货运/货物积载与系固/航海气象与海洋学/值班水手业务	自有/已通过航海学(气象)、航海英语(操作级)师资培训、值班水手业务

表5-3(续2)

姓名	学历	专业	所持证书	教学资历/月	船上资历/月	教学科目	备注(注明自有或兼职,如兼职应注明工作单位)
教员四	本科	船舶驾驶	教师资格证/甲类大副	56	96	航海英语听力与会话/船舶操纵与避碰/航海英语/船舶管理/船舶结构与货运/货物积载与系固/航海仪器的使用/航海气象与海洋学/电子海图/值班水手业务/航海学	自有/已通过船舶管理、船舶避碰、航海气象与海洋学、海上货物运输、航海英语、ECDIS师资培训、值班水手业务培训
教员五	中专	航海技术	甲类船长/高级船长	66	208	航海学/电子海图/航线设计/船舶操纵、避碰与驾驶台资源管理/驾驶台资源管理/船舶操纵与避碰	自有/通过驾驶台资源管理师资培训
教员六	本科	航海技术	甲类船长/讲师	68	123	船舶操纵、避碰与驾驶台资源管理/驾驶台资源管理/船舶操纵与避碰	自有/通过驾驶台资源管理师资培训
教员七	本科	航海技术	教师资格证、GMDSS、副教授	126	72	船舶操纵、避碰与驾驶台资源管理/驾驶台资源管理、船舶结构与货运/航海气象与海洋学/航海仪器/货物积载与系固/基本安全	自有/通过驾驶台资源管理师资培训
教员八	本科	航海技术	教师资格证/甲类船长	36	180	船舶管理/船舶结构与货运/货物积载与系固/船舶操纵、避碰与驾驶台资源管理/驾驶台资源管理/船舶操纵与避碰/值班水手业务/航海学	自有/通过船舶结构与货运/船舶管理和航海英语听力与会话师资培训/值班水手业务
教员九	研究生	英语	教师资格证、副教授	252	6	航海英语/航海英语听力与会话	自有/通过中国海事局第二期海事英语师资班培训

表 5－3(续 3)

姓名	学历	专业	所持证书	教学资历/月	船上资历/月	教学科目	备注(注明自有或兼职,如兼职应注明工作单位)
教员十	本科	英语	教师资格证、讲师	240	6	航海英语/航海英语听力与会话	自有
教员十一	研究生	海商法	教师资格证、讲师	240	6	航海英语/航海英语听力与会话	自有/通过中国海事局第三期海事英语师资班培训
教员十二	本科	船舶驾驶	教师资格证、副教授	144	29	船舶结构与货运/航海气象与海洋学/航海仪器/航海仪器的使用/电子海图/雷达操作与应用/货物积载与系固/基本安全	自有/通过 ECDIS 师资培训
教员十三	专科	船舶驾驶	教师资格证/GMDSS/教授	242	14	船舶结构与货运/航海气象与海洋学/航海仪器/航海仪器的使用/电子海图/雷达操作与应用/货物积载与系固/基本安全	自有/通过 ECDIS 师资培训
教员十四	本科	船舶驾驶	甲类船长	24	116	雷达操作与应用/船舶操纵、避碰与驾驶台资源管理/货物积载与系固/航海仪器的使用/电子海图	兼积(珠海九州港客运服务有限公司)
教员十五	研究生	船舶驾驶	甲类三副	18	24	航海学/船舶管理/船舶结构与货运/雷达操作与应用/货物积载与系固/航海仪器的使用/船舶操纵与避碰/基本安全	自有/新增
教员十六	本科	船舶驾驶	教师资格证、副教授	144	24	船舶结构与货运/航海气象与海洋学/航海仪器/航海仪器的使用/电子海图/雷达操作与应用/货物积载与系固/基本安全	自有/通过 ECDIS 师资培训

5.4.5 培训场地、设施、设备情况

培训场地、设施、设备情况见表 5－4。

表 5－4 培训场地、设施、设备情况表

配备标准			目前实际配备情况			
序号	场地、设施、设备名称	要求	实际数量	实际状态	所有权	备注(注明变更情况)
1	多媒体教室	1 间,能容纳 40 人	6 间	良好	自有	
2	教学用海图	40 张	100 张	良好	自有	中国沿海、北美、欧洲、澳洲航区航线海图
3	教学用中、英文版航海图书资料	20 套	20 套	良好	自有	
4	教学用《航海日志》	40 套	40 套	良好	自有	
5	海图桌	40 张	40 张	良好	自有	
6	海图作业工具	40 套	40 套	良好	自有	
7	航线设计资料	4 套	4 套	良好	自有	欧洲、北太平洋、南太平洋、中国沿海航线等
8	六分仪	20 台	20 台	良好	自有	GLH－130－40 型
9	索星卡	40 套	40 套	良好	自有	TS－9020 型
10	天文表册	20 套	20 套	良好	自有	
11	天象馆	1 个				选做
12	全球定位系统接收机	4 台套	4 台套	良好	自有	其中 GP－150 型 2 台,GP－32 型、GP－70 型各 1 台
13	雷达	4 台	5 台	良好	自有	JRC－3211 型、JRC－2144 型、JMA－9922 型、2343 型、FR－2825 型各 1 台
14	计程仪	2 台	2 台	良好	自有	SL－806 型、DS－80 型各 1 台
15	测深仪	2 台	2 台	良好	自有	DS－2008 型、FE－6300 型各 1 台
16	磁罗经	5 台	5 台	良好	自有	CPL－165A 型 2 台,CPT－165A 型 3 台

表5-4(续1)

配备标准			目前实际配备情况			
序号	场地、设施、设备名称	要求	实际数量	实际状态	所有权	备注(注明变更情况)
17	陀螺罗经	3台	4台	良好	自有	航海-1型1台,安休茨STD-22型1台,CLP-1型1台,MK-37D/E型1台
18	船舶自动识别系统船台	4台	4台	良好	自有	SI-30型、AWAIS型、HX-800型、AIS-B-600型各1台
19	航行数据记录仪或简易型航行数据记录仪	1套	1套	良好	自有	HLD-S2型
20	风向风速仪	1台	1台	良好	自有	AM-706型
21	数字气象仪	2台	2台	良好	自有	ZXC2-2型
22	百叶箱干湿球温度表	2只	2只	良好	自有	JQX-BB型
23	空盒气压表	10个	10个	良好	自有	DYM3型
24	气象传真接收机	2台	2台	良好	自有	FAX-408型
25	实船货场配积载资料	散装船、杂货船、集装箱船各40套	各40套	良好	自有	
26	国际海运危险货物规则	2套	2套	良好	自有	
27	货场积载与系固规则	2套	2套	良好	自有	
28	配积载计算机与软件	40个终端,每个终端应装散装船、杂货船、集装箱船、油船软件各1套	40个终端	良好	自有	
29	相关配载船舶资料和装货清单	40套	40套	良好	自有	
30	船舶模型	散装船、杂货船、集装箱船、油船各1具	各1具	良好	自有	
31	船体结构模型	散装船、杂货船、集装箱船、油船各1具	各1具	良好	自有	模型及挂图

表5-4(续2)

配备标准			目前实际配备情况			
序号	场地、设施、设备名称	要求	实际数量	实际状态	所有权	备注(注明变更情况)
32	锚设备实物或模型	1套	1套	良好	自有	山字锚、锚机实物
33	装卸设备实物或模型	1套	1套	良好	自有	双杆吊机
34	系泊设备实物或模型	1套	1套	良好	自有	缆桩(单、双柱)、导缆器、导缆滚轮等
35	操舵设备实物或模型	1套	3套和4套	良好	自有	操舵设备实物见船舶模拟器
36	管系模型	1套	1套	良好	自有	
37	堵漏器材实物	1套	1套	良好	自有	堵漏器材包括堵漏毯、堵漏箱、堵漏板、堵漏螺杆、木塞、堵漏木楔等
38	主要航海国家国旗或替代物	1套	1套	良好	自有	主要航海国家国旗挂图
39	信号旗	1套	1套	良好	自有	国际信号旗
40	灯光通信设备	1套	1套	良好	自有	船用
41	号灯号型实物或替代物	1套	1套	良好	自有	航海模拟器显示的号灯号型
42	全球海上遇险和安全系统	1套	1套	良好	自有	
43	雷达模拟器	1套	3套	良好	自有	
44	航海模拟器	1套,满足IMO关于航海模拟器的性能标准	1套	良好	自有	
45	英语听说训练教学设备	40套	240套	良好	自有	
46	航海英语视听教学资料	40套	120套	良好	自有	
47	满足主管机关船员无纸化考场标准的考场	1个	1个	良好	自有	
48	计算机和网络设施	40台终端	100台终端	良好	自有	

表5-4(续3)

配备标准			目前实际配备情况			
序号	场地、设施、设备名称	要求	实际数量	实际状态	所有权	备注(注明变更情况)
49	电子海图系统软件	1套	1套	良好	自有	
50	实验用海区海图	至少4套	4套	完好	自有	
51	视听设备	1套	1套	在用,完好	自有	
52	实船系统	1. 至少1套; 2. 通过ECDIS类型认证(符合IEC61174标准)	1套	通过ECDIS类型认证(符合IEC 61174标准)	自有	HHEEGH-01型真实系统操作
53	模拟器	1. 至少20个终端; 2. 符合IMO的ECDIS性能标准(MSC232(82)),具备ECDIS全任务、全功能模拟操作能力	20个终端,符合IMO的ECDIS性能标准(MSC 232(82)),具备ECDIS全任务、全功能模拟操作能力	使用已获得中国船级社(CCS)认证的CH-01型ECDIS真实软件,满足ECDIS国际和国内ECS要求,支持中英文界面	自有	模拟训练

表5-4(续4)

配备标准			目前实际配备情况			
序号	场地、设施、设备名称	要求	实际数量	实际状态	所有权	备注(注明变更情况)
54	电子海图配备	1. 至少配备矢量电子海图(ENC); 2. 具有更新功能; 3. 至少具有涉及中国沿海港口至北美西海岸、澳大利亚、欧洲地中海国家港口航线的海图	1.1套中国海事局授权全国沿海数据IHO S63格式ENC; 2.5条英国海道测量局(UKHO)国际航线ENC,分别为广州至巴塞罗那、上海至旧金山、香港至悉尼、湛江至鹿特丹、天津至东京	海图出版书号:9787894160393/K476	自有	自动更新功能可以模拟
55	“芙蓉号”实船新增,按比例建设实船(自有,教学用船),校内固定设施,可用于三副各适任考试科目的辅助教学					

5.4.6 课程设置及学时分配

课程设置及学时分配情况见表5-5。

表 5－5　课程设置及学时分配表

序号	课程名称	课程实际学时			课程设置说明
		理论	实操	总学时	
1	航海学(地文、天文)	74	8	82	
2	毕业顶岗实习(船上)	0	11	49	共 20 周,其中用于地文航海和沿海航行实操 11 学时,用于天文航海实操 16 学时,用于海图和航海图书资料 8 学时,用于罗经差测定实操 8 学时,用于航海气象基础知识实操 6 学时
		0	16		
		0	8		
		0	8		
		0	6		
3	航线设计	28	36	64	
4	航海学(仪器)	48	0	48	
5	航海仪器的使用	46	34	80	
6	雷达操作与应用	20	20	40	
7	电子海图显示与信息系统	20	20	40	1 周,共 40 学时
8	航海学(气象)	56	0	56	
9	船舶操纵与避碰(避碰)	48	0	48	
10	驾驶台资源管理	20	0	20	
11	值班水手业务	10	0	10	
12	水手工艺与值班	0	13	13	
13	船舶操纵与避碰(操纵)	44	2	46	
14	船舶操纵、避碰与驾驶台资源管理	0	56	56	1 周,共 56 学时,利用周六、周日,每天 8 节课
15	船舶结构与货运	89	1	90	
16	货物积载与系固	4	36	40	1 周,共 40 学时
17	基本安全	10	4	14	3 周,其中用于应急程序理论 10 学时,实操 4 学时
18	船舶管理	42	8	50	
19	航海英语	122	22	144	
20	航海英语听力与会话	0	48	48	
合计		681	357	1038	

5.4.7　教学方法

理论采用面授教学、PPT 演示,实操采用船上顶岗实习及实验室设备培训。

5.4.8 所用教材

本培训所用教材见表 5 – 6。

表 5 – 6 教材一览表

序号	课程名称	教材名称	ISBN	主编	出版社	出版年份
1	基本安全(Z01)	《基本安全——个人安全与社会责任》	978 – 7 – 1140 – 9694 – 5	中国海事服务中心	人民交通出版社 大连海事大学出版社	2012 年
		《基本安全——个人求生》	978 – 7 – 1140 – 9693 – 8	中国海事服务中心	人民交通出版社 大连海事大学出版社	2012 年
2	驾驶台资源管理	《船舶管理》	978 – 7 – 5632 – 3283 – 3	吴金龙，郭会玲，任广利	大连海事大学出版社	2016 年
		《驾驶台资源管理》		教员一	自编讲义	2016 年
		《船舶驾驶台资源管理实用教程》	978 – 7 – 5632 – 3051 – 8	王建明，宁文才，张如凯	大连海事大学出版社	2014 年
		《船舶驾驶台资源管理》	978 – 7 – 8112 – 1293 – 8	胡甚平	上海浦江教育出版社	2013 年
3	船舶操纵与避碰(避碰)	《船舶操纵与避碰(船舶避碰)》	978 – 7 – 1140 – 9728 – 7	中国海事服务中心	人民交通出版社 大连海事大学出版社	2012 年
		《船舶操纵与避碰(二/三副用)》	978 – 7 – 5632 – 3358 – 8	赵月林，薛满福	大连海事大学出版社	2016 年
		《船舶操纵与避碰同步辅导(避碰篇)》	978 – 7 – 5632 – 3449 – 3	周振路，孟祥武，惠子刚，张钢	大连海事大学出版社	2017 年
4	船舶操纵与避碰(操纵)	《船舶操纵与避碰(船舶操纵)》	978 – 7 – 1140 – 9754 – 6	中国海事服务中心	人民交通出版社 大连海事大学出版社	2012 年
		《船舶操纵与避碰(二/三副用)》	978 – 7 – 5632 – 3358 – 8	赵月林，薛满福	大连海事大学出版社	2016 年
		《船舶操纵与避碰同步辅导(操纵篇)》	978 – 7 – 5632 – 3448 – 6	惠子刚，李先强，崔刚，高世龙	大连海事大学出版社	2017 年

表 5-6(续1)

序号	课程名称	教材名称	ISBN	主编	出版社	出版年份
5	船舶结构与货运	《船舶结构与货运》	978-7-1141-0203-5	中国海事服务中心	人民交通出版社 大连海事大学出版社	2012年
5	船舶结构与货运	《船舶结构与货运同步辅导》	978-7-5632-3565-0	崔刚,惠子刚,张钢	大连海事大学出版社	2017年
5	船舶结构与货运	《船舶结构与货运》	978-7-5661-1277-4	范育军,王威	哈尔滨工程大学出版社	2016年
6	航海学(地文、天文)	《航海学(地文、天文和仪器)》	978-7-1140-9766-9	中国海事服务中心	人民交通出版社 大连海事大学出版社	2012年
7	航海学(仪器)	《航海学(地文、天文和仪器)》	978-7-1140-9766-9	中国海事服务中心	人民交通出版社 大连海事大学出版社	2012年
7	航海学(仪器)	《航海仪器》	978-7-5632-3682-4	吴金龙,张世良,张弘,张良	大连海事大学出版社	2018年
8	航海学(气象)	《航海气象与海洋学》	978-7-5632-3805-7	杨亚新,夏剑东	大连海事大学出版	2019年
8	航海学(气象)	《航海学(航海气象与海洋学)》	978-7-1140-9755-3	中国海事服务中心	人民交通出版社 大连海事大学出版社	2012年
9	航海英语	《航海英语(二/三副)》	978-7-1140-9918-2	中国海事服务中心	人民交通出版社 大连海事大学出版社	2012年
9	航海英语	《航海英语》	978-7-5632-3408-0	沈江,丁自华,姜朝妍	大连海事大学出版社	2016年
9	航海英语	《航海英语听力与会话(第四版)》	978-7-1141-1837-1	中国海事服务中心	人民交通出版社	2014年
10	船舶管理	《船舶管理(驾驶员)》	978-7-1140-9727-0	中国海事服务中心	人民交通出版社 大连海事大学出版社	2012年
10	船舶管理	《船舶管理》	978-7-5632-3283-3	吴金龙,郭会玲,任广利	大连海事大学出版社	2016年
10	船舶管理	《船舶管理(二/三副)》	978-7-5632-3964-1	卜仁祥,陶肆,肖金峰	大连海事大学出版社	2016年
10	船舶管理	《船舶管理(第二版)》	978-7-5661-1242-2	刘芳武	哈尔滨工程大学出版社	2020年

表5-6(续2)

序号	课程名称	教材名称	ISBN	主编	出版社	出版年份
11	值班水手业务	《值班水手业务》	978-7-5632-3824-8	周连国,孙玉强,仝金强	大连海事大学出版社	2019年
		《值班水手业务考试指南》	978-7-5632-3210-9	张克家,吴金龙,戚发勇	大连海事大学出版社	2015年
12	水手工艺与值班	《值班水手业务》	978-7-5632-3824-8	周连国,孙玉强,仝金强	大连海事大学出版社	2019年
		《值班水手业务考试指南》	978-7-5632-3210-9	张克家,吴金龙,戚发勇	大连海事大学出版社	2015年
13	电子海图显示与信息系统	《电子海图显示与信息系统(ECDIS)的操作使用》	978-7-5632-3186-7	中华人民共和国海事局	大连海事大学出版社	2015年
		《电子海图显示与信息系统》	978-7-5632-3827-9	郑建佳,龚安祥	大连海事大学出版社	2019年
		《电子海图显示与信息系统指导》		叶强	自编讲义	2018年
14	航线设计	《航线设计指导书》		关腾飞	自编讲义	2018年
		《航海学(地文、天文和仪器)》	978-7-1140-9766-9	中国海事服务中心	人民交通出版社 大连海事大学出版社	2012年
15	雷达操作与应用	《雷达操作与应用指导书》		梁高金	自编讲义	2018年
		《航海仪器操作与维护》	978-7-5632-3543-8	贺国峰	大连海事大学出版社	2018年

表 5 –6(续 2)

序号	课程名称	教材名称	ISBN	主编	出版社	出版年份
16	船舶操纵、避碰与驾驶台资源管理	《船舶操纵与避碰(二/三副用)》	978 –7 –5632 –3358 –8	赵月林,薛满福	大连海事大学出版社	2016 年
		《船舶操纵、避碰与驾驶台资源管理指导书》		郑又新	自编讲义	2018 年
		《船舶避碰与值班》	978 –7 –5632 –3532 –2	周振路	大连海事大学出版社	2017 年
		《船舶管理》	978 –7 –5632 –3283 –3	吴金龙,郭会玲,任广利	大连海事大学出版社	2016 年
		《船舶驾驶台资源管理实用教程》	978 –7 –5632 –3051 –8	王建明,宁文才,张如凯	大连海事大学出版社	2014 年
17	货物积载与系固	《货物积载与系固指导书》		覃胜	自编讲义	2018 年
		《船舶结构与货运(二/三副用)》	978 –7 –5632 –2764 –8	田佰军,薛满福	大连海事大学出版社	2012 年
		《船舶结构与货运》	978 –7 –5661 –1277 –4	范育军,王威	哈尔滨工程大学出版社	2016 年
18	航海仪器的使用	《航海仪器指导书》		童仁杰	自编讲义	2018 年
		《航海仪器操作与维护》	978 –7 –5632 –3543 –8	贺国峰	大连海事大学出版社	2018 年
		《航海仪器》	978 –7 –5632 –3682 –4	吴金龙,张世良,张弘,张良	大连海事大学出版社	2018 年
19	航海英语听力与会话	《航海英语听力与会话(第四版)》	978 –7 –1141 –1837 –1	中国海事服务中心	人民交通出版社	2014 年
		《航海英语听力与会话同步辅导(第四版)》	978 –7 –5632 –3241 –3	李功臣,于文娟	大连海事大学出版社	2015 年
20	毕业顶岗实习(船上)	《航海学(地文、天文和仪器)》	978 –7 –1140 –9766 –9	中国海事服务中心	人民交通出版社 大连海事大学出版社	2012 年
		《航海仪器操作与维护》	978 –7 –5632 –3543 –8	贺国峰	大连海事大学出版社	2018 年
		《顶岗实习指导书》		郑又新	自编讲义	2018 年

5.5 教学大纲和教学方案

5.5.1 航海学(地文、天文)教学大纲

航海学(地文、天文)教学大纲信息情况见表5-7。

表5-7 航海学(地文、天文)教学大纲信息情况表

课程名称	航海学(地文、天文)		课程代码	143068B
学分	5	学时:82 其中含理论学时:74 实践学时:8		
课程性质:☑必修课 □选修课				
课程类型:□公共课程(含公共基础平台课程、通识课程、公选课程等) □(跨)专业群基础平台课程 ☑专业课程 课程特性:□学科性课程 □工作过程系统化课程 ☑项目化课程 □任务导向课程 □其他 教学组织:□以教为主(理论为主) □以做为主(实践为主) □理实一体(理论+实践)				

编写年月		执笔		审核	

1.课程性质与定位

本课程是航海技术专业必修的一门专业核心课程,是“无限航区3 000总吨及以上船舶三副”职业岗位适任证书考试科目之一。本课程的学习,可使学生具有航海图书资料使用及更新的能力;能根据航次任务制定一条既经济又安全的航线,并能使用合适的定位方法和导航方法引导船舶沿计划航线安全、经济地航行。培养学生分析问题与解决问题的能力,使其养成严谨、求实、认真、仔细的学习和工作态度。培养符合现代航运企业需求,满足STCW公约马尼拉修正案和国家海事局对船员培训、考试及发证法规的要求,具有可持续发展能力的高素质技能型能胜任现代化船舶驾驶与管理的无限航区高级船员。

2.课程教学目标

(1)总体目标

通过本课程的学习,掌握海图、航海图书资料、航线设计、海图作业和船舶定位相关理论知识,具有计划并引导船舶航行和定位的能力。培养学生分析问题与解决问题的能力,使其养成严谨、求实、认真、仔细的学习和工作态度。

(2)分类目标

①专业能力

◆能正确计算时间、识别物标、选择各种陆标定位及估算船位精度;

◆具有利用常用定位方法确定船舶位置和航线设计的能力;

◆会使用海图及值班驾驶员常用航海图书资料;

◆具有测定罗经差和初步运用基本航行方法的能力;

◆能正确使用各种航海仪器,具有保持安全航行的能力。

②方法能力

◆培养分析问题与解决问题的能力；

◆培养查阅资料、独立学习、获取新知识的能力；

◆培养应变决策和外语应用能力；

◆养成善于观测、勤于思考的学习习惯。

③社会能力

◆养成严谨、求实、认真、仔细的学习和工作态度；

◆具有安全与环境保护意识；

◆养成良好的海员职业道德；

◆具有团队意识，良好的与同事交流、合作的能力。

培训内容、培训目标、学时、培训方式、教员安排、场地、设施设备、培训教材见表5－8。

表 5－8　航海学(地文、天文)教学大纲内容安排表

培训内容		培训目标	学时		培训方式	教员安排	场地、设施设备	教材及参考资料
理论知识	实践技能		理论	实践				
教学时间安排:三年制第1～2学期								
1.1.1 天文航海 1.天体坐标系及各坐标系坐标值之间的转换(5 h) 2.天体视运动轨道及特点(3 h) 3.航海上的时间系统(5 h) 4.天文定位原理及步骤(2 h) 5.六分仪和测天数据的处理方法(2 h) 6.求测天时刻天体的位置(使用航海天文历)(2 h) 7.求天文船位线各要素,并绘制天文船位线(3 h) 8.测太阳中天高度求纬度(2 h) 9.天文船位精度分析与误差控制(2 h) 1.1.2 地文航海和沿海航行	1.正确检查六分仪误差和测定其指标差(1 h) 2.正确使用六分仪观测天体、正确使用天文钟及秒表(2 h) 3.根据测天时间(UT)查航海天文历(2 h) 4.对观测高度进行正确修订(2 h) 5.在航用海图上画天文船位线(1 h)	1.理解天球坐标的建立 2.理解天球不同标系 3.掌握坐标的转换 4.掌握天体视运动的原因、现象 5.掌握天体视运动的规律 6.了解时间系统 7.掌握视时、平时、区时的概念 8.理解海上拨钟的规定与做法 9.掌握求取天体位置的方法 10.了解天文定位的原理 11.掌握航海六分仪的使用 12.理解常用天文定位的方法	26	8	天文航海理论教学利用多媒体和实验室实训教学,天文航海实践在实验室完成	具备《航海学(地文、天文)》的师资,见三副教学人员安排表	教学楼相应课室、海图室、教学楼顶	1.《航海学(地文、天文和仪器)》 2.《顶岗实习指导书》 3.《航线设计指导书》

表 5 - 8(续 1)

培训内容		培训目标	学时		培训方式	教员安排	场地、设施设备	教材及参考资料
理论知识	实践技能		理论	实践				
1. 球面大圆、球面小圆、球面角、球面三角形、极等定义及球面三角形边角关系(1 h) 2. 地理坐标的定义、度量方法及地面方向的确定(4 h) 3. 航向、方位和舷角的概念、度量和相互之间的关系(3 h) 4. 航速与航程的相关内容(1 h) 5. 海上距离和灯标射程(3 h)(沿海航区只要求掌握中版航标表知识) 6. 位置线、船位线以及观测船位的概念(2 h) 7. 陆标及其识别方法(2 h) 8. 航标的种类与作用(1 h)		1. 掌握地球近似体的概念;掌握地理坐标的建立;了解不同坐标系的关系 2. 掌握航向的划分与定义;掌握方位的测量方法 3. 理解海里、海上能见距离的概念;理解灯标射程的定义 4. 理解海上速度的定义 5. 了解助航标志的分类与功能;理解国际浮标制度的规定;掌握各种浮标的特征、作用与识别 6. 理解在风、流作用下的推算方法;掌握航迹绘算的基本方法与技能 7. 理解陆标定位的基本方法与原理;理解陆标定位的误差分析;掌握陆标定位的各种方法;掌握航迹计算方法 8. 了解潮汐的成因和潮汐现象	42	0	多媒体和实验室实训教学	具备“航海学(地文、天文)”的师资,见三副教学人员安排表	教学楼相应课室、海图室、船舶操纵模拟器室	1.《航海学(地文、天文和仪器)》 2.《航线设计指导书》

表5－8(续2)

培训内容		培训目标	学时		培训方式	教员安排	场地、设施设备	教材及参考资料
理论知识	实践技能		理论	实践				
9. 国际海区水上助航标志制度(4 h) 10. 方位、距离的测定方法(3 h) 11. 方位定位、距离定位和单标方位距离定位的定位方法(2 h) 12. 各种定位方法的特点及提高定位精度的方法(2 h) 13. 风、流对航向和航速的影响(2 h) 14. 不同风流条件下海图作业方法(4 h) 15. 航迹计算方法(3 h) 16. 潮汐的成因和潮汐现象(2 h) 17.《潮汐表》的结构和查阅方法(1 h)(沿海航区只要求掌握中版《潮汐表》知识) 18. 利用《潮汐表》等进行潮汐和潮流计算(2 h)		9. 掌握《潮汐表》的结构和查阅方法 10. 掌握利用《潮汐表》等进行潮汐和潮流计算						

表5-8(续3)

培训内容		培训目标	学时		培训方式	教员安排	场地、设施设备	教材及参考资料
理论知识	实践技能		理论	实践				
1.2.3 船舶定线制 1. 气象航线与气候航线 2. 船舶定线制的作用、种类、航行方法和航线设计原则,使用定线制与船舶避碰的关系(2 h)		能运用相关知识,有效使用航线	4	0	多媒体和实验室实训教学	具备“航海学(地文、天文)”的师资,见三副教学人员安排表	教学楼相应课室、海图室、船舶操纵模拟器室	《航海学(地文、天文和仪器)》
1.2.5 船舶报告制 1. 船舶报告系统的目的以及船舶报告的种类、程序、主要内容、格式(1 h) 2. 船舶交通管理系统概况、功能、作用及服务,VTS①区域报告规定的查阅等(1 h)		会查阅相关报告资料,并正确报告	2	0	线的概念与特点,气象导航原则、方法、程序和注意事项(2 h),多媒体和实验室实训教学	具备“航海学(地文、天文)”的师资,见三副教学人员安排表	教学楼相应课室、海图室、船舶操纵模拟器室	《航海学(地文、天文和仪器)》
小计			74	8				

注:VTS 意为船舶交通管理系统。

5.5.2　毕业顶岗实习(船上)教学大纲

毕业顶岗实习(船上)教学大纲信息情况见表5-9。

表5-9　毕业顶岗实习(船上)教学大纲信息情况表

课程名称	毕业顶岗实习(船上)	课程代码	484002C
学分	5	学时:49 其中含理论学时:0 实践学时:49	
课程性质:☑必修课　□选修课			

课程类型:□公共课程(含公共基础平台课程、通识课程、公选课程等)
□(跨)专业群基础平台课程　☑专业课程
课程特性:□学科性课程　□工作过程系统化课程　□项目化课程　☑任务导向课程　□其他
教学组织:□以教为主(理论为主)　☑以做为主(实践为主)　□ 理实一体(理论+实践)

编写年月		执笔		审核	

1. 课程性质与定位

顶岗实习是航海技术专业必修的一门专业综合实训课程,在第6学期进行,是在学习了专业课的前提下,让学生理论联系实际,结合驾驶员业务进行实习,巩固所学专业课,并为将来走上工作岗位担任驾驶员奠定基础。企业顶岗实习,可使学生对所学的课程知识进行实践,巩固专业知识,同时培养分析问题与解决问题的能力,养成严谨、求实、认真、仔细的学习和工作态度。从而培养符合现代航运企业需求,满足STCW公约马尼拉修正案和《中华人民共和国海船船员适任考试和发证规则》要求,能胜任现代化船舶驾驶与管理的,具有可持续发展能力的高素质技能型无限航区高级船员。

2. 课程教学目标

(1)知识目标

①熟练利用陆标、天体和各种助航仪器迅速、准确地定出船位;正确进行海图作业和利用潜逃表计算潮时和潮高;正确使用中英版海图及其他航海图书资料;正确设计和绘制航线、计算罗经差、计程仪误差;正确分析风压差、流压差及风流和压差等。

②准确观察风流对船舶操纵者的影响;正确分析各种情况下船舶操纵方案及其实例;熟练掌握《1972年国际海上避碰规则公约》的条款;在正常情况下采取正确的避让方法;正确分析紧迫局面和碰撞事故的发生以及应采取的应急措施;正确使用雷达和自动雷达标绘仪(ARPA)进行瞭望与避让。

③掌握水文气象观测技能,会利用气象资料进行天气分析,预报未来航程中的天气演变趋势。

④了解船舶各种甲板设备及属具性能;了解各种航海仪器的性能、使用方法和保养知识;正确利用船舶资料和货物性质进行配载和计算稳性、强度。

⑤具备独立担当驾驶员航行值班的能力。

2. 能力目标

(1)培养分析问题与解决问题的能力;

(2)培养查阅资料、独立学习、获取新知识的能力;

(3)培养应变决策和外语应用能力;

(4)养成善于观测、勤于思考的习惯。

3. 素质目标能力

(1)养成严谨、求实、认真、仔细的学习和工作态度;

(2)具有安全与环境保护意识;

(3)具备良好的海员职业道德;

(4)具有团队意识,良好的与同事交流、合作的能力。

培训内容、培训目标、学时、培训方式、教员安排、场地、设施设备、培训教材见表5-10。

表 5 – 10　毕业顶岗实习(船上)教学大纲内容安排表

培训内容		培训目标	学时		培训方式	教员安排	场地、设施设备	教材及参考资料
理论知识	实践技能		理论	实践				
教学时间安排:三年制第 6 学期								
1.1.1 天文航海 1. 天体坐标系及各坐标系坐标值之间的转换 2. 天体视运动轨道及特点 3. 航海上的时间系统 4. 天文定位原理及步骤 5. 六分仪和测天数据的处理方法 6. 求测天时刻天体的位置(使用航海天文历) 7. 求天文船位线各要素,并绘制天文船位线 8. 测太阳中天高度求纬度 9. 天文船位精度分析与误差控制(以上均不适用于沿海区等级)	在船上(实习)开展以下实训: 1. 天文定位实例练习与训练(10 h) 2. 使用电子航海天文历和天文航海软件进行天文定位(3 h) 3. 识别航海常用星体(3 h)(以上对沿海航区等级不作要求)	1. 定位方法适合于当时环境和条件 2. 定位要素信息的测量和计算是正确和精确的 3. 确定的船位在可接受的仪器/系统误差限度内 4. 以适当的时间间隔核查用主要定位方法获得的资料的可信性	0	16	天文航海实践利用顶岗实习在船上完成	校内指导老师具备“航海学(地文、天文)”的师资,见三副教学人员安排表	顶岗实习船上	1.《航海学(地文、天文和仪器)》 2.《顶岗实习指导书》 3.《航线设计指导书》
1.1.2 地文航海和沿海航行 1. 球面大圆、球面小圆、球面角、球面三角形、极等定义及球面三角形边角关系 2. 地理坐标的定义、度量方法及地面方向的确定	在船上(实习)开展以下全部实训: 1. 正确识别和选取可用于船舶定位的陆标、航标(1 h)	1. 从海图和航海出版物获取的信息是恰当的,并能正确地解释和合规地应用该信息,准确识别所有潜在的航行危险	0	11	地文航海和沿海航海航行实践利用顶岗实习在船上完成	校内指导老师具备“航海学(地文、天文)”的师资,见三副教学人员安排表	顶岗实习船上	1.《航海学(地文、天文和仪器)》 2.《航线设计指导书》

表 5－10(续 1)

培训内容		培训目标	学时		培训方式	教员安排	场地、设施设备	教材及参考资料
理论知识	实践技能		理论	实践				
3. 航向、方位和舷角的概念、度量及相互之间的关系 4. 航速与航程的相关内容 5. 海上距离和灯标射程(沿海航区只要求掌握中版航标表知识) 6. 位置线和船位线以及观测船位的概念 7. 陆标及其识别方法 8. 航标的种类与作用 9. 国际海区水上助航标志制度 10. 方位、距离的测定方法 11. 方位定位、距离定位和单标方位距离定位的定位方法 12. 各种定位方法的特点及提高定位精度的方法 13. 风、流对航向和航速的影响 14. 不同风流条件下海图作业方法 15. 航迹计算方法 16. 潮汐的成因和潮汐现象	2. 准确测定物标的方位和距离(2 h) 3. 准确评价观测船位的精度(2 h) 4. 正确识别并使用各种助航标志(2 h) 5. 根据资料或观测准确估计外界风、流(包括潮流)参数(2 h) 6. 用正确的方法测定风流合压差(2 h)	2. 主要定位方法最适合于当时环境和条件 3. 确定的船位在可接受的仪器/系统误差限度内 4. 以适当的时间间隔核查用主要定位方法获得的资料的可信性 5. 航海信息的计算和测量是精确的						

表 5-10(续 2)

培训内容		培训目标	学时		培训方式	教员安排	场地、设施设备	教材及参考资料
理论知识	实践技能		理论	实践				
17.《潮汐表》的结构和查阅方法(沿海航区只要掌握中文版《潮汐表》知识) 18. 利用《潮汐表》等进行潮汐和潮流计算								
1.1.3 海图和航海图书资料 1. 各种海图投影方法及特点 2. 海图比例尺与海图极限精度的关系 3. 海图的识读及使用注意事项 4. 各主要航海出版物的用途、出版情况、书目结构和使用方法(英文版资料对沿海航区等级不适用) 5. 航海通告的用途、结构、获取手段和使用方法(英文版通告对沿海航区等级不适用) 6. 无线电航行警告的种类、信息获取方法及运用	在船上(实习)开展以下全部实训: 1. 用合适的方法保管、添置和更新船上海图(2 h) 2. 及时收阅无线电航行警告,与本船航行安全有关的内容在海图和其他资料上做出标注(2 h)	1. 海图和航海出版物获取的信息是恰当的,并能正确地解释和合规地应用该信息,准确识别所有潜在的航行危险 2. 所选的海图是适合于航行区域的最大比例尺的,并且海图和航海出版物已按可用的最新资料改正 3. 航海信息的计算和测量是精确的	0	8	海图和航海图书资料实践利用顶岗实习在船上完成	校内指导老师具备“航海学(地文、天文)”的师资,见三副教学人员安排表	顶岗实习船上	1.《航海学(地文、天文和仪器)》 2.《顶岗实习指导书》 3.《航线设计指导书》

表 5－10(续 3)

培训内容		培训目标	学时		培训方式	教员安排	场地、设施设备	教材及参考资料
理论知识	实践技能		理论	实践				
7. 船舶定线的概念、作用及常见航路的指定方法 8. 各种指定航路的利用和航行方法 9. 获取船舶定线资料的方法	3. 熟悉船舶定线，并按其设计航线和实施航法(2 h) 4. 设计一条完整的航线并提交航线设计报告(24 h)							
1.1.7 罗经差测定 1. 罗经差定义以及罗经差测定的原理 2. 利用陆标测定罗经差 3. 使用 GPS[①]测定罗经差 4. 利用天体测定罗经差的原理及注意事项 以下项目沿海航区不要求： 5. 利用低高度太阳方位测定罗经差 6. 利用太阳真出没测定罗经差 7. 太阳方位表的结构及太阳方位的查取方法 8. 观测北极星方位求罗经差	在船上(实习)开展以下实训： 1. 用叠标测定罗经差(1 h) 2. 观测单标 GPS 船位法测定罗经差(1 h) 3. 观测太阳低高度方位求罗经差(2 h) 4. 观测太阳真出没方位求罗经差(2 h) 5. 观测北极星方位求罗经差(2 h)	1. 量取观测时刻物标或天体的真方位 2. 所得到的真方位值具有足够精度 3. 求得的罗经差准确 4. 能正确熟练地使用《太阳方位表》查取观测时刻的太阳真方位	0	8	罗经差测定实践利用船上顶岗实习在船上完成	校内指导老师具备航海仪器的师资，见三副教学人员安排表	顶岗实习船上	1.《航海仪器操作与维护》 2.《顶岗实习指导书》 3.《航海仪器指导书》

表5－10(续4)

培训内容		培训目标	学时		培训方式	教员安排	场地、设施设备	教材及参考资料
理论知识	实践技能		理论	实践				
1.1.9 气象学培训航海气象基础知识 1. 大气概况：大气成分及其物理性质，影响气温分布及天气变化的大气成分、大气污染、大气的垂直分层、对流层的主要特征 2. 气温：气温定义和温标，太阳、大气和地面辐射，空气增热和冷却方式，气温随时间的变化，气温的空间分布 3. 湿度：湿度的定义、大气中的水汽分布特征、表示湿度的物理量、大气中水汽的凝结、湿度的日年变化 4. 气压：气压定义和单位、气压随高度变化、气压的日年变化、海平面气压场基本形式、气压梯度、气压系统随高度的变化 5. 空气水平运动——风：风的概述、作用于大气微团	能在船上(实习)开展以下全部实训： 1. 使用干湿球温度表读取数据(0.4 h) 2. 干湿球温度表读数查算空气湿度的方法(0.4 h) 3. 气压表的正确使用、数据读取及读数订正(0.4 h) 4. 测风仪器的使用、数据读取及真风的求算方法(0.4 h) 5. 云的观测与记录(0.4 h) 6. 天气现象的观测与记录(0.4 h) 7. 海浪的观测与记录(0.2 h) 8. 表层海水温度的观测(0.2 h)	掌握各种气象、海洋要素的性质、分布和变化规律；对天气情况的测量和观测是准确的并适于其航程	0	6	气象学实践利用船上顶岗实习在船上完成	校内指导老师具备航海学（气象）的师资，见三副教学人员安排表	顶岗实习船上	

表5－10(续5)

培训内容		培训目标	学时		培训方式	教员安排	场地、设施设备	教材及参考资料
理论知识	实践技能		理论	实践				
力、地转风、梯度风、摩擦层中的风、白贝罗定律的应用;局地地形的动力作用对风的影响 6.大气垂直运动和稳定度:大气垂直运动、大气稳定度及其判定 7.云和降水:云的定义和形成条件、云的分类及其基本特征、降水的种类和性质、降水强度和降水量 8.雾和海面能见度:雾的概念及对航海的影响,平流雾、辐射雾、锋面雾、蒸汽雾、世界海洋雾的分布,中国近海雾的分布,船舶判定海雾的方法,海面能见度 9.大气环流和局地环流:单圈环流和三圈环流形成,气压带和行星风带特征,海平面平均气压场的分布特征,季风的概念、成	9.气象传真机的使用(0.4 h) 10.气象传真图的识读,EGC[②]和NAVTEX报文的理解(0.4 h) 11.在航线设计中熟练查阅和应用气象海况信息(0.4 h) 12.气象传真图的识别,其中传真图包括地面分析、地面预报、海浪分析、海浪预报、台(飓)风警报图等(2 h)							

表 5－10（续 6）

培训内容		培训目标	学时		培训方式	教员安排	场地、设施设备	教材及参考资料
理论知识	实践技能		理论	实践				
因及分布，东亚季风、南亚季风、其他地区季风、海陆风和山谷风、中国近海风分布特征，世界大洋大风分布特征（其中世界大洋大风分布特征不适用于沿海） 10. 海浪：波浪要素和波浪分类，风浪、涌浪和近岸浪，海啸、风暴潮和内波，浪高与浪级，群波与驻波，中国近海风浪分布特征，世界大洋主要大风浪分布特征（其中世界大洋主要大风浪分布特征不适用于沿海） 11. 船舶水文气象观测：气温、湿度观测，气压观测，视风、船风、真风观测和确定，云的观测，雾和能见度观测，天气现象观测，海水温度观测，海浪观测								
小计			0	49				

注：①GPS 意为卫星定位系统；②EGC 意为增强群呼。

5.5.3　航线设计教学大纲

航线设计教学大纲信息情况见表 5 - 11。

表 5 - 11　航线设计教学大纲信息情况表

课程名称	航线设计		课程代码	144064C
学分	3.5	学时：64 其中含理论学时：28 实践学时：36		
课程性质：☑必修课　☐选修课				
课程类型：☐公共课程（含公共基础平台课程、通识课程、公选课程等） ☐（跨）专业群基础平台课程　☑专业课程 课程特性：☐学科性课程　☐工作过程系统化课程　☐项目化课程　☑任务导向课程　☐其他 教学组织：☐以教为主（理论为主）　☑以做为主（实践为主）　☐理实一体（理论 + 实践）				

编写年月		执笔		审核	

1. 课程性质与定位

本课程是高职航海技术专业的一门专业课程，也是国家海事管理机构规定的无限航区海船船员适任证书评估课程之一。通过海图及图书资料改正、航迹绘算、抽选海图及图书资料、查阅航海图书资料、绘画航线、编制航线表等内容的实训，学生可具备图书改正与管理、航线设计的能力，符合 STCW 公约马尼拉修正案和我国海船船员适任标准要求。

2. 课程教学目标

通过本课程的学习，学生可掌握必需的图书改正与管理及航线设计要领，具备一定的图书改正与管理及航线设计能力，符合 STCW 公约马尼拉修正案和我国海船船员适任标准要求，能胜任无限航区船舶操作级岗位工作的具有创新精神的航海类技术技能人才。

（1）认知目标

①掌握海图及图书资料改正方法；

②掌握航迹绘算方法；

③掌握抽选海图及图书资料方法；

④掌握查阅航海图书资料方法；

⑤掌握绘画航线方法；

⑥掌握编制航线表方法。

（2）能力目标

①具备图书改正与管理能力；

②具备航线设计能力。

（3）素质目标

①养成严谨、求实、认真、仔细的学习和工作态度；

②具有较强的团队意识，良好的与同事交流、合作的能力；

③具有较强的学习能力、吃苦耐劳精神；

④具有较强的语言表达能力和协调人际关系能力；

⑤具有认识自身发展重要性以及确立自身继续发展目标的能力。

培训内容、培训目标、学时、培训方式、教员安排、场地、设施设备、培训教材见表 5 - 12。

表5－12　航线设计教学大纲内容安排表

培训内容		培训目标	学时		培训方式	教员安排	场地、设施设备	教材及参考资料
理论知识	实践技能		理论	实践				
教学时间安排:三年制第5学期								
1.1.3 海图和航海图书资料 1.各种海图投影方法及特点(2 h) 2.海图比例尺与海图极限精度的关系(2 h) 3.海图的识读及使用注意事项(6 h) 4.各主要航海出版物的用途、出版情况、书目结构和使用方法(10 h)(英文版资料对沿海航区等级不适用) 5.航海通告的用途、结构、获取手段和使用方法(3 h)(英文版通告对沿海航区等级不适用) 6.无线电航行警告的种类、信息获取方法及运用(1 h) 7.船舶定线的概念、作用及常见航路的指定方法(1 h)		1.了解海图的发展与最新技术;理解海图投影响与比例尺的概念;理解墨卡托投影的特点;掌握海图的识读与使用;理解海图的分类与使用 2.能评价海图的质量、可靠性和适用性 3.掌握航海通告的结构与内容及其改正方法 4.熟悉海图的获取及其他航海图书资料的改正更新 5.了解船舶定线的概念、作用及常见航路的指定方法 6.掌握各种指定航路的使用和航行方法 7.了解获取船舶定线资料的方法 8.能设计一条完整的航线并提交航线设计报告	28	0	多媒体和实验室实训教学	具备“航海学(地文、天文)”的师资,见三副教学人员安排表	教学楼相应课室、海图室、航海操纵模拟器室	1.《航海学(地文、天文和仪器)》 2.《顶岗实习指导书》 3.《航线设计指导书》

表 5－12（续 1）

培训内容		培训目标	学时		培训方式	教员安排	场地、设施设备	教材及参考资料
理论知识	实践技能		理论	实践				
8. 各种指定航路的利用和航行方法（1 h） 9. 获取船舶定线资料的方法（2 h）								
1.1.3 海图和航海图书资料 1. 海图及图书资料改正	1. 识读给定的海图图式（0.5 h） 2. 根据给定的说明查阅海图图式（0.5 h） 3. 根据航海通告检查有无某海图的改正信息以及通告的性质（0.5 h） 4. 查阅某海图上一次小改正的通告号码（0.5 h） 5. 查阅某条通告所要改正的全部海图图号（0.5 h） 6. 查阅临时性通告和预告的有关信息 7. 根据航海通告查阅《航路指南》《世界大洋航路》《航海	1. 掌握海图图式的查阅和识读 2. 掌握根据英文版《航海通告》查阅海图及图书的出版和改正信息 3. 掌握根据英文版《航海通告》的有关内容改正海图及有关图书并正确登记	0	6	多媒体和实验室实训教学	具备航线设计的师资，见三副教学人员安排表	海图室、顶岗实习船上	1.《顶岗实习指导书》 2.《航线设计指导书》

表 5－12(续 2)

<table>
<tr><th colspan="2">培训内容</th><th rowspan="2">培训目标</th><th colspan="2">学时</th><th rowspan="2">培训方式</th><th rowspan="2">教员安排</th><th rowspan="2">场地、
设施设备</th><th rowspan="2">教材及参考资料</th></tr>
<tr><th>理论知识</th><th>实践技能</th><th>理论</th><th>实践</th></tr>
<tr><td></td><td>员手册》《灯标和雾号表》以及《无线电信号表》的有关改正信息(0.5 h)
8. 根据航海通告查新图的出版信息(0.5 h)
9. 根据航海通告查阅航海图书的新版情况(0.5 h)
10. 根据英文版《航海通告年度摘要》查阅《航海通告》的获取、图书代销店、分道通航制、航海图书的配备等有关航海信息(0.5 h)
11. 根据英文版《航海通告累计表》检查有关海图的改正情况和航海图书的出版情况(0.5 h)
12. 根据给定的通告内容进行海图改正并正确登记(0.5 h)</td><td></td><td></td><td></td><td></td><td></td><td></td><td></td></tr>
</table>

表5-12(续3)

培训内容		培训目标	学时		培训方式	教员安排	场地、设施设备	教材及参考资料
理论知识	实践技能		理论	实践				
1.1.2 航迹绘算	1. 根据给定参数画出计划航线、量取航向和航程并确定船舶操舵航向(1 h) 2. 单物标方位、距离定位;两物标方位定位;两物标距离定位;三物标方位定位;三物标距离定位;GPS定位(2 h) 3. 求出实测风流压差的大小并据此调整船舶航向(1 h) 4. 根据给定条件预求物标正横时的船位及船舶与物标的距离(1 h) 5. 根据给定条件预求物标最近距离时的船位及物标与船舶的最近距离(1 h)	1. 根据要求预画航线 2. 根据给定的参数进行船舶定位 3. 根据实测风流压差修正航向 4. 确定物标正横或最近距离时的船位	0	6	多媒体和实验室实训教学	具备航线设计的师资,见三副教学人员安排表	海图室、顶岗实习船上	1.《顶岗实习指导书》 2.《航线设计指导书》

表5－12(续4)

培训内容		培训目标	学时		培训方式	教员安排	场地、设施设备	教材及参考资料
理论知识	实践技能		理论	实践				
1.1.3 海图和航海图书资料	1. 中文版《航海图书目录》的内容编排(0.125 h) 2. 英文版《海图及其他水道图书总目录》的内容编排(0.125 h) 3. 海图的抽选程序(0.125 h) 4. 利用中文版《航海图书目录》抽选小比例尺海图或总图(0.125 h) 5. 利用英文版《海图及其他水道图书总目录》抽选英文版总图或小比例尺海图(0.25 h) 6. 利用中文版《航海图书目录》抽选中国沿海大/中比例尺海图(0.25 h)	掌握正确方法,并有一定的熟练程度	0	4	多媒体和实验室实训教学	具备航海设计的师资,见三副教学人员安排表	海图室、顶岗实习船上	1.《顶岗实习指导书》 2.《航线设计指导书》

表 5-12(续 5)

培训内容		培训目标	学时		培训方式	教员安排	场地、设施设备	教材及参考资料
理论知识	实践技能		理论	实践				
	7. 利用英文版《海图及其他水道图书总目录》抽选世界范围内的大、中比例尺海图(0.25 h) 8. 利用英文版《海图及其他水道图书总目录》抽选其他海图,包括大圆海图、航路设计图、空白图等(0.25 h) 9. 利用中文版《航海图书目录》抽选航次所用图书,包括中文版《航路指南》、中文版《航标表》、《中国沿海港口资料》等(0.25 h) 10. 利用英文版《海图及其他水道图书总目录》抽选航次所用图书,包括《航路指南》《灯标与雾号表》及英文版《潮汐表》等(0.25 h)							

表 5 – 12(续 6)

培训内容		培训目标	学时		培训方式	教员安排	场地、设施设备	教材及参考资料
理论知识	实践技能		理论	实践				
	11. 利用中文版《航海图书目录》检验中文版海图的适用性(0.125 h) 12. 利用最新英文版《海图及其他水道图书总目录》检验船存英文版海图的适用性(0.125 h) 13. 利用中文版《航海图书目录》检验中文版航海图书的适用性(0.25 h) 14. 利用英文版《海图及其他水道图书总目录》检验英文版图书的适用性(0.25 h)							
1.1.4 查阅航海图书资料	1. 英文版《航海通告》的内容编排(0.5 h) 2. 月末、季末期等特殊英文版《航海通告》的内容编排(0.5 h)	1. 熟悉内容编排和查阅方法 2. 掌握正确利用《航海通告》改正航海图书资料的方法	0	4	多媒体和实验室实训教学	具备航海设计的师资，见三副教学人员安排表	海图室、顶岗实习船上	1.《顶岗实习指导书》 2.《航线设计指导书》

表 5 – 12(续 7)

培训内容		培训目标	学时		培训方式	教员安排	场地、设施设备	教材及参考资料
理论知识	实践技能		理论	实践				
	3. 利用英文版《航海通告》对英文版《航路指南》及《世界大洋航路》进行改正(0.5 h) 4. 查阅英文版《无线电信号表》,并对其进行改正(0.5 h) 5. 查阅英文版《灯标与雾号表》,并对其进行改正(0.5 h) 6. 查阅中文版《航标表》,并对其进行改正(0.5 h) 7. 利用中文版《航海通告》对中文版《航海图书目录》进行改正(1 h)							

表5－12(续8)

培训内容		培训目标	学时		培训方式	教员安排	场地、设施设备	教材及参考资料
理论知识	实践技能		理论	实践				
1.1.5 绘画航线	1. 利用中、英文版《航路指南》查取推荐航线,利用《世界大洋航路》查取推荐航线(4 h) 2. 利用《航路设计图》查取推荐航线(2 h) 3. 选择适当的航线并能在海图上正确绘画(6 h)	1. 熟悉航线设计的程序与方法 2. 正确地从有关资料中查找合适的推荐航线 3. 正确地在海图上预画计划航线	0	12	多媒体和实验室实训教学	具备航海设计的师资,见三副教学人员安排表	海图室、顶岗实习船上	1.《顶岗实习指导书》 2.《航线设计指导书》
1.1.6 编制航线表	1. 选取各分段航线间的航向、航程及转向点经纬度(2 h) 2. 估算各转向点的预计通过时间(1 h) 3. 编制航线表(1 h)	表格正确,数据准确	0	4	多媒体和实验室实训教学	具备航海设计的师资,见三副教学人员安排表	海图室、顶岗实习船上	1.《顶岗实习指导书》 2.《航线设计指导书》
小计			28	36				

5.5.4 航海学(仪器)教学大纲

航海学(仪器)教学大纲信息情况见表 5 – 13。

表 5 – 13 航海学(仪器)教学大纲信息情况表

<table>
<tr><td>课程名称</td><td colspan="4">航海学(仪器)</td><td>课程代码</td><td>143066B</td></tr>
<tr><td>学分</td><td>3</td><td colspan="5">学时:__48__其中含理论学时:__48__实践学时:__0__</td></tr>
<tr><td colspan="7">课程性质:☑必修课 □选修课</td></tr>
<tr><td colspan="7">课程类型:□公共课程(含公共基础平台课程、通识课程、公选课程等)
□(跨)专业群基础平台课程 ☑专业课程
课程特性:□学科性课程 □工作过程系统化课程 ☑项目化课程 □任务导向课程 □其他
教学组织:□以教为主(理论为主) □以做为主(实践为主) ☑理实一体(理论 + 实践)</td></tr>
<tr><td>编写年月</td><td></td><td>执笔</td><td></td><td>审核</td><td colspan="2"></td></tr>
</table>

1. 课程性质与定位

本课程是航海技术专业必修的一门专业核心课程,是“无限航区 3 000 总吨及以上船舶三副”职业岗位适任证书考试科目之一。本课程的学习,可使学生具有航海仪器使用及更新的能力;能掌握现代海上导航设备的基本原理、基本结构和使用、管理、维修知识。培养学生分析问题与解决问题的能力,使其养成严谨、求实、认真、仔细的学习和工作态度。培养符合现代航运企业需求,满足 STCW 公约马尼拉修正案和国家海事局对船员培训、考试及发证法规的要求,能胜任现代化船舶驾驶与管理的,具有可持续发展能力的高素质技能型无限航区高级船员。

对本课程的学习应具有船舶概论、电工与无线电、无线电技术基础等课程的知识,建议在学生学完上述课程后再开设本课程为宜。同时,本课程又是雷达操作与应用、航海仪器的正确使用、ECDIS 电子海图显示与信息系统等实训课程的基础,应在这些实训课程之前开设。

2. 课程教学目标

(1)知识目标

①理解 ECDIS 的组成、功能及其应用知识。

②掌握磁罗经、陀螺罗经的指北原理以及误差的产生与消除方法,以及磁罗经、陀螺罗经正确使用和维护保养知识。

③理解船舶自动识别系统(AIS)的组成,掌握其使用注意事项和维护保养要求。

④理解测深仪、计程仪、GPS/DGPS[①] 的基本工作原理,掌握其使用注意事项和维护保养要求。

⑤理解雷达系统的组成和基本工作原理,掌握影像失真的特点、产生原因,正确维护保养要求;掌握雷达与自动雷达标绘仪的目标录取与观测方法。

---

① DGPS 为差分全球定位系统。

⑥掌握磁差、自差、罗经差的定义和产生原因以及影响因素，磁差、自差和罗经差的计算方法；理解测定罗经差的原理，掌握观测叠标方位、太阳方位、北极星方位求罗经差的程序和方法，以及陀螺罗经与磁罗经比对求磁罗经自差的方法。

⑦学会使用船载航行数据记录仪（VDR）、船舶远程识别与跟踪系统（LRIT）等助航仪器，并能对其进行维护保养。

（2）能力目标

①具备正确操作 ECDIS、AIS、GPS 的能力；

②具备正确操作磁罗经、陀螺罗经的能力；

③具备正确操作和使用雷达和 ARPA 进行目标录取及跟踪的能力；

④具备通过观测叠标方位、观测太阳（真出没、低高度）方位和将陀螺罗经与磁罗经比对求罗经差的能力；

⑤具备正确操作测深仪和计程仪的能力。

（3）素质目标

①养成严谨、求实、认真、仔细的学习和工作态度；

②具有安全与环境保护意识；

③具备良好的海员职业道德；

④具有团队意识，良好的与同事交流、合作的能力。

培训内容、培训目标、学时、培训方式、教员安排、场地、设施设备、培训教材见表5－14。

表 5 – 14　航海学(仪器)教学大纲内容安排表

培训内容		培训目标	学时		培训方式	教员安排	场地、设施设备	教材及参考资料
理论知识	实践技能		理论	实践				
教学时间安排:三年制第 5 学期								
1.1.4 电子定位和导航系统 1. 国际公约对船舶配备电子定位设备的要求(0.5 h) 2. 陆基导航系统的发展、种类和现状(0.5 h) 3. 卫星导航系统的发展、种类和现状(0.5 h) 4. 卫星导航系统的基本功能、技术参数和特点(0.5 h) 5. GPS 卫星导航系统的组成及功能(0.5 h) 6. GPS 卫星信号的组成、产生和特点(0.5 h) 7. GPS 卫星导航系统的定位、测向和测速原理(0.5 h) 8. GPS 卫星导航系统的误差(0.5 h) 9. DGPS 功能、组成、种类和误差(1 h)		对卫星导航接收机的性能进行核对和测试,符合制造商的建议及良好的航海习惯	10	0	航海仪器理论教学利用多媒体和实验室实训教学,航海仪器实践利用航海仪器实训室和顶岗实习在船上完成	具备航海仪器的师资,见三副教学人员安排表	教学楼相应课室、航海仪器实训室、教学楼顶、顶岗实习船上	1.《航海仪器》 2.《顶岗实习指导书》 3.《航海仪器指导书》

表 5-14(续1)

培训内容		培训目标	学时		培训方式	教员安排	场地、设施设备	教材及参考资料
理论知识	实践技能		理论	实践				
10. GPS 接收机的性能要求和组成(1 h) 11. GPS 接收机的操作和使用注意事项(1 h) 12. 北斗卫星导航系统的组成及功能(1 h) 13. 北斗卫星导航系统的定位原理(0.5 h) 14. 北斗接收机的性能要求和组成(0.5 h) 15. 北斗接收机的操作和使用注意事项(0.5 h) 16. 格洛纳斯卫星导航系统和伽利略卫星导航系统基本知识(0.5 h)								
1.1.6 磁罗经和陀螺罗经原理 1. 国际公约对船舶配备磁罗经的要求(0.5 h) 2. 磁罗经种类、结构、安装、检查、维护及使用注意事项(1 h)		对磁罗经和陀螺罗经的性能核对和测试符合制造商的建议及良好的航海习惯	12	0	航海仪器理论教学利用多媒体和实验室实训教学、航海仪器实践利用	具备航海仪器的师资,见三副教学人员安排表	教学楼相应课室、航海仪器实训室、教学楼顶、顶岗实习船上	1.《航海仪器》 2.《航海学(地文、天文和仪器)》 3.《顶岗实习指导书》 4.《航海仪器指导书》

表 5 – 14(续 2)

培训内容		培训目标	学时		培训方式	教员安排	场地、设施设备	教材及参考资料
理论知识	实践技能		理论	实践				
3. 磁和地磁场的基本知识(1 h) 4. 磁罗经自差产生的原因、种类、性质和基本公式(1 h) 5. 校正磁罗经自差的条件、原则和准备程序(1 h) 6. 校正磁罗经自差的程序，理解磁罗经自差测定的方法(1 h) 7. 自差曲线表(图)和自差系数的计算及性质(1 h) 8. 电子磁罗经的基本知识(1 h) 9. 国际公约对船舶配备陀螺罗经的要求(0.5 h) 10. 陀螺罗经的工作原理(1 h) 11. 陀螺罗经的误差及校正方式(1 h) 12. 陀螺罗经的结构(1 h) 13. 光纤陀螺罗经和 GNSS[①]罗经的基本知识(1 h)					利用航海仪器实训室和顶岗实习在船上完成			

表 5－14(续 3)

培训内容		培训目标	学时		培训方式	教员安排	场地、设施设备	教材及参考资料
理论知识	实践技能		理论	实践				
1.2.4 使用来自导航设备的信息保持安全航行值班 1. AIS (1)国际公约对船舶配备 AIS 设备的要求(0.5 h) (2)AIS 的基本目的、系统组成和信息类型(0.5 h) (3)AIS 收发机的工作原理和组成(0.5 h) (4)AIS 的信息类型和基本操作(0.5 h) (5)AIS 信息正确含义(0.5 h) (6)AIS 的优劣势和安装检验内容(0.5 h) 2. 船用计程仪 (1)国际公约对船舶配备船用计程仪设备的要求(0.5 h)		1. 对 AIS、计程仪、VDR 和 LRIT 的性能进行核对和测试,符合制造商的建议及良好的航海习惯 2. 使用雷达控制船位能力符合公认的原则和水准	10	0	航海仪器理论教学利用多媒体和实验室实训教学,航海仪器实践利用航海仪器实训室和顶岗实习在船上完成	具备航海仪器的师资,见三副教学人员安排表	教学楼相应课室、航海仪器实训室、教学楼顶、顶岗实习船上	1.《航海仪器》 2.《航海学(地文、天文和仪器)》 3.《顶岗实习指导书》 4.《航海仪器指导书》

表 5 – 14(续 4)

培训内容		培训目标	学时		培训方式	教员安排	场地、设施设备	教材及参考资料
理论知识	实践技能		理论	实践				
(2)电磁计程仪、多普勒计程仪和声相关计程仪的工作原理及误差分析(0.5 h) (3)计程仪的系统组成和基本操作(1 h) 3. 国际公约对船舶配备 VDR 设备的要求、VDR 的功能、性能指标和系统组成(0.5 h) 4. LRIT (1)国际公约对船舶配备 LRIT 设备的要求(0.5 h) (2)LRIT 的功能、性能指标和系统组成(0.5 h) 5. 雷达正确操作、雷达图像的正确识别及应用(0.5 h) 6. 在能见度不良水域雷达平行标线法的重要性及使用(2 h) 7. 雷达的局限性(1 h)								

表5－14(续5)

培训内容		培训目标	学时		培训方式	教员安排	场地、设施设备	教材及参考资料
理论知识	实践技能		理论	实践				
1.2.7 雷达导航 1.航海雷达系统基本理论和工作原理(4 h) (1)雷达基本原理 (2)磁安全距离 (3)辐射危险及其预防 (4)影响雷达探测目标的内部因素 (5)影响雷达探测外部因素 (6)可能引起对雷达图像错误识别的因素 (7)雷达性能标准 2.按照制造商提供的说明书设置和操作雷达(2 h) (1)设置和维持雷达最佳显示效果 (2)距离和方位精确测量 3.使用雷达确保航行安全(2 h) (1)雷达定位 (2)雷达航标 (3)平行指示线导航		1.正确地解释和分析雷达及ARPA获取的信息,并考虑设备的局限性以及当时环境和条件 2.依据IMO《国际海上避碰规则》采取决策行动,以避免和他船在很近距离上会遇或碰撞 3.做出调整航向和/或航速的决定均是及时的,并遵照公认的航海程序 4.调整航向和航速保持航行安全 5.在任何时候都能以海员的方式清楚、简要地交流并确认 6.在适当的时刻发出操纵信号,并符合《国际海上避碰规则》	16	0	航海仪器理论教学利用多媒体和实验室实训教学,航海仪器实践利用航海仪器实训室和顶岗实习在船上完成	具备航海仪器的师资,见三副教学人员安排表	教学楼相应课室、航海仪器实训室、教学楼顶、顶岗实习船上	1.《航海仪器》 2.《航海学(地文、天文和仪器)》 3.《顶岗实习指导书》 4.《航海仪器指导书》

表 5 – 14(续 6)

培训内容		培训目标	学时		培训方式	教员安排	场地、设施设备	教材及参考资料
理论知识	实践技能		理论	实践				
(4)绘图、导航线和航线导航 (5)电子海图与雷达图像叠加导航 4. 手动雷达标绘(2 h) (1)相对运动矢量三角形 (2)目标船航向、航速和反舷角 (3)航向和航速改变的影响 (4)雷达标绘数据 5. ARPA 或 TT/AIS 目标报告功能(2 h) (1)雷达跟踪目标显示特征 (2)AIS 报告目标显示特征 (3)雷达跟踪目标与 AIS 报告目标关联 (4)IMO 关于 ARPA 或 TT/AIS 报告功能性能标准 (5)ARPA 或 TT 功能目标捕获和 AIS 报告目标选择准则								

表 5 - 14(续 7)

培训内容		培训目标	学时		培训方式	教员安排	场地、设施设备	教材及参考资料
理论知识	实践技能		理论	实践				
(6)目标跟踪能力和局限性 (7)目标跟踪处理延时和 AIS 报告目标信息滞后 6. ARPA 或 TT/AIS 目标报告功能操作(2 h) (1)掌握设置和维持 ARPA 或 TT 功能正常显示 (2)掌握设置和维持 AIS 报告目标正常显示 (3)操作 ARPA 或 TT 及 AIS 报告目标以获取目标信息 (4)目标数据解读可能出现的错误 (5)显示数据误差的原因 (6)使用系统操作性测试确定数据精度 (7)过分依赖 ARPA 或 TT 及 AIS 报告信息的风险								

表 5 – 14(续 8)

培训内容		培训目标	学时		培训方式	教员安排	场地、设施设备	教材及参考资料
理论知识	实践技能		理论	实践				
7. 使用雷达时国际海上避碰规则的运用(2 h) (1)正确使用雷达,充分解读雷达信息重要性 (2)与雷达相关影响安全航速的因素 (3)获取充分雷达信息的方法及其特点 (4)根据雷达信息和规则的避碰行动 (5)雷达使用时机								
小计			48	0				

注:①GNSS 意为全球导航卫星系统。

5.5.5　航海仪器的使用教学大纲

航海仪器的使用教学大纲信息情况见表5－15。

表5－15　航海仪器的使用教学大纲信息情况表

<table>
<tr><td>课程名称</td><td colspan="3">航海仪器的使用</td><td>课程代码</td><td>144071C</td></tr>
<tr><td>学分</td><td>5</td><td colspan="4">学时：<u>80</u>其中含理论学时：<u>46</u>实践学时：<u>34</u></td></tr>
<tr><td colspan="6">课程性质：☑必修课　□选修课</td></tr>
<tr><td colspan="6">课程类型：□ 公共课程(含公共基础平台课程、通识课程、公选课程等)
□(跨)专业群基础平台课程　☑专业课程
课程特性：□学科性课程　□ 工作过程系统化课程　☑项目化课程　□任务导向课程　□其他
教学组织：□ 以教为主(理论为主)　☑以做为主(实践为主)　□理实一体(理论＋实践)</td></tr>
</table>

编写年月		执笔		审核	

1.课程性质与定位

航海仪器的正确使用课程是针对国家海船船员适任考试评估项目“航海仪器的正确使用评估”而设置的航海技术专业学生的主干实训课程之一。通过航海仪器的正确使用项目的实操培训，学生对航海仪器基本知识和技能的掌握程度及实际作业能力可满足STCW公约马尼拉修正案和中华人民共和国海事局颁发的《海船船员适任考试和评估大纲》的要求。通过磁罗经、陀螺罗经、AIS、测深仪和计程仪、GPS等航海仪器的工作原理和相关知识学习与实操训练，学生可达到STCW公约马尼拉修正案附则A/Ⅱ－1表“航行”职能中适任项“规划和指导航程及确定船位”中关于“对航行系统的性能核查和测试符合厂家的建议书及好的航行做法”的适任标准要求。

航海仪器的使用课程是航海技术专业必修课程，是一门综合性很强的课程。先修课程为航海学、船舶操纵与避碰、船舶管理、船舶结构与货运等专业必修课程，后续课程为毕业测试和顶岗实习。

2.课程教学目标

(1)知识目标

①理解磁罗经、陀螺罗经的指北原理以及误差的产生与消除；

②掌握磁罗经、陀螺罗经正确使用和维护保养要点；

③理解AIS的组成、使用注意事项和维护保养要求；

④理解测深仪、计程仪、GPS/DGPS的基本工作原理、使用注意事项和维护保养要求；

⑤掌握计算磁罗经罗经差的方法。

(2)能力目标

①具备磁罗经的识别、检查与维护、自差测定与自差使用能力；

②具备陀螺罗经维护保养和使用操作能力，具备雷达的基本操作与设置能力；

③具备GPS/DGPS定位和导航操作能力；

④具备船用计程仪和回声测深仪的基本操作能力；

⑤具备船载 AIS 的信息输入、获取和交换能力。

(3)素质目标

①培养分析问题与解决问题的能力;

②培养查阅资料、独立学习、获取新知识的能力;

③培养应变决策和外语应用能力;

④养成善于观测、勤于思考的习惯;

⑤养成严谨、求实、认真、仔细的学习和工作态度;

⑥具有安全与环境保护意识;

⑦具备良好的海员职业道德;

⑧具有团队意识,良好的与同事交流、合作的能力。

培训内容、培训目标、学时、培训方式、教员安排、场地、设施设备、培训教材见表 5 - 16。

表 5－16　航海仪器的使用教学大纲内容安排表

培训内容		培训目标	学时		培训方式	教员安排	场地、设施设备	教材及参考资料
理论知识	实践技能		理论	实践				
教学时间安排：三年制第 5 学期								
1.1.4 电子定位和导航系统 1. 国际公约对船舶配备电子定位设备的要求(0.5 h) 2. 陆基导航系统的发展、种类和现状(0.5 h) 3. 卫星导航系统的发展、种类和现状(0.5 h) 4. 卫星导航系统的基本功能、技术参数和特点(0.5 h) 5. GPS 卫星导航系统的组成及功能(0.5 h) 6. GPS 卫星信号的组成、产生和特点(0.5 h) 7. GPS 卫星导航系统的定位、测向和测速原理(0.5 h) 8. GPS 卫星导航系统的误差 9. DGPS 的功能、组成、种类和误差(0.5 h)	在实验室或船上熟练并正确掌握卫星导航接收机： 1. 设备的核对和设备测试(1 h) 2. 各种启动过程(1 h) 3. 主要功能的使用(1 h) 4. 显示屏上所显示数据的理解(1 h) 5. 在 GPS、北斗导航仪中根据航线设计输入航线信息和必要的警戒功能(1 h) 6. 进行锚位监控、落水人员位置设置等特殊功能的操作(1 h)	对卫星导航接收机的性能进行核对和测试，符合制造商的建议及良好的航海习惯	10	6	航海仪器理论教学利用多媒体和实验室实训教学，航海仪器实践利用航海仪器实训室和顶岗实习在船上完成	具备航海仪器的师资，见三副教学人员安排表	教学楼相应课室、航海仪器实训室、教学楼顶、顶岗实习船上	1.《航海仪器》 2.《航海仪器操作与维护》 3.《顶岗实习指导书》 4.《航海仪器的使用指导书》

表 5 – 16(续 1)

培训内容		培训目标	学时		培训方式	教员安排	场地、设施设备	教材及参考资料
理论知识	实践技能		理论	实践				
10. GPS 接收机的性能要求和组成(0.5 h) 11. GPS 接收机的操作和使用注意事项(1 h) 12. 北斗卫星导航系统的组成及功能(1 h) 13. 北斗卫星导航系统的定位原理(1 h) 14. 北斗接收机的性能要求和组成(1 h) 15. 北斗接收机的操作和使用注意事项(1 h) 16. 格洛纳斯卫星导航系统和伽利略卫星导航系统基本知识(0.5 h)								
1.1.5 回声测深仪 1. 国际公约对船舶配备回声测深仪的要求(0.25 h) 2. 声波在水中传播的基本特性(0.25 h) 3. 回声测深仪的工作原理(0.25 h)	能在实验室或船上熟练并正确掌握回声测深仪: 1. 组成核对和设备测试(0.25 h) 2. 主要功能的使用(0.25 h)	对回声测深仪的性能进行核对和测试,符合制造商的建议及良好的航海习惯	2	2	航海仪器理论教学利用多媒体和实验室实训教学,航海仪器实践利用航海仪器实训室和顶岗	具备航海仪器的师资,见三副教学人员安排表	教学楼相应课室、航海仪器实训室、教学楼顶、顶岗实习船上	1.《航海仪器》 2.《航海仪器操作与维护》

表5-16(续2)

培训内容		培训目标	学时		培训方式	教员安排	场地、设施设备	教材及参考资料
理论知识	实践技能		理论	实践				
4. 回声测深仪的组成和工作时序(0.25 h) 5. 换能器的工作原理和种类,理解换能器的安装位置(0.25 h) 6. 回声测深仪的主要性能指标(0.25 h) 7. 回声测深仪误差及影响测量的主要因素(0.5 h)	3. 主要导航信息的调用(0.5 h) 4. 理解显示屏上所显示的数据(0.5 h) 5. 能根据测深数据与海图水深数据的对比结果,保证船舶航行在安全水域内(0.5 h)				实习在船上完成			3.《顶岗实习指导书》 4.《航海仪器指导书》
1.1.6 磁罗经和陀螺罗经原理知识 1. 国际公约对船舶配备磁罗经的要求(0.5 h) 2. 磁罗经种类、结构、安装、检查、维护及使用注意事项(0.5 h) 3. 磁和地磁场的基本知识(0.5 h) 4. 磁罗经自差产生的原因、种类、性质和基本公式(1 h)	在实验室或船上熟练并正确掌握磁罗经和陀螺罗经: 1. 组成的核对和设备测试(1 h) 2. 磁罗经的气泡消除(1 h) 3. 电罗经的启动操作(1 h) 4. 分罗经与主罗经的同步操作(1 h) 5. 罗经数据读取(1 h)	对磁罗经和陀螺罗经的性能进行核对和测试,符合制造商的建议及良好的航海习惯	8	6	航海仪器理论教学利用多媒体和实验室实训教学,航海仪器实践利用航海仪器实训室和顶岗实习在船上完成	具备航海仪器的师资,见三副教学人员安排表	教学楼相应课室、航海仪器实训室、教学楼顶、顶岗实习船上	1.《航海仪器》 2.《航海仪器操作与维护》 3.《顶岗实习指导书》 4.《航海仪器指导书》

表 5 – 16(续 3)

培训内容		培训目标	学时		培训方式	教员安排	场地、设施设备	教材及参考资料
理论知识	实践技能		理论	实践				
5. 校正磁罗经自差的条件、原则和准备程序(0.5 h) 6. 校正磁罗经自差的程序,理解磁罗经自差测定的方法(1 h) 7. 自差曲线表(图)和自差系数的计算及性质(1 h) 8. 电子磁罗经的基本知识(0.5 h) 9. 国际公约对船舶配备陀螺罗经的要求(0.5 h) 10. 陀螺罗经的工作原理(0.5 h) 11. 陀螺罗经的误差及校正方式(0.5 h) 12. 陀螺罗经的结构(0.5 h) 13. 光纤陀螺罗经和 GNSS 罗经的基本知识(0.5 h)	6. 维护保养(1 h)							

表5-16(续4)

培训内容		培训目标	学时		培训方式	教员安排	场地、设施设备	教材及参考资料
理论知识	实践技能		理论	实践				
1.1.7 罗经差测定 1.罗经差定义以及罗经差测定的原理(0.5 h) 2.利用陆标测定罗经差(1 h) 3.使用GPS测定罗经差(0.5 h) 4.利用天体测定罗经差的原理及注意事项(1 h) 以下项目沿海航区不要求 5.利用低高度太阳方位测定罗经差(1 h) 6.利用太阳真出没测定罗经差(2 h) 7.《太阳方位表》的结构及太阳方位的查取方法(1 h) 8.观测北极星方位求罗经差(1 h)	在实验室开展以下各项： 1.利用《太阳方位表》查取太阳真方位(0.5 h) 2.利用《北极星方位表》查取北极星方位(0.5 h) 3.利用航向对比法求罗经差(1 h)		8	2	航海仪器理论教学利用多媒体和实验室实训教学，航海仪器实践利用航海仪器实训室和顶岗实习在船上完成	具备航海仪器的师资，见三副教学人员安排表	教学楼相应课室、航海仪器实训室、教学楼顶、顶岗实习船上	1.《航海仪器》 2.《航海仪器操作与维护》 3.《顶岗实习指导书》 4.《航海仪器指导书》

表 5－16(续 5)

培训内容		培训目标	学时		培训方式	教员安排	场地、设施设备	教材及参考资料
理论知识	实践技能		理论	实践				
1.2.4 使用来自导航设备的信息保持安全航行值班 1. AIS (1)国际公约对船舶配备 AIS 设备的要求(0.5 h) (2)AIS 的基本目的、系统组成和信息类型(0.5 h) (3)AIS 收发机的工作原理和组成(1 h) (4)AIS 的信息类型和基本操作(1 h) (5)AIS 信息正确含义(0.5 h) (6)AIS 的优劣势和安装检验内容(0.5 h) 2. 船用计程仪 (1)国际公约对船舶配备船用计程仪设备的要求(0.5 h) (2)电磁计程仪、多普勒计程仪和声相关计程仪的工作原理及误差分析(0.5 h)	1. 在航海模拟器上训练：利用从各导航设备中获取有用的信息，做出正确的判断，采取有效的行动(防止出现信息过载及获取不足、判断不准、行动不力的问题)(3 h) 2. 在实验室训练，熟练并正确掌握 AIS、计程仪： (1)组成的核对和设备测试(1 h) (2)基本操作，并能正确读取数据(0.5 h) (3)熟练并正确掌握 VDR、LRIT 的基本操作(0.5 h)	1. 对 AIS、计程仪、VDR 和 LRIT 的性能核对和测试符合制造商的建议和良好的航海习惯 2. 使用雷达控制船位能力符合公认的原则和水准	9	6	航海仪器理论教学利用多媒体和实验室实训教学，航海仪器实践利用航海仪器实训室和顶岗实习在船上完成	具备航海仪器的师资，见三副教学人员安排表	教学楼相应课室、航海仪器实训室、教学楼顶、顶岗实习船上	1.《航海仪器》 2.《航海仪器操作与维护》 3.《顶岗实习指导书》 4.《航海仪器指导书》

表5-16(续6)

培训内容		培训目标	学时		培训方式	教员安排	场地、设施设备	教材及参考资料
理论知识	实践技能		理论	实践				
(3)计程仪的系统组成和基本操作(0.5 h) 3. VDR 国际公约对船舶配备VDR设备的要求、VDR的功能、性能指标和系统组成 (0.5 h) 4. LRIT (1)国际公约对船舶配备LRIT设备的要求(0.5 h) (2)LRIT的功能、性能指标和系统组成(0.5 h) 5. 雷达正确操作,雷达图像的正确识别及应用(0.5 h) 6. 在能见度不良水域雷达平行标线法的重要性及使用(1 h) 7. 雷达的局限性(0.5 h)								

表 5－16(续7)

培训内容		培训目标	学时		培训方式	教员安排	场地、设施设备	教材及参考资料
理论知识	实践技能		理论	实践				
1.2.7 雷达导航 1. 航海雷达系统基本理论和工作原理(1 h) (1)雷达基本原理 (2)磁安全距离 (3)辐射危险及其预防 (4)影响雷达探测目标的内部因素 (5)影响雷达探测的外部因素 (6)可能引起对雷达图像错误识别的因素 (7)雷达性能标准 2. 按照制造商提供的说明书设置和操作雷达(1 h) (1)设置和维持雷达最佳显示效果 (2)距离和方位精确测量 3. 使用雷达确保航行安全(2 h) (1)雷达定位 (2)雷达航标	1. 熟悉雷达基本操作与设置,包括雷达开关机、主要控钮操作、传感器设置与核实、雷达图像调整方法、目标测量等(2 h) 2. 熟悉回波识别与雷达定位,包括回波识别、目标选择、数据测量、定位方法等(1 h) 3. 使用雷达进行导航,包括平行线导航,绘图、导航线和航线导航,距离、方位避险线应用(2 h) 4. 基本人工标绘技术,熟悉目标运动要素求取方法、采取转向或变速措施的标绘技术(2 h)	1. 正确解释和分析雷达及自动雷达标绘仪获取信息,并考虑设备的局限性以及当时环境和条件 2. 依据 IMO《国际海上避碰规则》采取决策行动,以避免和他船在很近距离上会遇或碰撞 3. 做出调整航向和/或航速的决定均是及时的,并遵照公认的航海程序 4. 调整航向和航速保持航行安全 5. 在任何时候都以海员的方式清楚、简要地交流并确认 6. 在适当的时刻发出操纵信号,并符合《国际海上避碰规则》	9	12	航海仪器理论教学利用多媒体和实验室实训教学,航海仪器实践利用航海仪器实训室和顶岗实习在船上完成	具备航海仪器的师资,见三副教学人员安排表	教学楼相应课室、航海仪器实训室、教学楼顶、顶岗实习船上	1.《航海仪器》 2.《航海仪器操作与维护》 3.《航海仪器指导书》

表 5-16(续 8)

培训内容		培训目标	学时		培训方式	教员安排	场地、设施设备	教材及参考资料
理论知识	实践技能		理论	实践				
(3)平行指示线导航 (4)绘图、导航线和航线导航 (5)电子海图与雷达图像叠加导航 4. 手动雷达标绘(2 h) (1)相对运动矢量三角形 (2)目标船航向、航速和反舵角 (3)目标船 CPA 和 TCPA (4)航向和航速改变的影响 (5)雷达标绘数据 5. ARPA 或 TT/AIS 目标报告功能(1 h) (1)雷达跟踪目标显示特征 (2)AIS 报告目标显示特征 (3)雷达跟踪目标与 AIS 报告目标关联	5. 使用 ARPA 或 TT 功能,包括 ARPA 或 TT 基本功能的设置与调整,目标捕捉、跟踪、数据解读的技术(2 h) 6. AIS 目标操作使用,包括 AIS 数据解读与雷达跟踪目标关联等(1 h) 7. 试操船功能使用,包括试操船准备、启动、可行性判断、回航时机确定方法等(1 h) 8. 雷达导航避碰综合实操练习(1 h)							

表5-16(续9)

培训内容		培训目标	学时		培训方式	教员安排	场地、设施设备	教材及参考资料
理论知识	实践技能		理论	实践				
(4)MO关于ARPA或TT/AIS报告功能性能标准 (5)ARPA或TT功能目标捕获和AIS报告目标选择准则 (6)目标跟踪能力和局限性 (7)目标跟踪处理延时和AIS报告目标信息滞后 6. ARPA或TT/AIS目标报告功能操作(1 h) (1)设置和维持ARPA或TT功能正常显示 (2)设置和维持AIS报告目标正常显示 (3)操作ARPA或TT及AIS报告目标以获取目标信息 (4)目标数据解读可能出现的错误 (5)显示数据误差的原因								

表 5－16(续 10)

培训内容		培训目标	学时		培训方式	教员安排	场地、设施设备	教材及参考资料
理论知识	实践技能		理论	实践				
(6)使用系统操作性测试确定数据精度 (7)过分依赖 ARPA 或 TT 及 AIS 报告信息的风险 7. 使用雷达时国际海上避碰规则的运用(1 h) (1)正确使用雷达,充分解读雷达信息的重要性 (2)与雷达相关影响安全航速的因素 (3)充分获取雷达信息的方法及其特点 (4)根据雷达信息和规则的避碰行动 (5)雷达使用时机								
小计			46	34				

5.5.6 雷达操作与应用教学大纲

雷达操作与应用教学大纲信息情况见表 5 – 17。

表 5 – 17 雷达操作与应用教学大纲信息情况表

课程名称	雷达操作与应用		课程代码	144073C
学分	2	学时：40 其中含理论学时：20 实践学时：20		
课程性质：☑必修课 □选修课				
课程类型：□公共课程（含公共基础平台课程、通识课程、公选课程等） □（跨）专业群基础平台课程 ☑专业课程 课程特性：□学科性课程 □工作过程系统化课程 ☑项目化课程 □任务导向课程 □其他 教学组织：□以教为主（理论为主） ☑以做为主（实践为主） □理实一体（理论 + 实践）				

编写年月		执笔		审核	

1. 课程性质与定位

雷达操作与应用是航海技术专业的一门专业必修课程，是按照中华人民共和国海事局要求而开设的，对船舶驾驶员进行专业证书培训的课程。其任务是讲授航海雷达设备系统的构成、原理、性能（及功能），影响其性能的各种因素，改善其性能的方法，设备的局限性及操作使用方法，使学生能够正确操作、使用雷达设备，在航行（瞭望、导航、避碰和定位）中能正确评估和应用雷达的输出数据，确保航行安全。培养符合现代航运企业需求，满足 STCW 公约马尼拉修正案和国家海事局对船员培训、考试及发证法规的要求，能胜任现代化船舶驾驶与管理的，具有可持续发展能力的高素质技能型无限航区高级船员。

2. 课程教学目标

（1）总体目标

通过本课程的学习，学生应达到下列基本要求：掌握航海雷达设备系统的构成、原理、性能（及功能）、影响其性能的各种因素、改善其性能的方法、设备的局限性及操作使用方法，能够正确操作、使用雷达设备，在航行（瞭望、导航、避碰和定位）中能正确评估和应用雷达的输出数据，确保航行安全。

（2）分类目标

①专业能力

a. 掌握航海雷达设备系统的构成、原理、性能（及功能）；

b. 理解影响雷达性能的各种因素，掌握改善其性能的方法；

c. 理解雷达设备的局限性；

d. 掌握雷达的正确操作和使用；

e. 掌握航行中如瞭望、导航、避碰和定位时雷达数据的应用；

f. 掌握雷达标绘的方法。

②方法能力

a. 培养分析问题与解决问题的能力;

b. 培养查阅资料、独立学习、获取新知识的能力;

c. 培养应变决策和外语应用能力;

d. 养成善于观测、勤于思考的习惯。

③社会能力

a. 养成严谨、求实、认真、仔细的学习和工作态度;

b. 具有海上安全和事故预防意识;

c. 具备良好的海员职业道德;

d. 具有团队意识,良好的与同事交流、合作的能力。

培训内容、培训目标、学时、培训方式、教员安排、场地、设施设备、培训教材见表5-18。

表 5－18　雷达操作与应用教学大纲内容安排表

培训内容		培训目标	学时		培训方式	教员安排	场地、设施设备	教材及参考资料
理论知识	实践技能		理论	实践				
教学时间安排:三年制第 5 学期								
1.2.7 雷达导航 1. 航海雷达系统基本理论和工作原理(2 h) (1)雷达基本原理 (2)磁安全距离 (3)辐射危险及其预防 (4)影响雷达探测目标的内部因素 (5)影响雷达探测的外部因素 (6)可能引起对雷达图像错误识别的因素 (7)雷达性能标准 2. 按照制造商提供的说明书设置和操作雷达(2 h) (1)设置和维持雷达最佳显示效果 (2)距离和方位精确测量 3. 使用雷达确保航行安全(2 h) (1)雷达定位	1. 熟悉雷达基本操作与设置,包括雷达开关机、主要控钮操作、传感器设置与核实、雷达图像调整方法、目标测量等(4 h) 2. 熟悉回波识别与雷达定位,包括回波识别、目标选择、数据测量、定位方法等(2 h) 3. 使用雷达进行导航,包括平行线导航,绘图、导航线和航线导航,距离、方位避险线应用(4 h) 4. 基本人工标绘技术,熟悉目标运动要素求取方法、采取转向或变速措施的标绘技术(2 h)	1. 正确解释和分析雷达及自动雷达标绘仪获取信息,并考虑设备的局限性以及当时环境和条件 2. 依据 IMO《国际海上避碰规则》采取决策行动,以避免和他船在很近距离上会遇或碰撞 3. 做出调整航向和/或航速的决定均是及时的,并遵照公认的航海程序 4. 调整航向和航速保持航行安全 5. 在任何时候都以海员的方式清楚、简要地交流并确认 6. 在适当的时刻发出操纵信号,并符合《国际海上避碰规则》	20	20	航海仪器理论教学利用多媒体和实验室实训教学,航海仪器实践利用航海仪器实训室和顶岗实习在船上完成	具备航海仪器的师资,见三副教学人员安排表	教学楼相应课室、航海仪器实训室、教学楼顶、顶岗实习船上	1.《航海仪器操作与维护》 2.《雷达操作与应用指导书》

表 5-18(续1)

培训内容		培训目标	学时		培训方式	教员安排	场地、设施设备	教材及参考资料
理论知识	实践技能		理论	实践				
(2)雷达航标 (3)平行指示线导航 (4)绘图、导航线和航线导航 (5)电子海图与雷达图像叠加导航 4. 手动雷达标绘(4 h) (1)相对运动矢量三角形 (2)目标船航向、航速和反舷角 (3)目标船 CPA 和 TCPA (4)航向和航速改变的影响 (5)雷达标绘数据 5. ARPA 或 TT/AIS 目标报告功能(4 h) (1)雷达跟踪目标显示特征 (2)AIS 报告目标显示特征 (3)雷达跟踪目标与 AIS 报告目标关联	5. 熟练使用 ARPA 或 TT 功能,包括 ARPA 或 TT 基本功能的设置与调整,目标捕捉、跟踪、数据解读的技术(2 h) 6. AIS 目标操作使用,包括 AIS 数据解读与雷达跟踪目标关联等(2 h) 7. 试操船功能使用,包括试操船准备、启动、可行性判断、回航时机确定方法等(2 h) 8. 雷达导航避碰综合实操练习(2 h)							

表 5 – 18(续 2)

培训内容		培训目标	学时		培训方式	教员安排	场地、设施设备	教材及参考资料
理论知识	实践技能		理论	实践				
(4)IMO 关于 ARPA 或 TT/AIS 报告功能性能标准 (5)ARPA 或 TT 功能目标捕获和 AIS 报告目标选择准则 (6)目标跟踪能力和局限性 (7)目标跟踪处理延时和 AIS 报告目标信息滞后 6. ARPA 或 TT/AIS 目标报告功能操作(2 h) (1)设置和维持 ARPA 或 TT 功能正常显示 (2)设置和维持 AIS 报告目标正常显示 (3)操作 ARPA 或 TT 及 AIS 报告目标以获取目标信息 (4)目标数据解读可能出现的错误 (5)显示数据误差的原因								

表 5－18(续 3)

培训内容		培训目标	学时		培训方式	教员安排	场地、设施设备	教材及参考资料
理论知识	实践技能		理论	实践				
(6)使用系统操作性测试确定数据精度 (7)过分依赖 ARPA 或 TT 及 AIS 报告信息的风险 7. 使用雷达时国际海上避碰规则的运用(2 h) (1)正确使用雷达，充分解读雷达信息重要性 (2)与雷达相关影响安全航速的因素 (3)充分获取雷达信息的方法及其特点 (4)根据雷达信息和规则的避碰行动 (5)雷达使用时机								
小计			20	20				

5.5.7 电子海图显示与信息系统教学大纲

电子海图显示与信息系统教学大纲信息情况见表 5 – 19。

表 5 – 19 电子海图显示与信息系统教学大纲信息情况表

课程名称	电子海图显示与信息系统				课程代码	144074C
学分	2	学时：40 其中含理论学时：20 实践学时：20				
课程性质：☑必修课 □选修课						
课程类型：□公共课程（含公共基础平台课程、通识课程、公选课程等） □（跨）专业群基础平台课程 ☑专业课程 课程特性：□学科性课程 □工作过程系统化课程 ☑项目化课程 □任务导向课程 □其他 教学组织：□以教为主（理论为主） ☑以做为主（实践为主） □理实一体（理论＋实践）						
编写年月		执笔		审核		

1. 课程性质与定位

电子海图显示与信息系统（ECDIS）操作运用课程通过讲授、讨论与实践操作，使驾驶员能够掌握 ECDIS 的相关知识并能正确应用，增强航海的安全性。本课程针对那些将在装备有 ECDIS 设备的船上值班的驾驶员，提供基本理论及 ECDIS 实际操作培训，包括所有安全相关的及为安全航海目的而进行的操作控制等。由于电子海图是一个还在不断开发完善的系统，同时又是一个很复杂的系统，它包括各种传感器和自动控制等内容，因此其操作复杂，并有一定的潜在问题。理论方面的教学内容，如 ECDIS 数据的主要特性、ECDIS 数据的内容和显示特性等，将会保持充分的深度以满足学员和培训的需要。通过对 ECDIS 组成原理、主要功能及应用、存在的风险等相关知识的学习与实操训练，学生可达到 STCW 公约马尼拉修正案附则 A/Ⅱ – 1 表“航行”职能中适任项“使用 ECDIS 保持安全航行”中规定的适任标准要求。

电子海图显示与信息系统课程是航海技术专业必修课程，是一门综合性很强的课程。先修课程为航海学专业必修课程，后续课程为毕业测试和顶岗实习。

2. 课程教学目标

（1）知识目标

①掌握电子海图显示与信息系统的组成及主要功能；

②熟悉 ECDIS 数据结构类型、数据显示与可信度及数据更新的相关知识；

③掌握 ECDIS 的主要功能及应用知识；

④了解使用 ECDIS 的主要风险。

（2）能力目标

①具备对 ECDIS 组成进行检查的能力；

②具备电子海图数据的查询与改正能力；

③具备 ECDIS 辅助数据的使用能力；

④具备 ECDIS 显示的使用能力；

⑤具备系统安全参数的设置能力；
⑥具备利用 ECDIS 进行航线设计的能力；
⑦具备利用 ECDIS 制订航次计划表的能力；
⑧具备 ECDIS 的基本监控操作能力；
⑨具备利用 ECDIS 应对特殊情况的能力；
⑩具备利用 ECDIS 进行航海日志的记录与查看能力；
⑪具备识别过分依赖电子海图的风险识别能力；
⑫具备 ECDIS 调试与备用配置的使用能力。
(3)素质目标
①培养分析问题与解决问题的能力；
②培养查阅资料、独立学习、获取新知识的能力；
③培养应变决策和外语应用能力；
④养成善于观测、勤于思考的习惯；
⑤养成严谨、求实、认真、仔细的学习和工作态度；
⑥具有安全与环境保护意识；
⑦具备良好的海员职业道德；
⑧具有团队意识，良好的与同事交流、合作的能力。
培训内容、培训目标、学时、培训方式、教员安排、场地、设施设备、培训教材见表5-20。

表 5 – 20　电子海图显示与信息系统教学大纲内容安排表

培训内容		培训目标	学时		培训方式	教员安排	场地、设施设备	教材及参考资料
理论知识	实践技能		理论	实践				
教学时间安排：三年制第 5 学期								
1.1.5 电子海图的使用 1. 电子海图系统的主要类型(1 h) 2. 矢量海图与光栅海图的区别(0.5 h) 3. 有关 ECDIS 定义与术语(1 h) 4. ECDIS 数据主要特性，如数据定义、数据内容、数据结构、属性、数据质量及精度等(2 h) 5. 定位参考系统(0.5 h) 6. ECDIS 显示特征(1.5 h) 7. 海图数据显示等级范围与选择(0.5 h) 8. ECDIS 提供的安全参数(0.5 h) 9. ECDIS 自动与手动功能(1 h)	1. ECDIS 组成(2 h) (1) ECDIS 构成配置 (2) 检查传感器的连接 (3) ECDIS 训练工作站的启用 2. ECDIS 数据管理(2 h) (1) ECDIS 使用数据查询与获取 (2) 海图数据获取与安装 (3) 海图数据改正与更新操作 3. ECDIS 基本导航功能操作(4 h) (1) 本船参数设置 (2) 安全监控参数设置 (3) 海区的选择	1. 以有助于安全航行的方式监控 ECDIS 信息 2. 正确地解释和分析通过 ECDIS(包括雷达叠加和/或雷达跟踪功能，如装有)获取的信息，并考虑设备的局限性、所有相连的传感器(包括雷达和 AIS，如连接)以及当时的环境和条件 3. 通过 ECDIS 控制的航迹保持功能(当装有)调节船舶航向和航速，使船舶的航行安全得以保持 4. 在任何时候都以海员的方式清楚、简要地交流并确认	20	20	ECDIS 理论教学利用多媒体和电子海图实验室实训教学	具备 ECDIS 的师资，见三副教学人员安排表	教学楼相应课室、电子海图实验室	1.《电子海图显示与信息系统》 2.《电子海图显示与信息系统(ECDIS)的操作使用》 3《电子海图显示与信息系统指导书》

表 5 - 20(续 1)

培训内容		培训目标	学时		培训方式	教员安排	场地、设施设备	教材及参考资料
理论知识	实践技能		理论	实践				
10. 各种传感器,及其精度要求与故障响应(1.5 h) 11. 更新的制作与发布(包括手动、半自动、自动更新)(1 h) 12. 航线设计功能,包含计划航线计算、航次计划表计算、构建航线、航线安全检测、备用航线及最终航线选用等(2.5 h) 13. 航路监控功能,包括监测航线测量与计算,开发水域、沿岸及受限水域 ECDIS 导航,风流影响等(2 h) 14. ECDIS 导航中的特定功能(1 h) 15. 状态指示、指示器与报警含义(1 h) 16. 典型的解析误差及避免误差的应对(1 h) 17. 航次记录、操作与回放航迹(0.5 h)	(4)海图数据显示分层选择 (5)海图比例的正确使用 (6)海图信息的查取 (7)沿海水域海图显示基本练习 4. ECDIS 航线设计(4 h) (1)船舶操纵性参数设置 (2)查验内置潮汐水流气候资料 (3)构建航线 (4)航线安全检测 (5)优化航线 (6)航次计划表 (7)沿海及限制水域的航线设计练习 5. 航路监控功能(4 h) (1)定位参考系统连接							

表 5 – 20(续 2)

培训内容		培训目标	学时		培训方式	教员安排	场地、设施设备	教材及参考资料
理论知识	实践技能		理论	实践				
18. 过度依赖 ECDIS 的风险(1 h)	(2)船位的检查与核实 (3)航路监控模式的设置与激活 (4)矢量时间设置 (5)各种警告信息及应对 (6)开放水域的航路监控练习 6. ECDIS 与其他系统集成导航(2 h) (1)雷达/ARPA 跟踪目标叠加 (2)演示 AIS 功能叠加 (3)ECDIS 中自动航迹控制系统功能使用 (4)限制水域的 ECDIS 综合导航练习 7. 系统记录管理(1 h)							

表 5－20（续 3）

培训内容		培训目标	学时		培训方式	教员安排	场地、设施设备	教材及参考资料
理论知识	实践技能		理论	实践				
	（1）系统重置与备份 （2）利用 ECDIS 管理工具软件存档 （3）数据录入与航海日志 （4）回放操作 8. ECDIS 风险（1 h） （1）后备系统 （2）系统测试 （3）过度依赖 ECDIS 的风险							
小计			20	20				

5.5.8　航海学(气象)教学大纲

海洋学(气象)教学大纲信息情况见表 5－21。

表 5－21　海洋学(气象)教学大纲信息情况表

课程名称	航海学(气象)		课程代码	143067B
学分	3	学时:　56　其中含理论学时:　56　实践学时:　0		
课程性质:☑必修课　□选修课				
课程类型:□公共课程(含公共基础平台课程、通识课程、公选课程等) □(跨)专业群基础平台课程　☑专业课程 课程特性:☑学科性课程　□工作过程系统化课程　□项目化课程　□任务导向课程　□其他 教学组织:□以教为主(理论为主)　□以做为主(实践为主)　☑理实一体(理论＋实践)				

编写年月		执笔		审核	

1. 课程性质与定位

航海学(气象)是研究大气和海洋的运动变化规律与航海活动相互关系的一门实用性学科,是航海技术专业核心课程之一。本课程学习可使学生掌握气象学和海洋学的基本知识;掌握船舶海洋水文气象要素的测报技能;学会运用各种船舶气象资料和传真天气图进行综合分析预报的初步技能;具备未来成为具有良好气象素质的海船驾驶员的能力;达到无限航区 3 000 总吨及以上船舶驾驶操作级(二/三副)适任证书考试要求的水平。

2. 课程教学目标

(1)知识目标

①掌握对流层大气的特征,气温、气压、湿度、风、云、雾等气象要素的特征,学会温度、气压、湿度、风等气象要素的观测和记录;

②掌握气团和锋、锋面气旋、热带气旋、冷高压、副热带高压五种天气系统的基本特征;

③掌握海浪、海流的基本特征,世界各大洋的气候特点等知识;

④掌握各种气象传真天气图的分析和天气预报知识。

(2)能力目标

①具备基本的船舶气象、水文要素观测及记录的能力;

②具有根据实测气象资料判定船舶所处热带气旋部位并进行避离的分析能力;

③具有根据气象报告和气象传真图推断出未来航线上的大致天气情况、海况的能力;

④具有根据指定航线,接收天气报告和查找气象资料,综合分析航线天气情况的能力;

⑤具有综合各种要素运用气象学和海洋学知识初步设计航线,确保航行安全的能力。

(3)素质目标

①培养学生分析问题与解决问题的能力;

②养成严谨、求实、认真、仔细的学习和工作态度;

③培养查阅资料、独立学习、获取新知识的能力；

④养成善于观测、勤于思考的习惯；

⑤培养较高的职业道德素质和较强的爱岗敬业精神。

培训内容、培训目标、学时、培训方式、教员安排、场地、设施设备、培训教材见表5－22。

表 5－22　海洋学(气象)教学大纲内容安排表

培训内容		培训目标	学时		培训方式	教员安排	场地、设施设备	教材及参考资料
理论知识	实践技能		理论	实践				
教学时间安排:三年制第 4 学期								
1.1.9 航海气象基础知识 1. 大气概况:大气成分及其物理性质,影响气温分布及天气变化的大气成分,大气污染,大气的垂直分层,对流层的主要特征(2 h) 2. 气温:气温定义和温标,太阳、大气和地面辐射,空气增热和冷却方式,气温随时间的变化,气温的空间分布(2 h) 3. 湿度:湿度的定义,大气中的水汽分布特征,表示湿度的物理量,大气中水汽的凝结,湿度的日年变化(2 h) 4. 气压:气压定义和单位,气压随高度的变化,气压的日年变化,海平面气压场基本形式,气压梯度,气压系统随高度的变化(3 h)	无	1. 掌握各种气象、海洋要素的性质、分布和变化规律 2. 对天气情况的测量和观测是准确的并适于其航程的	30	0	航海气象学基础知识理论教学利用多媒体和实验室实训教学	具备航海学(气象)的师资,见三副教学人员安排表	教学楼相应课室、气象仪器室、教学楼顶、室外等	《航海气象与海洋学》

表 5－22(续1)

培训内容		培训目标	学时		培训方式	教员安排	场地、设施设备	教材及参考资料
理论知识	实践技能		理论	实践				
5. 空气水平运动——风：风的概述，作用于大气微团的力，地转风，梯度风，摩擦层中的风，白贝罗定律的应用；局地地形的动力作用对风的影响(5 h) 6. 大气垂直运动和稳定度：大气垂直运动、大气稳定度及其判定(2 h) 7. 云和降水：云的定义和形成条件，云的分类及其基本特征，降水的种类和性质，降水强度和降水量(2 h) 8. 雾和海面能见度：雾的概念及对航海的影响，平流雾，辐射雾，锋面雾，蒸汽雾，世界海洋雾的分布，中国近海雾的分布，船舶判定海雾的方法，海面能见度(3 h)								

表 5 – 22(续 2)

培训内容		培训目标	学时		培训方式	教员安排	场地、设施设备	教材及参考资料
理论知识	实践技能		理论	实践				
9. 大气环流和局地环流:单圈环流和三圈环流形成,气压带和行星风带特征,海平面平均气压场的分布特征,季风的概念、成因及分布,东亚季风,南亚季风,其他地区季风,海陆风和山谷风,中国近海风分布特征,世界大洋大风分布特征(其中世界大洋大风分布特征不适用沿海)(5 h) 10. 海浪:波浪要素和波浪分类,风浪、涌浪和近岸浪,海啸、风暴潮和内波,浪高与浪级,群波与驻波,中国近海风浪分布特征,世界大洋主要大风浪分布特征(其中世界大洋主要大风浪分布特征不适用沿海)(2 h)								

表5-22(续3)

培训内容		培训目标	学时		培训方式	教员安排	场地、设施设备	教材及参考资料
理论知识	实践技能		理论	实践				
11. 船舶水文气象观测:气温、湿度观测,气压观测,视风、船风、真风的观测和确定,云的观测,雾和能见度观测,天气现象观测,海水温度观测,海浪观测(2 h)								
1.1.10 海上天气系统及其特征 1. 气团和锋:气团的定义、形成、源地及变性,气团的地理分类及主要天气特征,冷、暖气团的定义及主要天气特征,影响我国沿海的主要气团,锋的定义和空间结构,锋的特征和分类,锋面天气(3 h) 2. 锋面气旋:气旋的定义及流场特征,气旋的范围和强度,气旋的分类,气旋的一般天气特征,锋面气旋的形成和演变,锋面气		1. 掌握各种天气系统伴随的天气模式及发展、演变规律 2. 正确解释和运用气象资料	18	0	航海气象学基础知识理论教学利用多媒体和实验室实训教学	具备航海学(气象)的师资,见三副教学人员安排表	教学楼相应课室、气象仪器室、教学楼顶、室外等	《航海气象与海洋学》

表5－22(续4)

培训内容		培训目标	学时		培训方式	教员安排	场地、设施设备	教材及参考资料
理论知识	实践技能		理论	实践				
旋的天气模式,锋面气旋中风浪的分布(4 h) 3. 冷高压:反气旋的定义及流场,反气旋的范围和强度,反气旋的分类,反气旋的一般天气特征,冷高压的形成和演变,冷高压的天气模式,我国冷空气的源地和等级分类,寒潮的概念和警报,寒潮天气(3 h) 4. 副热带高压:副热带高压的定义及形成,副热带高压天气模式,表征西太平洋副热带高压的特征指数,西北太平洋副热带高压对我国天气气候的影响(此项沿海只需掌握部分内容)(2 h) 5. 热带气旋:热带气旋的定义,热带气旋的等级分类和名称,热带气旋警报,全球热带气旋发生的源地								

表5-22(续5)

培训内容		培训目标	学时		培训方式	教员安排	场地、设施设备	教材及参考资料
理论知识	实践技能		理论	实践				
及季节变化,热带气旋的天气结构及海况特征(此项沿海只需掌握中国沿海内容)(4 h) 6.强对流性天气系统:强对流性天气系统概念及特征,雷暴,飑线,龙卷风(2 h)								
1.1.11 航海气象信息的获取与应用 1.天气图的基础知识:天气图定义、投影方式,天气图种类,地面天气图填图格式,地面天气图分析项目(3 h) 2.气象信息的获取途径:传真气象图获取,天气报告和警报的获取,航运互联网和电子邮件中气象信息的获取,其他途径气象信息的获取(1 h)		1.了解气象资料的获取途径,掌握传真图的识别、分析和应用 2.正确解释和运用气象资料	8	0	航海气象学基础知识理论教学利用多媒体和实验室实训教学	具备航海学(气象)的师资,见三副教学人员安排表	教学楼相应课室、气象仪器室、教学楼顶、室外等	《航海气象与海洋学》

表5-22(续6)

培训内容		培训目标	学时		培训方式	教员安排	场地、设施设备	教材及参考资料
理论知识	实践技能		理论	实践				
3. 天气报告和警报的释读及应用(1 h) 4. 传真气象图的识读：地面天气图的投影方式和主要地理位置辨识，天气系统强度、位置和移动辨识，警报辨识，重点天气系统的英文短文释义，指定船位点天气海况信息读取(3 h)								
小计			56	0				

5.5.9　船舶操纵与避碰(避碰)教学大纲

船舶操纵与避碰(避碰)教学大纲信息情况见表 5－23。

表 5－23　船舶操纵与避碰(避碰)教学大纲信息情况表

课程名称	船舶操纵与避碰(避碰)		课程代码	143070B
学分	2.5	学时: 48 其中含理论学时: 48 实践学时: 0		
课程性质:☑必修课　□选修课				
课程类型:□公共课程(含公共基础平台课程、通识课程、公选课程等) □(跨)专业群基础平台课程　☑专业课程 课程特性:□学科性课程　□工作过程系统化课程　□项目化课程　☑任务导向课程　□其他 教学组织:□以教为主(理论为主)　□以做为主(实践为主)　☑理实一体(理论＋实践)				

编写年月		执笔		审核	

1. 课程性质与定位

本课程是高职航海技术专业的一门专业核心课程,也是国家海事管理机构规定的无限航区海船船员适任证书考试课程之一。通过避碰规则内容的全面知识、航行值班中应遵守的原则、驾驶台资源管理、用视觉信号发出和接收信息等相关知识的学习与训练,学生可掌握必需的船舶值班以及船舶避碰要领,具备一定的船舶避碰能力,符合 STCW 公约马尼拉修正案和我国海船船员适任标准要求。

2. 课程教学目标

通过本课程的学习,学生可掌握必需的船舶值班以及船舶避碰要领,具备一定的船舶避碰能力,成为一名符合 STCW 公约马尼拉修正案和我国海船船员适任标准要求,能胜任无限航区船舶操作级岗位工作的具有创新精神的航海类技术技能人才。

(1)认知目标

①掌握避碰规则内容的全面知识;

②掌握航行值班中应遵守的原则;

③掌握驾驶台资源管理诸要素;

④熟悉用视觉信号发出和接收信息。

(2)能力目标

①具备正确运用《1972 年国际海上避碰规则公约》操纵船舶的能力;

②具备严格遵守航行值班规则的能力;

③具备正确管理驾驶台资源的能力;

④具备正确用视觉信号发出和接收信息的能力。

(3)素质目标

①养成严谨、求实、认真、仔细的学习和工作态度;

②具有较强的团队意识,良好的与同事交流、合作的能力;

③具有较强的学习能力、吃苦耐劳精神;

④具有较强的语言表达能力和协调人际关系能力;

⑤具有认识自身发展重要性以及确立自身继续发展目标的能力。

培训内容、培训目标、学时、培训方式、教员安排、场地、设施设备、培训教材见表 5 - 24。

表5-24 船舶操纵与避碰(避碰)教学大纲内容安排表

培训内容		培训目标	学时		培训方式	教员安排	场地、设施设备	教材及参考资料
理论知识	实践技能		理论	实践				
教学时间安排:三年制第4学期								
1.2.1 避碰规则 1.适用范围(3 h) 2.责任:适用对象,疏忽种类,背离规则的条件、目的和注意事项(1 h) 3.一般定义:船舶、机动船、帆船、从事捕鱼船、限于吃水船、失去控制的船舶、操纵能力受到限制的船舶、在航、长度和宽度、水上飞机、互见、能见度不良和地效船等13个名词的定义(4 h) 4.号灯与号型:基础知识、各类船舶号灯与号型的显示与识别(8 h) 5.声响与灯光信号:基础知识、信号种类、适用、使用方法和注意事项(4 h) 6.瞭望:适用范围与目的、瞭望人员与手段(1.5 h)	实验室和操纵模拟器训练: 1.号灯、号型识别及运用 2.灯光声响信号识别及运用 3.掌握瞭望的基本手段和方法 4.正确判断船舶的会遇态势和局面 5.理解“早、大、宽、清”的含义,并根据该原则采取适当的避碰行动 6.正确应用狭水道、分道通航制水域的航行和避让原则 7.理解和应用能见度不良时的行动原则	遵守公认的原则和程序,随时保持正规瞭望;号灯、号型和声号符合修订的《1972年国际海上避碰规则公约》中载明的要求并能正确辨认;根据修订的《1972年国际海上避碰规则公约》的要求,保持应有的航行戒备;能够正确判断碰撞危险,并采取符合规则要求的避让行动	40	0	船舶操纵与避碰(避碰)教学利用多媒体和大型船舶操纵模拟器实验室实训教学	具备船舶操纵与避碰(避碰)的师资,见三副教学人员安排表	教学楼相应课室、大型船舶操纵模拟器实验室	1.《船舶操纵与避碰(船舶避碰)》 2.《船舶操纵与避碰(二/三副用)》 3.《船舶操纵与避碰同步辅导(避碰篇)》

表 5－24(续 1)

培训内容		培训目标	学时		培训方式	教员安排	场地、设施设备	教材及参考资料
理论知识	实践技能		理论	实践				
7. 安全航速:含义与要求、决定因素(1.5 h) 8. 碰撞危险:判断原则、手段与方法,正确使用雷达,雷达标绘及其相应的系统观察方法,罗经方位法使用注意事项(1.5 h) 9. 避免碰撞的行动:时机、幅度和效果,避让有效性查核要求,减速或把船停住的时机与要求,本船转向与变速避让效果及 DCPA 和 TCPA 的变化规律,不应妨碍的责任与行动要求,不应妨碍的船舶与不应被妨碍的船舶之间的责任关系(1.5 h) 10. 狭水道:狭水道与航道的定义,适用范围,航行原则,不应妨碍的义务,狭水道航行注意事项(2 h)	8. 防碰撞、防海损时的技巧:慢、准、稳,适时使用舵、车、声号等手段 船舶操纵模拟器:利用从各导航设备中获取的有用信息,做出正确的判断,采取有效的行动(防止出现信息过载及获取不足、判断不准、行动不力的问题)							

表 5-24(续2)

培训内容		培训目标	学时		培训方式	教员安排	场地、设施设备	教材及参考资料
理论知识	实践技能		理论	实践				
11. 分道通航制:分道通航制和沿岸通航带定义及组成,适用范围,与规则其他条款的关系,使用分道通航制和沿岸通航带的原则,穿越分道通航制的航法,进入分隔带或分隔线的规定,应特别谨慎航行的区域,避免锚泊,不应妨碍的规定,免受约束的船舶(2 h) 12. 帆船条款:适用范围、避让责任和行动(0.5 h) 13. 追越局面:适用范围,构成要件,局面特点,避让责任与行动,与其他条款的关系(1 h)								

表 5－24(续 3)

培训内容		培训目标	学时		培训方式	教员安排	场地、设施设备	教材及参考资料
理论知识	实践技能		理论	实践				
1.2.2 航行值班中应遵守的原则 1. 航行值班中基本原则的内容、应用和意图(2 h) 2. 驾驶台值班驾驶员承担的责任及要求(1 h) 3. 驾驶台瞭望的要求(1 h) 4. 驾驶台交接班的有关要求(1 h) 5. 船舶航行、操纵和避让行动的有关要求(1 h) 6. 船舶在锚泊时驾驶台人员的职责(1 h) 7. 船舶港内以及装卸危险品时驾驶员的职责(1 h)	能正确使用《驾驶台程序指南》,保障值班秩序	值班、接班和交班符合公认的原则和程序;对有关船舶航行的运动和活动保持正规记录;始终明确安全航行的责任,包括船长在驾驶台和船舶正在被引航期间	8	0	船舶操纵与避碰(避碰)教学利用多媒体和大型船舶操纵模拟器实验室实训教学	具备船舶操纵与避碰(避碰)的师资,见三副教学人员安排表	教学楼相应课室、大型船舶操纵模拟器实验室	1.《船舶操纵与避碰(船舶避碰)》 2.《船舶操纵与避碰(二/三副用)》 3.《船舶操纵与避碰同步辅导(避碰篇)》
小计			48	0				

5.5.10 驾驶台资源管理教学大纲

驾驶台资源管理教学大纲信息情况见表5-25。

表5-25 驾驶台资源管理教学大纲信息情况表

<table>
<tr><td>课程代码</td><td colspan="3">驾驶台资源管理</td><td>课程代码</td><td>143031B</td></tr>
<tr><td>学分</td><td>1</td><td colspan="4">学时：<u>20</u>其中含理论学时：<u>20</u>实践学时：<u>0</u></td></tr>
<tr><td colspan="6">课程性质：☑必修课 □选修课</td></tr>
<tr><td colspan="6">课程类型：□公共课程（含公共基础平台课程、通识课程、公选课程等）
□（跨）专业群基础平台课程 ☑专业课程
课程特性：☑学科性课程 □工作过程系统化课程 □项目化课程 □任务导向课程 □其他
教学组织：☑以教为主（理论为主） □以做为主（实践为主） □理实一体（理论+实践）</td></tr>
<tr><td>编写年月</td><td></td><td>执笔</td><td></td><td>审核</td><td></td></tr>
</table>

1.课程性质与定位

驾驶台资源管理课程是安排船舶驾驶人员通过参加船舶安全理论课的学习、重大和典型的海事案例的分析与讨论、驾驶台航行值班的模拟训练，强化安全意识、端正工作态度，进一步了解和掌握船舶驾驶台值班人员相互间的组合工作方法与要领，合理有效地应用驾驶台所有的人力和设备资源，以确保和控制船舶航行安全，提高船舶的运营效益。本课程可培养学生分析问题与解决问题的能力，使其养成严谨、求实、认真、仔细的学习和工作态度；培养符合现代航运企业需求，满足STCW公约马尼拉修正案和国家海事局对船员培训、考试及发证法规的要求，能胜任现代化船舶驾驶与管理的，具有可持续发展能力的高素质技能型无限航区高级船员。驾驶台资源的有效利用和管理是IMO在研究人为因素对航行安全影响议题下提出的一种有效措施。STCW公约马尼拉修正案将“驾驶台资源管理”纳入STCW规则的A部分，作为强制培训内容，其主要目的在于控制驾驶台的人为失误。

2.课程教学目标

（1）知识目标

①熟悉驾驶台各种资源要素；

②了解STCW公约马尼拉修正案关于驾驶台资源管理的相关规定及其目的；

③掌握船舶通信和有效沟通的基本知识，熟悉船舶在各种应急情况下的应急行动要领。

（2）能力目标

①具有根据船舶性能选择和查阅相关航海图书资料的能力；

②具备制定开阔水域、狭窄水域和港口水域航次计划的能力，知道如何获取所需信息并排序，对可利用的资源能进行合理安排，能进行有效的团队协作与沟通；

③具有“偶发事件”的预测和应急处理能力；

④具有在不同水域选择适当的方法组织搜寻救助的能力；

⑤具有在紧迫局面、特殊情况下组织紧急避碰操纵的行动能力。

(3)素质目标

①培养分析问题与解决问题的能力;

②培养查阅资料、独立学习、获取新知识的能力;

③培养应变决策和外语应用能力;

④养成善于观测、勤于思考的习惯;

⑤养成严谨、求实、认真、仔细的学习和工作态度;

⑥具有安全与环境保护意识;

⑦具备良好的海员职业道德;

⑧具有团队意识,良好的与同事交流、合作的能力。

培训内容、培训目标、学时、培训方式、教员安排、场地、设施设备、培训教材见表 5 - 26。

表5-26　驾驶台资源管理教学大纲内容安排表

培训内容		培训目标	学时		培训方式	教员安排	场地、设施设备	教材及参考资料
理论知识	实践技能		理论	实践				
教学时间安排:三年制第5学期								
1.2.6 驾驶台资源管理 1.驾驶台资源管理概念、作用与目的(0.5 h) 2.驾驶台资源的组成、分配与排序(1 h) 3.驾驶台组织结构及职责(0.5 h) 4.通信与沟通的定义、方式及特点,有效沟通的原则,与引航员沟通要点,通信与沟通障碍及改进方法(1 h) 5.决策的概念、特点、主要类型、决策的过程与要点(1 h) 6.领导力的含义与作用,领导的类型与风格,船舶领导力(2 h) 7.情境意识含义、组成,情境意识丧失的征兆,提高情境意识水平的途径,保持良好的情境意识(2 h)		1.根据需要,按正确的优先顺序分配和分派资源,以执行必要任务 2.交流清楚、无歧义 3.有疑问的决定和/或行动受到适当质疑时的反应 4.认同有效的领导行为 5.团队成员对当前和预测的船舶状态、航路和外部环境有着共同的准确理解	8	0	驾驶台资源管理理论教学利用多媒体和航海大型船舶操纵模拟实验室实训教学	具备驾驶台资源管理的师资,见三副教学人员安排表	教学楼相应课室或航海大型船舶操纵模拟器室	1.《船舶驾驶台资源管理实用教程》 2.《船舶驾驶台资源管理》 3.《驾驶台资源管理》 4.《船舶管理》

表 5－26(续 1)

培训内容		培训目标	学时		培训方式	教员安排	场地、设施设备	教材及参考资料
理论知识	实践技能		理论	实践				
3.7 领导力和团队工作技能的运用,了解船上人员管理和培训的实用知识(6 h) 1. 船员组织、管理架构和责任 2. 文化意识、内在特质、态度、行为、跨文化交流 3. 船上情况、船上非正式社会结构 4. 人为失误、情境意识、主动意识、自满、倦怠 5. 领导力和团队合作 6. 船上培训计划和实施 7. 个人能力和行为特征 8. SOLAS[①]、STCW、MLC2006[②]等国际公约中与人员管理相关的内容(2 h) 3.8 了解有效资源管理的知识 1. 船上、岸上有效交流 2. 资源的分配、布置和优先化 3. 反映团队经验的决策制定 4. 决断和领导力,包括动机 5. 情境意识的获取和维持 6. 工作表现的评估 7. 短期和长期策略		1. 分配船员工作,并以适合相关个人的方式告知所要求的工作标准和行为准则 2. 培训目标和培训活动基于对目前适任性和能力的评估及操作要求 3. 表明操作符合适用的规则 4. 操作有计划并根据需要按正确的优先顺序分配资源,以执行必要的任务 5. 交流清楚、无歧义 6. 表明有效的领导行为 7. 必要的团队成员对当前和预测的船舶操作的状态及外部环境有共同准确的理解 8. 决策对于局面最有效	12	0	领导力和团队工作技能的运用课程理论教学利用多媒体和航海大型船舶操纵模拟实验室实训教学	具备驾驶台资源管理的师资,见三副教学人员安排表	教学楼相应课室或航海大型船舶操纵模拟器室	1.《船舶驾驶台资源管理实用教程》 2.《船舶驾驶台资源管理》 3.《驾驶台资源管理》 4.《船舶管理》

表 5－26(续2)

培训内容		培训目标	学时		培训方式	教员安排	场地、设施设备	教材及参考资料
理论知识	实践技能		理论	实践				
3.9 了解运用决策技能的知识(2 h) 1. 情境和风险评估 2. 生成选项的确定和考虑 3. 功能课程选择 4. 结果有效性评估 5. 决策制定和问题解决技巧 6. 权威和决断 7. 判定 8. 应急和人群管理 3.10 掌握任务和工作量管理的知识(2 h) 1. 计划和协调 2. 人事安排 3. 人力局限 4. 人员能力 5. 时间和资源局限 6. 优先化 7. 工作量、休息和疲劳 8. (领导)管理方式 9. 要求和答复								
小计			20	0				

注:①SOLAS 为《国际海上人命安全公约》的英文缩写;②MLC2006 为《2006 年海事劳工公约》的英文缩写。

5.5.11 值班水手业务教学大纲

值班水手业务教学大纲信息情况见表5-27。

表5-27 值班水手业务教学大纲信息情况表

课程名称	值班水手业务		课程代码	143063B
学分	2	学时：10 其中含理论学时：10 实践学时：0		
课程性质：☑必修课 □选修课				

课程类型：□ 公共课程（含公共基础平台课程、通识课程、公选课程等）
□（跨）专业群基础平台课程 ☑专业课程
课程特性：□学科性课程 □工作过程系统化课程 ☑项目化课程 □任务导向课程 □其他
教学组织：□以教为主（理论为主） □以做为主（实践为主） ☑理实一体（理论+实践）

编写年月		执笔		审核	

1.课程性质与定位

通过对值班水手业务课程的学习，学员可掌握一定日常会话用语和海船值班岗位工作用语；具备使用必要的船舶应急用语与安全值班用语的能力；达到我国海船船员适任标准中对值班水手规定的要求，基本胜任水手常规工作；具备较强的安全生产、安全操作和防止海洋环境污染的意识。参加并通过国家海事局组织的理论考试后，学员将取得值班水手适任资格，能从事海船值班水手工作。本课程可培养学生分析问题与解决问题的能力，使其养成严谨、求实、认真、仔细的学习和工作态度；可培养符合现代航运企业需求，满足STCW公约马尼拉修正案和国家海事局对船员培训、考试及发证法规的要求，具有可持续发展能力的、高素质技能型现代化船舶值班水手。

2.课程教学目标

（1）知识目标

①了解船舶的简单航海基础；

②了解避碰规则，熟悉船舶号灯、号型、声光、主要信号旗和烟火求救信号；

③掌握视觉信号的通信方法、挂旗方法，掌握主要航海国家的国旗；

④掌握船舶操舵，了解舵的使用方式；

⑤掌握手动操舵方法和自动舵、手动舵、应急舵的转换方法，了解自动操舵的局限性；

⑥了解各种缆绳的名称和作用，掌握解系准备工作，能正确做好撇缆、出缆、上滚筒、绞缆、打制索结及挽桩等一整套操作，了解安全注意事项。

（2）能力目标

①能正确使用主要甲板设备，具备井然有序、有效地管理甲板的能力；

②能正确预防和使用各种应急报警，在各种情况下能正确、有效、快速地完成海上甲板水手任务；

③能对主要甲板设备进行维护和保养。

(3)素质目标

①培养分析问题与解决问题的能力;

②培养查阅资料、独立学习、获取新知识的能力;

③培养应变决策和外语应用能力;

④养成善于观测、勤于思考的学习习惯;

⑤养成严谨、求实、认真、仔细的学习和工作态度;

⑥具有安全与环境保护意识;

⑦具备良好的海员职业道德;

⑧具有团队意识,良好的与同事交流、合作的能力。

培训内容、培训目标、学时、培训方式、教员安排、场地、设施设备、培训教材见表5-28。

表 5－28　值班水手业务教学大纲内容安排表

培训内容		培训目标	学时		培训方式	教员安排	场地、设施设备	教材及参考资料
理论知识	实践技能		理论	实践				
教学时间安排：三年制第 4 学期								
1.1.8 操舵控制系统 1. 随动操舵系统的种类与基本控制原理(0.5 h) 2. 应急控制系统的特点与使用要领(0.25 h) 3. 自动舵的操舵转换方式：随动舵自动舵、应急舵的转换及适用场合(0.5 h) 4. 自动舵调节旋钮的使用(0.5 h) 5. 使用自动舵的注意事项(0.25 h)		1. 掌握随动操舵系统的种类与基本控制原理；掌握应急控制系统的特点与使用要领；掌握自动舵的操舵转换方式：随动舵自动舵、应急舵的转换及适用场合；掌握自动舵调节旋钮的使用；掌握使用自动舵的注意事项 2. 能在实验室开展以下全部实训：自动舵的三种操舵转换方式；随动舵、自动舵和应急三种操舵方式各自的使用时机；自动舵各功能调节旋钮的正确使用方法；在舵机房应急操舵	2	0	值班水手业务理论教学利用多媒体和船艺实训室、“芙蓉号”教学用实船实训教学	具备值班水手业务的师资，见三副教学人员安排表	教学楼相应课室、船艺实训室、“芙蓉号”教学用实船	1.《值班水手业务》 2.《值班水手业务考试指南》

表 5－28(续 1)

培训内容		培训目标	学时		培训方式	教员安排	场地、设施设备	教材及参考资料
理论知识	实践技能		理论	实践				
1.7.1 国际信号规则 1. 主要的国际信号旗(0.5 h) 2. 旗意的解释(0.5 h) 3. 代旗的正确使用(0.3 h) 4. 当信号不明白时,应采取的行动(0.3 h) 5. 如何终止信号的显示(0.3 h) 6. 所列的信号名字,说出其明语意思(0.1 h) 7. 识别信号的使用(0.5 h) 8. 带补充码的单字母信号的用法(0.5 h) 9. 信号的组(0.5 h) 10. 补充码和补充表的使用(0.5 h) 11. 单字母信号的意思(0.5 h) 12. 破冰船与被援助船之间的单字母信号(0.5 h)		1. 了解旗意的解释;了解所列的信号名字,说出其明语意思;了解带补充码的单字母信号的用法;了解补充码和补充表的使用;掌握主要的国际信号旗;掌握代旗的正确使用;掌握当信号不明白时,应采取的行动;掌握如何终止信号的显示;掌握识别信号的使用;掌握信号的组成;掌握单字母信号的意思;掌握破冰船与被援助船之间的单字母信号;掌握国际信号规则中的遇险信号 2. 能在实验室完成以下实训:能根据需要正确使用国际信号规则;能识别主要的旗语信号;信号旗呼叫的演示;回答旗的演示及其作用;能正确拼读国际语音字母和数字表	6	0	值班水手业务理论教学利用多媒体和船艺实训室、“芙蓉号”教学用实船实训教学	具备值班水手业务的师资,见三副教学人员安排表	教学楼相应课室、船艺实训室、“芙蓉号”教学用实船	1.《值班水手业务》 2.《值班水手业务考试指南》

表 5－28(续 2)

培训内容		培训目标	学时		培训方式	教员安排	场地、设施设备	教材及参考资料
理论知识	实践技能		理论	实践				
13. 国际信号规则中的遇险信号(1 h)								
1.7.2 莫尔斯信号通信 1. 区分莫尔斯信号中的数字和字母(1 h) 2. 用闪光灯收发遇险信号 SOS(0.3 h) 3. 声响信号中的推荐信号(0.2 h) 4. 仅在符合《1972 年国际海上避碰规则公约》的要求中所示的单字母信号(0.5 h)		1. 了解并会区分莫尔斯信号中的数字和字母;掌握用闪光灯收发遇险信号 SOS;掌握声响信号中的推荐信号;掌握仅在符合《1972 年国际海上避碰规则公约》的要求中所示的单字母信号 2. 能在实验室完成以下实训:能使用并辨识简单的闪光灯信号,尤其是 SOS 信号;对《1972 年国际海上避碰规则公约》附录 4 规定的信号辨识	2	0	值班水手业务理论教学利用多媒体和船艺实训室、“芙蓉号”教学用实船实训教学	具备值班水手业务的师资,见三副教学人员安排表	教学楼相应课室、船艺实训室、“芙蓉号”教学用实船	1.《值班水手业务》 2.《值班水手业务考试指南》
小计			10	0				

5.5.12　水手工艺与值班教学大纲

水手工艺与值班教学大纲信息情况见表 5 – 29。

表 5 – 29　水手工艺与值班教学大纲信息情况表

课程名称	水手工艺与值班		课程代码	143064B
学分	4	学时：_13_其中含理论学时：_0_实践学时：_13_		
课程性质：☑必修课　□选修课				
课程类型：□公共课程（含公共基础平台课程、通识课程、公选课程等） □（跨）专业群基础平台课程　☑专业课程 课程特性：□学科性课程　□工作过程系统化课程　☑项目化课程　□任务导向课程　□其他 教学组织：□以教为主（理论为主）　☑以做为主（实践为主）　□理实一体（理论 + 实践）				

编写年月		执笔		审核	

1. 课程性质与定位

通过水手工艺与值班课程的学习，学员可掌握一定日常会话用语和海船值班岗位工作用语；具备使用必要的船舶应急用语与安全值班用语的能力；达到我国海船船员适任标准中对值班水手规定的要求，基本胜任水手常规工作；具备较强的安全生产、安全操作和防止海洋环境污染的意识。参加并通过国家海事局组织的理论考试后，学员将取得值班水手适任资格，能从事海船值班水手工作。本课程可培养学生分析问题与解决问题的能力，使其养成严谨、求实、认真、仔细的学习和工作态度；可培养符合现代航运企业需求，满足 STCW 公约马尼拉修正案和国家海事局对船员培训、考试及发证法规的要求，具有可持续发展能力的、高素质技能型现代化船舶值班水手。

2. 课程教学目标

（1）知识目标

①了解船舶的简单航海基础；

②了解避碰规则，熟悉船舶号灯、号型、声光、主要信号旗和烟火求救信号；

③掌握视觉信号的通信方法、挂旗方法，掌握主要航海国家的国旗；

④掌握船舶操舵，了解舵的使用方式；

⑤掌握手动操舵方法和自动舵、手动舵、应急舵的转换方法，了解自动操舵的局限性；

⑥了解各种缆绳的名称和作用，掌握解系准备工作，能正确做好撇缆、出缆、上滚筒、绞缆、打制索结及挽桩等一整套操作，了解安全注意事项。

（2）能力目标

①能正确使用主要甲板设备，具备井然有序、有效地管理甲板的能力；

②能正确预防和使用各种应急报警，在各种情况下能正确、有效、快速地完成海上甲板水手任务；

③能对主要甲板设备进行维护和保养。

(3)素质目标

①培养分析问题与解决问题的能力;

②培养查阅资料、独立学习、获取新知识的能力;

③培养应变决策和外语应用能力;

④养成善于观测、勤于思考的习惯;

⑤养成严谨、求实、认真、仔细的学习和工作态度;

⑥具有安全与环境保护意识;

⑦具备良好的海员职业道德;

⑧具有团队意识,良好的与同事交流、合作的能力。

培训内容、培训目标、学时、培训方式、教员安排、场地、设施设备、培训教材见表5-30。

表 5－30　水手工艺与值班教学大纲内容安排表

培训内容		培训目标	学时		培训方式	教员安排	场地、设施设备	教材及参考资料
理论知识	实践技能		理论	实践				
教学时间安排:三年制第 4 学期								
1.1.8 操舵控制系统 1. 随动操舵系统的种类与基本控制原理 2. 应急控制系统的特点与使用要领 3. 自动舵的操舵转换方式:随动舵自动舵、应急舵的转换及适用的场合 4. 自动舵调节旋钮的使用 5. 使用自动舵的注意事项	在实验室开展以下实训: 1. 自动舵的三种操舵转换方式(1 h) 2. 随动舵、自动舵和应急舵三种操舵方式的使用时机(1 h) 3. 自动舵各功能调节旋钮的正确使用方法(2 h) 4. 在舵机房应急操舵(2 h)	1. 掌握随动操舵系统的种类与基本控制原理;掌握应急控制系统的特点与使用要领;掌握自动舵的操舵转换方式:随动舵自动舵、应急舵的转换及适用的场合;掌握自动舵调节旋钮的使用;掌握使用自动舵的注意事项 2. 能在实验室开展以下实训:自动舵的三种操舵转换方式;随动舵、自动舵和应急舵三种操舵方式的使用时机;自动舵各功能调节旋钮的正确使用方法;在舵机房应急操舵	0	6	水手工艺与值班实操教学利用船舶操纵模拟器室、“芙蓉号”教学用实船实训教学	具备值班水手业务的师资,见三副教学人员安排表	船舶操纵模拟器室、“芙蓉号”教学用实船	1.《值班水手业务》 2.《值班水手业务考试指南》

表5-30(续1)

培训内容		培训目标	学时		培训方式	教员安排	场地、设施设备	教材及参考资料
理论知识	实践技能		理论	实践				
1.7.1 国际信号规则 1. 主要的国际信号旗 2. 旗意的解释 3. 代旗的正确使用 4. 当信号不明白时,应采取的行动 5. 如何终止信号的显示 6. 所列的信号名字,说出其明语意思 7. 识别信号的使用 8. 带补充码的单字母信号的用法 9. 信号的组 10. 补充码和补充表的使用 11. 单字母信号的意思 12. 破冰船与被援助船之间的单字母信号 13. 国际信号规则中的遇险信号	在实验室完成以下实训: 1. 根据需要正确使用国际信号规则(1 h) 2. 识别主要的旗语信号(1 h) 3. 信号旗呼叫的演示(1 h) 4. 回答旗的演示及其作用(1 h) 5. 正确拼读国际语音字母和数字表(2 h)	1. 了解旗意的解释;了解所列的信号名字,说出其明语意思;了解带补充码的单字母信号的用法;了解补充码和补充表的使用;掌握主要的国际信号旗;掌握代旗的正确使用;掌握当信号不明白时,应采取的行动;掌握如何终止信号的显示;掌握识别信号的使用;掌握信号的组成;掌握单字母信号的意思;掌握破冰船与被援助船之间的单字母信号;掌握国际信号规则中的遇险信号 2. 能在实验室完成以下实训:能根据需要正确使用国际信号规则;能识别主要的旗语信号信号旗呼叫的演示;回答旗的演示及其作用;能正确拼读国际语音字母和数字表	0	6	水手工艺与值班实操教学利用船舶操纵模拟器实训室、“芙蓉号”教学用实船实训教学	具备值班水手业务的师资,见三副教学人员安排表	船舶操纵模拟器室、“芙蓉号”教学用实船	1.《值班水手业务》 2.《值班水手业务考试指南》

表 5-30(续 2)

培训内容		培训目标	学时		培训方式	教员安排	场地、设施设备	教材及参考资料
理论知识	实践技能		理论	实践				
1.7.2 莫尔斯信号通信 1. 莫尔斯信号中的数字和字母 2. 用闪光灯收发遇险信号 SOS 3. 声响信号中的推荐信号 4. 仅在符合《1972 年国际海上避碰规则公约》的要求中所示的单字母信号	在实验室完成以下实训: 1. 使用并辨识简单的闪光灯信号,尤其是 SOS 信号(0.5 h) 2. 对《1972 年国际海上避碰规则公约》附录 4 规定的信号的辨识(0.5 h)	1. 了解并会区分莫尔斯信号中的数字和字母;掌握用闪光灯收发遇险信号 SOS;掌握声响信号中的推荐信号;掌握仅在符合《1972 年国际海上避碰规则公约》的要求中所示的单字母信号 2. 能在实验室完成以下实训:能使用并辨识简单的闪光灯信号,尤其是 SOS 信号;对《1972 年国际海上避碰规则公约》附录 4 规定的信号的辨识	0	1	水手工艺与值班实操教学利用船舶操纵模拟器室、“芙蓉号”教学用实船实训教学	具备值班水手业务的师资,见三副教学人员安排表	船舶操纵模拟器室、“芙蓉号”教学用实船	1.《值班水手业务》 2.《值班水手业务考试指南》
小计			0	13				

5.5.13 船舶操纵与避碰(操纵)教学大纲

船舶操纵与避碰(操纵)教学大纲信息情况见表5-31。

表5-31 船舶操纵与避碰(操纵)教学大纲信息情况表

<table>
<tr><td>课程名称</td><td colspan="4">船舶操纵与避碰(操纵)</td><td>课程代码</td><td>143069B</td></tr>
<tr><td>学分</td><td>2.5</td><td colspan="5">学时:46 其中含理论学时:44 实践学时:2</td></tr>
<tr><td colspan="7">课程性质:☑必修课 □选修课</td></tr>
<tr><td colspan="7">课程类型:□公共课程(含公共基础平台课程、通识课程、公选课程等)
□(跨)专业群基础平台课程 ☑专业课程
课程特性:□学科性课程 □工作过程系统化课程 □项目化课程 ☑任务导向课程 □其他
教学组织:□以教为主(理论为主) □以做为主(实践为主) ☑理实一体(理论+实践)</td></tr>
<tr><td>编写年月</td><td></td><td>执笔</td><td></td><td>审核</td><td colspan="2"></td></tr>
</table>

1.课程性质与定位

本课程是国家海事主管部门规定的海船操作级驾驶员适任考试的必考课目,是航海技术专业必修的一门专业核心课程。理论学习和实践,可使学生正确理解船舶操纵性能及其受外界影响的规律;掌握各种情况下的操船要领、方法及注意事项;了解海难救助的基本知识。同时,使学生初步具有从船舶实际运动中探求其操纵规律的能力,掌握如何运用理论正确分析和处理有关海事的知识。培养学生分析问题与解决问题的能力,使其养成严谨、求实、认真、仔细的学习和工作态度。使学生达到STCW公约马尼拉修正案附则A-Ⅱ/1表中“航行”职能中适任项“保持安全的航行值班”和适任项“操纵船舶”中规定的适任标准要求。

2.课程教学目标

(1)知识目标

①了解船舶操纵性能、船舶操纵设备及外界因素对船舶操纵性能的影响;

②掌握船舶在大风浪、受限水域、台风、海上救助等困难条件下的操纵要点及冰区航行中的操纵特点;

③具有碰撞、搁浅、火灾、海上救人、搜索等海难救助中操船的基本知识;

④了解船舶动力装置的基本操作原则;

⑤熟悉《1972年国际海上避碰规则公约》的适用范围以及各条款的适用条件、对象、基本精神与意图;

⑥掌握STCW公约马尼拉修正案航行值班原则的内容、应用和意图;

⑦熟悉驾驶台资源管理的基本要素;

⑧掌握用视觉信号发出和接收信息的基本知识。

(2)能力目标

①具备船舶航向稳定性的判别能力,具备螺旋桨、舵、锚、缆、拖船等船舶操纵设备的使用能力;

②具备在港内、靠离泊、特殊水域、大风浪中和各种紧急情况下正确操纵船舶的能力;

③具备大型船舶的操纵能力；

④具备正确操纵船舶进行搜寻和救助行动的能力；

⑤具备正确运用避碰规则内容操纵船舶,避免船舶发生碰撞事故的能力；

⑥具备驾驶台资源管理能力；

⑦具备正确使用视觉信号发出和接收信息的能力；

⑧具备正确履行驾驶台航行值班职能的能力。

(3)素质目标

①方法能力

a. 培养分析问题与解决问题的能力；

b. 培养查阅资料、独立学习、获取新知识的能力；

c. 培养应变决策和船舶操纵应用能力；

d. 养成善于观测、勤于思考的习惯。

②社会能力

a. 养成严谨、求实、认真、仔细的学习和工作态度；

b. 具有安全与环境保护意识；

c. 具备良好的海员职业道德；

d. 具有团队意识,良好的与同事交流、合作的能力。

培训内容、培训目标、学时、培训方式、教员安排、场地、设施设备、培训教材见表5－32。

表 5－32　船舶操纵与避碰(操纵)教学大纲内容安排表

培训内容		培训目标	学时		培训方式	教员安排	场地、设施设备	教材及参考资料
理论知识	实践技能		理论	实践				
教学时间安排:三年制第 2 学期								
1.8 船舶操纵和操作 1. 船舶变速性能、旋回性能、航向稳定性和保向性及其影响因素(6 h) 2. 载重量、吃水、纵倾、航速和龙骨下水深对旋回圈和冲程的影响(2 h) 3. 船舶操纵性试验, IMO 船舶操纵性标准的基本内容(2 h) 4. 风对操船的影响,流对操船的影响(4 h) 5. 救助落水人员的程序和应急操作,掌握初始行动(2 h) 6. 浅水效应及其对操船的影响,富余水深的确定(2 h) 7. 船间效应、岸壁效应及其对操船的影响(2 h) 8. 螺旋桨、舵设备和系泊设备组成、特点及使用方法(8 h)		1. 了解船舶操纵性试验, IMO 船舶操纵性标准的基本内容;了解救助落水人员的程序和应急操作,掌握初始行动;了解锚泊、系泊和系浮筒的准备工作、操作要领和注意事项,操纵用锚适用时机,适用方法和注意事项;了解大风浪中船舶操纵、避离台风操纵;了解特殊水域操纵;了解船舶进出港操纵 2. 掌握船舶变速性能,旋回性能,航向稳定性和保向性及其影响因素;掌握载重量、吃水、纵倾、航速和龙骨下水深对旋回圈和冲程的影响;掌握风对操船的影响,流对操船的影响;掌握浅水效应及其对操船的影响,富余水深的确定;掌握船间效应、岸壁效应及其对操船的影响;掌	42	0	船舶操纵与避碰(操纵)教学利用多媒体和大型船舶操纵模拟器实验室进行教学做一体化教学	具备船舶操纵与避碰(操纵)的师资,见三副教学人员安排表	教学楼相应课室、大型船舶操纵模拟器实验室	1.《船舶操纵与避碰(船舶操纵)》 2.《船舶操纵与避碰(二/三副用)》 3.《船舶操纵与避碰同步辅导(操纵篇)》

表 5 – 32(续)

培训内容		培训目标	学时		培训方式	教员安排	场地、设施设备	教材及参考资料
理论知识	实践技能		理论	实践				
9. 锚泊、系泊和系浮筒的准备工作、操作要领和注意事项,操纵用锚适用时机、适用方法和注意事项(7 h) 10. 引水梯的布置方法和要求(1 h) 11. 大风浪中船舶操纵、避离台风操纵(3 h) 12. 船舶进出港操纵(1 h) 13. 特殊水域操纵(2 h)		握螺旋桨、舵设备和系泊设备组成、特点及使用方法;掌握引水梯的布置方法和要求						
1.5 搜寻与救助 1. 搜救组织(0.25 h) 2. 遇险和应急信号的判明(0.25 h) 3. 搜寻基点和最可能区域的确定方法(0.5 h) 4. 搜寻方式(0.5 h) 5. 救助落水人员的程序和应急操作(0.5 h)	在航海模拟器训练: 1. 立即判明遇险和应急信号(0.5 h) 2. 根据有关信息确定搜寻基点,并按照正确的搜寻方式进行搜寻(0.5 h) 3. 有人落水时立即采取正确的应急初始行动,采用正确合理的方式接近落水人员并进行救助(1 h)	了解搜救组织;掌握遇险和应急信号的判明;掌握搜寻基点和最可能区域的确定方法;掌握搜寻方式;掌握救助落水人员的程序和应急操作	2	2	船舶操纵与避碰(操纵)教学利用多媒体和大型船舶操纵模拟器实验室进行教学做一体化教学	具备船舶操纵与避碰(操纵)的师资,见三副教学人员安排表	教学楼相应课室、大型船舶操纵模拟器实验室	1.《船舶操纵与避碰(船舶操纵)》 2.《船舶操纵与避碰(二/三副用)》 3.《船舶操纵与避碰同步辅导(操纵篇)》
小计			44	2				

5.5.14　船舶操纵、避碰与驾驶台资源管理教学大纲

船舶操纵、避碰与驾驶台资源管理教学大纲信息情况见表5-33。

表5-33　船舶操纵、避碰与驾驶台资源管理教学大纲信息情况表

课程名称	船舶操纵、避碰与驾驶台资源管理		课程代码	144082C
学分	1	学时：__56__ 其中含理论学时：__0__ 实践学时：__56__		
课程性质：☑必修课　□选修课				
课程类型：□公共课程（含公共基础平台课程、通识课程、公选课程等） □（跨）专业群基础平台课程　☑专业课程 课程特性：□学科性课程　□工作过程系统化课程　□项目化课程　☑任务导向课程　□其他 教学组织：□以教为主（理论为主）　☑以做为主（实践为主）　□理实一体（理论+实践）				

编写年月		执笔		审核	

1. 课程性质与定位

船舶操纵、避碰与驾驶台资源管理属于管理科学的范畴，是管理科学的一个具体分支和应用。驾驶台资源管理是指运用和协调全部船舶驾驶台团队人员所能应用的技能、经验与其他各种资源以保证船舶的安全营运。其目的是充分利用船舶驾驶台人力与物力资源，使船舶驾驶人员明确各自在驾驶台团队日常工作中的义务与责任，正确使用并维护驾驶台的各种设备，保持船舶的正常安全航行，减少和杜绝潜在的人为失误，并全面做好各种应急工作以在突发的紧急情况下能积极、有序地采取有效的应急措施，以防止事故的发生。

船舶操纵、避碰与驾驶台资源管理的具体内容包括：

①全面掌握避碰规则应用和意图；

②驾驶台团队成员对预计航线达成共识和取得一致的操作程序，以及成功地制定一个考虑到工作压力要求与风险的航行计划；

③确定基于工作压力要求与风险的配员标准和应急策略；

④明确驾驶台团队成员的作用和职责；

⑤驾驶台团队成员全员参与问题的解决；

⑥确保早期获得信息并分析危险状况；

⑦团队成员十分清楚决策的制定、反应和实施的控制过程。

2. 课程教学目标

（1）知识目标

①熟悉驾驶台各种资源要素；

②了解STCW公约马尼拉修正案及海事局驾驶专业评估规范关于海船3 000总吨及以上二/三副船舶操纵、避碰和驾驶台资源管理的相关规定及目的；

③全面掌握避碰规则应用和意图的相关知识；

④掌握制定通过指定水域计划、通过指定水域实际操作的相关知识；

⑤掌握船舶通信和有效沟通的基本知识；

⑥熟悉船舶在各种应急情况下的应急行动要领。

(2)能力目标

①具有根据船舶性能选择和查阅相关航海图书资料的能力;

②具备制定开阔水域、狭窄水域和港口水域航次计划的能力,知道如何获取所需信息并排序,对可利用的资源能进行合理安排,能进行有效的团队协作与沟通;

③具备互见中、能见度不良时以及特殊水域的避碰应用能力;

④具有“偶发事件”的预测和应急处理能力;

⑤具有在不同水域选择适当的方法组织搜寻救助的能力;

⑥具有在紧迫局面、特殊情况下组织紧急避碰操纵的行动能力。

(3)素质目标

①培养分析问题与解决问题的能力;

②培养查阅资料、独立学习、获取新知识的能力;

③培养应变决策和外语应用能力;

④养成善于观测、勤于思考的习惯;

⑤养成严谨、求实、认真、仔细的学习和工作态度;

⑥具有安全与环境保护意识;

⑦具备良好的海员职业道德;

⑧具有团队意识,良好的与同事交流、合作的能力。

培训内容、培训目标、学时、培训方式、教员安排、场地、设施设备、培训教材见表5-34。

表 5－34　船舶操纵、避碰与驾驶台资源管理教学大纲内容安排表

培训内容		培训目标	学时		培训方式	教员安排	场地、设施设备	教材及参考资料
理论知识	实践技能		理论	实践				
教学时间安排:三年制第 5 学期								
1.2.1 避碰规则 1. 适用范围 2. 责任:适用对象,疏忽种类,背离规则的条件、目的和注意事项 3. 一般定义:船舶、机动船、帆船、从事捕鱼船、限于吃水船、失去控制的船舶、操纵能力受到限制的船舶、在航、长度和宽度、水上飞机、互见、能见度不良和地效船等 13 个名词的定义 4. 号灯与号型:基础知识、各类船舶号灯与号型的显示与识别 5. 声响与灯光信号:基础知识、信号种类、适用、使用方法和注意事项 6. 瞭望:适用范围与目的、瞭望人员与手段 7. 安全航速:含义与要求、决定因素	实验室和操纵模拟器训练: 1. 号灯、号型识别及运用(2 h) 2. 灯光声响信号识别及运用(2 h) 3. 瞭望的基本手段和方法(2 h) 4. 判断船舶的会遇态势和局面(3 h) 5. “早、大、宽、清”的含义,并根据该原则采取适当的避碰行动(3 h) 6. 狭水道、分道通航制水域的航行和避让原则(2 h) 7. 能见度不良时的行动原则(2 h)	1. 遵守公认的原则和程序,随时保持正规瞭望 2. 号灯、号型和声号符合经修订的《1972 年国际海上避碰规则公约》中载明的要求并能正确辨认;根据经修订的《1972 年国际海上避碰规则公约》的要求,保持应有的航行戒备 3. 能够正确判断碰撞危险,并采取符合规则要求的避让行动 4. 值班、接班和交班符合公认的原则和程序 5. 对有关船舶航行的运动和活动保持正规记录 6. 始终明确安全航行的责任,包括船长在驾驶台和船舶正在被引航期间应能运用相关知识,合理设计航线	0	22	船舶操纵、避碰与驾驶台资源管理实操教学利用大型船舶操纵模拟器进行模拟演练	具备船舶操纵、避碰与驾驶台资源管理实操的师资,见三副教学人员安排表	航海大型船舶操纵模拟器室	1.《船舶避碰与值班》 2.《船舶操纵与避碰(二/三副用)》

表5-34(续1)

培训内容		培训目标	学时		培训方式	教员安排	场地、设施设备	教材及参考资料
理论知识	实践技能		理论	实践				
8. 碰撞危险：判断原则、手段与方法，雷达的正确使用，雷达标绘及其相当的系统观察方法，罗经方位法使用注意事项 9. 避免碰撞的行动：时机、幅度和效果，避让有效性查核要求，减速或把船停住的时机与要求，本船转向与变速避让效果及DCPA[①]和TCPA[②]的变化规律，不应妨碍的责任与行动要求，不应妨碍的船舶与不应被妨碍的船舶之间的责任关系 10. 狭水道：狭水道与航道的定义，适用范围，航行原则，不应妨碍的义务，狭水道航行注意事项 11. 分道通航制：分道通航制和沿岸通航带定义及组成，适用范围，与规则其他条款的关系，使用分道通航制和沿岸通航带的	8. 防碰撞、防海损时的技巧：慢、准、稳，适时使用舵、车、声号等手段(3 h) 9. 从各导航设备中获取有用的信息，做出正确的判断，采取有效的行动(防止出现信息过载及获取不足、判断不准、行动不力的问题)(3 h)							

表5－34(续2)

培训内容		培训目标	学时		培训方式	教员安排	场地、设施设备	教材及参考资料
理论知识	实践技能		理论	实践				
原则，穿越分道通航制的航法，进入分隔带或分隔线的规定，应特别谨慎航行的区域，避免锚泊，不应妨碍的规定，免受约束的船舶 12. 帆船条款：适用范围、避让责任和行动 13. 追越局面：适用范围，构成要件，局面特点，避让责任与行动，与其他条款的关系 14. 对遇局面：适用范围，构成要件，局面特点，避让责任与行动，危险对遇的理解及避让特点 15. 交叉相遇局面：适用范围，构成要件，局面特点，避让责任与行动 16. 让路船的行动：让路责任的确定，避让原则 17. 直航船的行动：直航船定义，保向保速的含义及适用时机，可独自采取								

表5-34(续3)

培训内容		培训目标	学时		培训方式	教员安排	场地、设施设备	教材及参考资料
理论知识	实践技能		理论	实践				
行动的时机及注意事项,采取最有助于避碰行动的时机及注意事项,让路船的责任 18.船舶之间的责任:确定船舶之间责任的原则,与其他条款之间的关系以及互见中让路责任的确定,机动船、帆船以及从事捕鱼船与其他船之间的责任,限于吃水的船舶与其他船之间的责任,水上飞机与其他船之间的责任,地效船与其他船之间的责任 19.能见度不良时的行动规则:一般规定,避让行动规定								
1.2.2 航行值班中应遵守的原则 1.航行值班中基本原则的内容、应用和意图	在船舶操纵模拟器上训练: 1.在执行航行计划过程中,对互见中、	1.依据《1972年国际海上避碰规则公约》采取决策行动,以避免和他船在很近距离上会遇或碰撞	0	6	船舶操纵、避碰与驾驶台资源管理实操教学利用大型船舶	具备船舶操纵、避碰与驾驶台资源管理实操的师资,见三副	航海大型船舶操纵模拟器室	1.《船舶避碰与值班》 2.《船舶操纵与避碰(二/三副用)》

表 5－34(续 4)

培训内容		培训目标	学时		培训方式	教员安排	场地、设施设备	教材及参考资料
理论知识	实践技能		理论	实践				
2. 驾驶台值班驾驶员承担的责任及要求 3. 驾驶台瞭望的要求 4. 驾驶台交接班的有关要求 5. 船舶航行、操纵和避让行动的有关要求 6. 船舶在锚泊时驾驶台人员的职责 7. 船舶港内以及装卸危险品时驾驶员的职责	能见度不良时，以及特殊水域的船舶操纵和避碰(2 h) 2. 训练正规瞭望和值班能力(1 h) 3. 培养和保持情境意识(0.5 h) 4. 培养学员的对外沟通能力(0.5 h) 5. 培养学员利用航海仪器、车、舵、锚等一切手段避免碰撞的操纵能力(2 h)	2. 做出调整航向和/或航速的决定均是及时的，并遵照公认的航海程序 3. 调整航向和航速保持航行安全 4. 在任何时候都以海员的方式清楚、简要地交流并确认 5. 在适当的时刻发出操纵信号，并符合《1972 年国际海上避碰规则公约》			操纵模拟器进行模拟演练	教学人员安排表		
1.2.5 船舶报告制 1. 船舶报告系统的目的，船舶报告的种类、程序、主要内容及格式 2. 船舶交通管理系统概况、功能、作用及服务，VTS 区域报告规定的查阅等	在船舶操纵模拟器上训练： 1. 进行规定的船舶报告(2 h) 2. 按定线制规定安全航行(2 h)	1. 熟悉船舶报告的种类和程序 2. 能熟练按流程模拟演练各类型的船舶报告内容 3. 熟悉交通管理系统的服务功能 4. 能在 VTS 报告区域进行相关规定查阅和演练	0	4	船舶操纵、避碰与驾驶台资源管理实操教学利用大型船舶操纵模拟器进行模拟演练	具备船舶操纵、避碰与驾驶台资源管理实操的师资，见三副教学人员安排表	航海大型船舶操纵模拟器室	1.《船舶管理》 2.《船舶驾驶台资源管理实用教程》

表 5－34(续5)

培训内容		培训目标	学时		培训方式	教员安排	场地、设施设备	教材及参考资料
理论知识	实践技能		理论	实践				
1.2.6 驾驶台资源管理 1. 驾驶台资源管理概念、作用与目的 2. 驾驶台资源的组成、分配与排序 3. 驾驶台组织结构及职责 4. 通信与沟通的定义、方式及特点，有效沟通的原则，与引航员沟通要点，通信与沟通障碍及改进方法 5. 决策的概念、特点、主要类型，决策的过程与要点 6. 领导力的含义与作用，领导的类型与风格，船舶领导力 7. 情境意识含义、组成，情境意识丧失的征兆，提高情境意识水平的途径，保持良好的情境意识	在船舶操纵模拟器上训练： 1. 各种特殊条件下的操船训练（各种紧急情况、限制水域、恶劣天气海况等）(16 h) 2. 各种局面和环境条件下的船舶避让训练(6 h) 3. 船舶内外各种资源的综合运用训练(2 h)	1. 根据需要，按正确的优先顺序分配和分派资源，以执行必要任务 2. 交流清楚、无歧义 3. 有疑问的决定和/或行动受到适当质疑时的反应 4. 认同有效的领导行为 5. 团队成员对当前和预测的船舶状态、航路和外部环境有着共同的准确理解	0	24	船舶操纵、避碰与驾驶台资源管理实操教学利用大型船舶操纵模拟器进行模拟演练	具备船舶操纵、避碰与驾驶台资源管理实操的师资，见三副教学人员安排表	航海大型船舶操纵模拟器室	1.《船舶驾驶台资源管理实用教程》 2. 校内实训指导书《船舶操纵、避碰与驾驶台资源管理》
小计			0	56				

注：①DCPA 为两船会遇时的最近会遇距离；②TCPA 为两船会遇时的最小会遇时间。

5.5.15　船舶结构与货运教学大纲

船舶结构与货运教学大纲信息情况见表 5 – 35。

表 5 – 35　船舶结构与货运教学大纲信息情况表

课程名称	船舶结构与货运		课程代码	143071B、143072B
学分	5	学时：90　其中含理论学时：89　实践学时：1		
课程性质：☑必修课　□选修课				
课程类型：□公共课程（含公共基础平台课程、通识课程、公选课程等） □（跨）专业群基础平台课程　☑专业课程 课程特性：□学科性课程　□ 工作过程系统化课程　☑项目化课程　□任务导向课程　□其他 教学组织：□以教为主（理论为主）　□ 以做为主（实践为主）　☑理实一体（理论 + 实践）				

编写年月		执笔		审核	

1. 课程性质与定位

船舶结构与货运是航海技术专业的主要专业课程之一，也是主干课程。船舶结构部分要求学员掌握船舶结构、甲板设备和防污染设备等内容，并熟练掌握如何使用船舶设备和运用良好船艺，确保船舶航行、靠离码头及锚泊作业和货物装卸安全。货运部分讲解船舶货运和水路运输货物的相关知识，进行船舶货运操作、控制和管理技能方面的训练，使学员具备必要的船舶适航性控制和货物识别与系固等操作、管理能力，以达到 STCW 公约马尼拉修正案第 A – Ⅱ/1 节规定的操作级驾驶员"货物装卸与积载"职能和"船舶作业与人员管理"职能中适任项"保持船舶的适航性"的适任标准要求，以确保和控制船舶营运安全，提高船舶的运营效益。培养学员分析问题与解决问题的能力，使其养成严谨、求实、认真、仔细的学习和工作态度；培养符合现代航运企业需求，满足 STCW 公约马尼拉修正案和国家海事局对船员培训、考试和发证法规的要求，能胜任现代化船舶驾驶与管理的、具有可持续发展能力的高素质技能型无限航区高级船员。

2. 课程教学目标

（1）知识目标

①具有船舶的基本组成、标识、船舶尺度与吨位等相关基本知识；

②具有船舶结构的相关基本知识；

③掌握船舶管系的种类、结构、用途及检查保养知识；

④掌握甲板设备（起重设备、舱盖等）的组成、作用、种类、结构及检查保养知识；

⑤掌握船体形状及其参数、船舶浮性、吃水、容重性能等相关知识；

⑥熟悉船舶静水力资料及其应用，掌握船舶干舷与载重线标志的相关知识；

⑦掌握船舶载货能力的定义及内容，以及各类船舶载货能力核算知识；

⑧理解吃水差的基本概念及其计算原理，掌握船舶装卸重物的吃水差计算方法；

⑨掌握稳性的基本概念、相关国际和国内法规的强制性要求和稳性校核方法；

⑩熟悉强度的基本概念、要求、校核方法，掌握船舶破损进水的类型及应对方式；

⑪掌握货物配舱的原则，货物在舱内的堆码、衬垫和隔票知识；

⑫熟悉常见货物的特性与运输要求,具有与船舶货运有关的货物管理和处理知识;

⑬掌握危险货物的分类、一般特性和船舶装运条件;

⑭熟悉危险品运输规则的使用,掌握危险货物的承运、选舱和配积载等知识;

⑮掌握散装谷物的特性,了解 SOLAS1974 对装载散装谷物船舶的完整稳性要求;

⑯掌握石油的理化特性,了解运输煤炭和矿石等大宗货物的一般知识;

⑰了解集装箱、冷藏货、重大件货、液化气及散装化学品等的装运特点和装运要求。

(2)能力目标

①能够识别船舶种类,说出它们的特点;

②能够识别船舶的主要标志;

③能够识别船舶骨架;

④能够规范地进行船舶甲板相关设备的认知、操作与维护保养;

⑤具有根据船舶和货物的特点,考虑日期及航线情况,确定航次货运量的能力;

⑥具有根据货物积载因素、货运量、稳性、强度和吃水及吃水差等综合情况进行合理配积载,并编制货物配载计划,正确应用或辨识货物配载图的能力;

⑦具有船舶载重线标志和水尺标志的识别、识读及应用能力;

⑧具备根据配载图和船舶资料核算或调整船舶载货、容量和吃水差的能力;

⑨牢固掌握船舶在各种装载情况下的稳性、吃水差、强度的计算与调整方法;

⑩能根据配载图和船舶资料核算船舶的稳性和各种强度,具备合理采取安全系固或衬垫措施的能力;

⑪能根据配载图和船舶资料核算集装箱船稳性及局部强度,并按需进行调整,具有配积载、监控货运操作及保管货物的能力;

⑫会使用危险品运输规则,可查阅《国际海运危险货物规则》及我国的《危险货物运输规则》;

⑬具有油量计算和油船安全与防污染的知识与能力;

⑭具有散粮船的稳性计算和散装谷物积载及监督管理的能力;

⑮具有集装箱船的稳性计算及集装箱船的配载能力;

⑯具有重大件货物的安全装运和绑扎能力;

⑰具有安全装运液化石油气与液化天然气的能力;

⑱具有散杂货船舶货物配积载和货运监督管理能力,并能够进行水尺计量;

⑲具有冷藏货、重大件货、液化气及散装化学品等特殊货物的监控和管理能力。

(3)素质目标

①培养分析问题与解决问题的能力;

②培养查阅资料、自主学习、独立获取新知识的能力;

③培养立体、程序和逻辑的思维习惯,提高学习和工作效率,增强应变决策能力;

④养成善于观测、勤于思考的习惯;

⑤养成严谨、求实、认真、仔细的学习和工作态度;

⑥培养注重安全与保护环境的意识;

⑦具备良好的海员职业道德;

⑧培养团队意识,提高协调交流、合作的能力。

培训内容、培训目标、学时、培训方式、教员安排、场地、设施设备、培训教材见表5-36。

表 5－36　船舶结构与货运教学大纲内容安排表

培训内容		培训目标	学时		培训方式	教员安排	场地、设施设备	教材及参考资料
理论知识	实践技能		理论	实践				
教学时间安排:三年制第 1、第 3 学期								
2.1 货物装卸、积载和系固 1. 船舶货物基础知识(4 h) 2. 船舶吃水的相关概念,船舶吃水识读和等容吃水计算的方法(1 h) 3. 船舶吃水差的概念、计算及要求(2 h) 4. 船舶稳性的基本概念、初稳性和大倾角静稳性知识,船舶动稳性和对稳性的要求,与稳性相关的计算方法(12 h) 5. 船舶强度的概念以及纵向强度和局部强度的知识(4 h) 6. 危险货物的分类及特性、标志及包装,危险货物的积载和隔离(4 h) 7. 货物单元积载与系固(4 h) 8. 杂货运输(包括重大件、甲板木材、钢材、冷藏和滚装货物)的安全装卸和积载(4 h)		2.1 货物装卸、积载和系固 1. 了解船舶货物基础知识 2. 了解船舶吃水的相关概念,掌握船舶吃水识读和等容吃水的计算方法 3. 了解船舶吃水差的概念、计算及要求 4. 掌握船舶稳性的基本概念、初稳性和大倾角静稳性知识,了解船舶动稳性和对稳性的要求,掌握与稳性相关的计算方法 5. 掌握船舶强度的概念以及纵向强度和局部强度的知识 6. 掌握危险货物的分类及特性、标志及包装,了解危险货物的积载和隔离 7. 了解货物单元积载与系固 8. 了解杂货运输(包括重大件、甲板木材、钢材、冷藏和滚装货物)的安全装卸和积载	67	0	船舶结构与货运理论教学利用多媒体和“芙蓉号”教学用实船教学做一体化教学	具备船舶结构与设备的师资,见三副教学人员安排表	教学楼相应课室、“芙蓉号”教学用实船、实验室	1.《船舶结构与货运》 2.《船舶结构与货运》 3.《船舶结构与货运同步辅导》

表5－36(续1)

培训内容		培训目标	学时		培训方式	教员安排	场地、设施设备	教材及参考资料
理论知识	实践技能		理论	实践				
9. 船舶起重设备(3 h) 10. 杂货船配载图编制，识读配积载图(12 h) 11. 集装箱及集装箱船知识，集装箱船配积载与装运要求，集装箱积载图知识(4 h) 12. 固体散货装运特点，散装货物的水尺计量(4 h) 13. 船运散粮运输特点，散装谷物船舶稳性核算及改善散装谷物船稳性的方法、措施(4 h) 14. 石油类货物的种类和特点、油船的结构特点、积载方法和安全操作以及防污染措施，油量计量，散装液体货物运输和液化气体运输一般知识(6 h) 15. 船舶管系(2 h) 16. 与码头工人进行有效交流的原则和方法(1 h)		9. 了解船舶起重设备 10. 掌握杂货船配载图编制并正确识读配积载图 11. 了解集装箱及集装箱船知识，了解集装箱船配积载与装运要求，掌握集装箱积载图知识 12. 掌握固体散货装运特点，了解散装货物的水尺计量 13. 掌握船运散粮运输特点，了解散装谷物船舶稳性核算及改善散装谷物船稳性的方法、措施 14. 掌握石油类货物的种类和特点、油船的结构特点、积载方法和安全操作以及防污染措施，了解油量计量，掌握散装液体货物运输和液化气体运输一般知识 15. 了解船舶管系 16. 掌握与码头工人进行有效交流的原则和方法						

表5-36(续2)

培训内容		培训目标	学时		培训方式	教员安排	场地、设施设备	教材及参考资料
理论知识	实践技能		理论	实践				
2.2 检查和报告货舱、舱盖及压载舱的缺陷和损坏 1.货舱、舱盖和压载舱检查及报告(2 h) 2.货舱、舱盖、压载舱缺陷和损坏的评估及采取的措施(2 h)		1.了解货舱、舱盖和压载舱检查及报告 2.了解货舱、舱盖、压载舱缺陷和损坏的评估及采取的措施	4	0	船舶结构与货运理论教学利用多媒体和“芙蓉号”教学用实船教学做一体化教学	具备船舶结构与设备的师资，见三副教学人员安排表	教学楼相应课室、“芙蓉号”教学用实船、实验室	1.《船舶结构与货运》 2.《船舶结构与货运》
3.2.1 船舶稳性 1.船舶与货物基础知识(2 h) 2.船舶稳性检验与调整(1 h) 3.船舶吃水差比尺及其应用(2 h) 4.船舶吃水差调整(1 h) 5.船舶破损进水的概念及破损进水类型(1 h) 6.破损控制图和破损控制手册的内容及其应用(1 h)		1.掌握船舶稳性、吃水差、强度图表和强度计算仪器的实际知识及应用 2.了解一旦丧失部分完整浮力时应采取的基本行动 3.了解水密完整性的基本知识	8	0	船舶结构与货运理论教学利用多媒体和“芙蓉号”教学用实船教学做一体化教学	具备船舶结构与设备的师资，见三副教学人员安排表	教学楼相应课室、“芙蓉号”教学用实船、实验室	1.《船舶结构与货运》 2.《船舶结构与货运》 3.《船舶结构与货运同步辅导》

表5－36(续3)

培训内容		培训目标	学时		培训方式	教员安排	场地、设施设备	教材及参考资料
理论知识	实践技能		理论	实践				
3.2.2 船舶构造 1.船体结构的基本组成形式(1 h) 2.船底结构(2 h) 3.舷侧结构(1 h) 4.甲板结构(1 h) 5.舱壁结构(1 h) 6.艏艉结构(1 h) 7.水密和抗沉性结构(1 h) 8.不同种类船舶的构造特点(2 h)	在实验室开展以下各项实践： 1.船体结构的三种主要组成形式(0.25 h) 2.组成船体结构的主要构件与次要构件(0.25 h) 3.承担主船体横向强度的板材与构件名称(0.25 h) 4.承担主船体纵向强度的板材与构建的名称(0.25 h)	1.了解船舶构造 2.掌握船舶主要构件的一般知识和各种部件的正确名称 3.按照公认的做法采取保证和维持船体结构强度及水密完整性的行动	10	1	船舶结构与货运理论教学利用多媒体和“芙蓉号”教学用实船教学做一体化教学	具备船舶结构与设备的师资，见三副教学人员安排表	教学楼相应课室、“芙蓉号”教学用实船、实验室	1.《船舶结构与货运》 2.《船舶结构与货运同步辅导》
小计			89	1				

5.5.16 货物积载与系固教学大纲

货物积载与系固教学大纲信息情况见表 5 – 37。

表 5 – 37 货物积载与系固教学大纲信息情况表

<table>
<tr><td>课程名称</td><td colspan="3">货物积载与系固</td><td>课程代码</td><td>144091C</td></tr>
<tr><td>学分</td><td>1</td><td colspan="4">学时：40 其中含理论学时：4 实践学时：36</td></tr>
<tr><td colspan="6">课程性质：☑必修课 □选修课</td></tr>
<tr><td colspan="6">课程类型：□公共课程（含公共基础平台课程、通识课程、公选课程等）
□（跨）专业群基础平台课程 ☑专业课程
课程特性：□学科性课程 □工作过程系统化课程 ☑项目化课程 □任务导向课程 □其他
教学组织：□以教为主（理论为主） ☑以做为主（实践为主） □理实一体（理论 + 实践）</td></tr>
<tr><td>编写年月</td><td></td><td>执笔</td><td></td><td>审核</td><td></td></tr>
</table>

1. 课程性质与定位

货物积载与系固课程是通过安排驾驶人员参加船舶主要标志辨识及应用、货物包装和标志辨识及应用、货物积载与系固方法辨识、货物配载图辨识及应用、船舶相关性能核算等项目的评估实操训练，使其熟悉船舶各主要标志和各类货物积载图的内容及含义，加强其对货物积载与系固方法的认识，使其掌握利用货物积载图对船舶相关性能进行核算的方法，以便满足 STCW 公约马尼拉修正案和中华人民共和国海事局船员适任考试评估有关“货物监控值班职责能力”的相关要求，培养学员具有分析问题与解决问题的能力，严谨、求实、认真、仔细的学习和工作态度，以满足现代航运企业需求，使学员成为能胜任现代化船舶驾驶与管理的无限航区高级船员，为其将来从事货物运输工作打下良好的基础。

2. 课程教学目标

（1）知识目标

①掌握船舶主要标志的识读和有关水尺、强度的核算知识；

②掌握货物包装类型和标志的辨识、强度和标准校核等知识；

③掌握货物积载、隔离与系固的辨识和核算知识；

④掌握货物配载图的辨识、判定和调整知识；

⑤掌握船舶的积载与系固相关性能和参数的校核知识。

（2）能力目标

①具备船舶水尺和强度的识读、核算、判定、调整能力；

②具备货物包装和标志的辨识、强度校核能力；

③具备货物积载、隔离与系固的辨识、校核能力；

④具备船舶货物积载与系固的辨识、计算和校核能力；

⑤具备船舶积载与系固相关性能的合理应用、计算和校核能力。

(3)素质目标

①培养善于观测与比较、勤于思考的习惯;

②培养分析问题、总结问题与解决问题的思维方式;

③培养查阅资料、独立学习与思考、有效获取新知识的能力;

④养成严谨、求实、认真、仔细的学习和工作态度;

⑤具备求真务实、精益求精的海员职业道德;

⑥培养计划、核算实施和校核的决策及实施能力;

⑦培养安全第一,用科学和技能确保安全、保护环境的意识;

⑧培养良好的团队意识和沟通协作能力。

培训内容、培训目标、学时、培训方式、教员安排、场地、设施设备、培训教材见表5-38。

表 5－38　货物积载与系固教学大纲内容安排表

培训内容		培训目标	学时		培训方式	教员安排	场地、设施设备	教材及参考资料
理论知识	实践技能		理论	实践				
教学时间安排：三年制第 5 学期								
2.1 货物装卸、积载和系固 1. 船舶货物基础知识 2. 船舶吃水的相关概念，掌握船舶吃水识读和等容吃水计算的方法（1 h） 3. 船舶吃水差的概念、计算及要求 4. 船舶稳性的基本概念、初稳性和大倾角静稳性知识，船舶动稳性和对稳性的要求，与稳性相关计算的方法（1 h） 5. 船舶强度的概念以及纵向强度和局部强度的知识 6. 危险货物的分类及特性、标志及包装；了解危险货物的积载和隔离 7. 货物单元积载与系固（1 h） 8. 杂货运输（包括重大件、甲板木材、钢材、冷藏和滚装货物）的安全装卸和积载	1. 辨识和应用船舶主要标志（2 h） 2. 辨识和应用货物包装及标志（2 h） 3. 包装危险货物积载与隔离的要求（2 h） 4. 进行普通集装箱积载与系固、辨识集装箱积载图（4 h） 5. 非标准货物单元积载与系固要求（2 h） 6. 杂货船配载图的编制（24 h）	1. 按照配载图或其他文件、安全规则、设备操作规程和船舶积载限制，进行货物操作 2. 遵照国际规则和公认的安全操作标准及规则装卸危险、有害货物 3. 交流清楚、易懂且持续有效	4	36	货物积载与系固理论教学利用多媒体教室进行教学，实训利用船舶配载实验室模拟软件以及“芙蓉号”教学实船实训教学	具备船舶结构与货运的教学师资，见三副教学人员安排表	教学楼相应多媒体课室、船舶货物配载实验室、配载模拟软件、“芙蓉号”教学用实船等	1.《船舶结构与货运》 2.《船舶结构与货运（二/三副用）》 3.《货物积载和系固辅导》

表5－38(续)

培训内容		培训目标	学时		培训方式	教员安排	场地、设施设备	教材及参考资料
理论知识	实践技能		理论	实践				
9. 船舶起重设备 10. 杂货船配载图编制，识读配积载图(1 h) 11. 集装箱及集装箱船知识，集装箱船配积载与装运要求，集装箱积载图知识 12. 固体散货装运特点，散装货物的水尺计量 13. 船运散粮运输特点，散装谷物船舶稳性核算及改善散装谷物船稳性的方法、措施 14. 石油类货物的种类和特点、油船的结构特点、积载方法和安全操作以及防污染措施，油量计量，散装液体货物运输和液化气体运输一般知识 15. 船舶管系 16. 与码头工人进行有效交流的原则和方法								
小计			4	36				

5.5.17　船舶管理教学大纲

船舶管理教学大纲信息情况见表 5 –39。

表 5 –39　船舶管理教学大纲信息情况表

<table>
<tr><td>课程名称</td><td colspan="3">船舶管理</td><td>课程代码</td><td>143004B</td></tr>
<tr><td>学分</td><td>2.5</td><td colspan="4">学时：50 其中含理论学时：42 实践学时：8</td></tr>
<tr><td colspan="6">课程性质：☑必修课　□选修课</td></tr>
<tr><td colspan="6">课程类型：□公共课程（含公共基础平台课程、通识课程、公选课程等）
□（跨）专业群基础平台课程　☑专业课程
课程特性：□学科性课程　□ 工作过程系统化课程　☑项目化课程　□任务导向课程　□其他
教学组织：□以教为主（理论为主）　□以做为主（实践为主）　☑理实一体（理论 + 实践）</td></tr>
<tr><td>编写年月</td><td></td><td>执笔</td><td></td><td>审核</td><td></td></tr>
</table>

1. 课程性质与定位

本课程是航海技术专业必修的一门专业核心课程，是“无限航区 3 000 总吨及以上船舶三副”职业岗位适任证书考试科目之一。通过本课程的学习，学生对现行船舶的船员配备、岗位责任、职务规则、规章制度及海运法规等将会有较为系统的了解，并初步熟悉其主要内容，为其今后正确地管理船舶，科学地组织生产，安全、优质、高产、低耗地完成海上运输任务，及时处理所遇到的各类问题打好基础。本课程可培养学生分析问题与解决问题的能力，使其养成严谨、求实、认真、仔细的学习和工作态度。本课程立足于船上安全与管理领域，符合国家对高等教育的要求，符合现代航运企业的需求，满足 STCW 公约马尼拉修正案和国家海事局对船员培训、考试及发证法规的要求，可培养能胜任现代化船舶驾驶与管理的、具有可持续发展能力的高素质技能型无限航区高级船员。

1. 课程教学目标

（1）知识目标

①熟悉海船二/三副岗位的基本职责和具体职能；

②理解船舶安全生产规章制度的主要内容；

③熟悉《国际海上人命安全公约》（SOLAS 公约）的基本内容；

④掌握国际载重线公约、STCW 公约、港口国监督程序、国际安全管理规则、国际劳工组织公约等相关国际公约的基本内容；

⑤熟悉海上交通安全法、海船船员值班规则、船舶最低安全配员规则、船舶签证规则、船舶升挂国旗管理办法、船舶交通管理系统安全监督管理规定、船舶安全检查规则、危险货物安全监督管理规则、海上海事行政处罚规定、船员管理条例等国内海事行政法规的相关知识；

⑥了解船舶检验的种类、目的、作用、主要内容等相关知识；

⑦掌握防止船舶污染海洋的国际国内公约、法规及防污设备的配置要求和操作要求；

⑧掌握船舶在各种应急情况下的应急行动要领及应急演习的基本知识。

(2)能力目标

①具备按相关船舶安全生产制度进行生产操作的能力；

②具备确保船舶适航所需的操作能力与日常运行管理能力；

③具有应对行政主管机关监督检查的能力；

④具有依法保障自身权益的基本能力；

⑤具备按防污染程序正确排放船舶污染物的能力；

⑥具备船舶污染事故的应急处置能力；

⑦具备保持船员和旅客的安全、保安及救生、消防和其他安全系统的工作状态的能力；

⑧具备制定应急和损害控制计划并进行应急处置的能力。

(3)素质目标

①养成严谨、求实、认真、仔细的学习和工作态度；

②具有安全与环境保护意识；

③具备良好的海员职业道德；

④具有团队意识及良好的与同事交流、合作的能力。

培训内容、培训目标、时间、培训方式、教员安排、场地、设施设备、培训教材见表5-40。

表5-40　船舶管理教学大纲内容安排表

培训内容		培训目标	时间/h		培训方式	教员安排	场地、设施设备	教材及参考资料
理论知识	实践技能		理论	实践				
教学时间安排:三年制第4学期								
1.4.2 船舶碰撞或搁浅初步应急措施 1.抢滩程序、操作和注意事项(0.5 h) 2.搁浅前应采取的应急操船措施,危害、损害的评估和控制,搁浅后应采取的措施和脱浅方法及脱浅拉力的估算(1.5 h) 3.碰撞前、后应采取的应急操船措施,碰撞后损害的评估和应变部署,碰撞后续航、抢滩或弃船时的注意事项(2 h) 1.4.3 救助落水人员、协助遇险船舶、港内应急反应应遵循的程序 1.救助遇险或遇难船上人员,包括救助时机、救助设备准备、救助艇或机动艇运用、救助方法、撒油镇浪等注意事项(0.5 h)	1. 抛绳器操作(1 h) 2.编制应变部署表和应变卡,在航海模拟器上训练(1 h) 3.各种应急情况的应变训练(2 h)	1.4.2 船舶碰撞或搁浅初步应急措施,了解抢滩程序、操作和注意事项,掌握搁浅前应采取的应急操船措施、危害及损害的评估和控制,了解搁浅后应采取的措施和脱浅方法及脱浅拉力的估算,掌握碰撞前、后应采取的应急操船措施,碰撞后损害的评估和应变部署,碰撞后续航、抢滩或弃船时的注意事项	6	4	利用多媒体课室、船舶操纵模拟器、船艺室和"芙蓉号"教学用实船组织理论和实操教学	具备船舶管理的师资,见三副教学人员安排表	教学楼相应课室、船舶操纵模拟器、船艺室和"芙蓉号"教学用实船	1.《船舶管理(第二版)》 2.《船舶管理》 3.《船舶管理(二/三副)》

表 5－40(续 1)

培训内容		培训目标	时间/h		培训方式	教员安排	场地、设施设备	教材及参考资料
理论知识	实践技能		理论	实践				
2. 协助遇险船舶措施,包括应急通信的建立、应急拖带前的准备工作、拖缆要求及布置、拖带过程中的船舶操纵及拖缆检查、解缆程序及注意事项(1 h) 3. 港内应急反应,包括港内应急救援力量,防火控制图的配置要求、保存地点及更新,临近其他船舶发生火灾的应急措施,驶离码头的时机等,临近其他锚泊船走锚的应急措施(0.5 h)		1.4.3 掌握救助落水人员、协助遇险船舶、港内应急反应应遵循的程序,包括救助时机、救助设备准备、救助艇或机动艇运用、救助方法、撒油镇浪等注意事项,了解协助遇险船舶措施,包括应急通信的建立、应急拖带前的准备工作、拖缆要求及布置、拖带过程中船舶操纵及拖缆检查、解缆程序及注意事项,掌握港内应急反应,包括港内应急救援力量,防火控制图的配置要求、保存地点及更新,临近其他船舶发生火灾的应急措施、驶离码头的时机等,临近其他锚泊船走锚的应急措施						

表 5-40(续 2)

培训内容		培训目标	时间/h		培训方式	教员安排	场地、设施设备	教材及参考资料
理论知识	实践技能		理论	实践				
3.1 防止海洋环境污染和防污染程序 1. 船舶污染海洋的途径(1 h) 2. 船舶污染对海洋环境的损害(1 h) 3. 防止船舶污染海洋环境的措施(1 h) 4. 船舶防污染技术与设备(5 h)	1. 熟练操作相关防污染设备(2 h) 2. 正确记录垃圾记录簿(2 h)	1. 掌握的内容:防止船舶污染海洋环境的措施;船舶防污染技术与设备 2. 了解的内容:船舶污染海洋的途径;船舶污染对海洋环境的损害	8	4	利用多媒体课室、船艺室和“芙蓉号”教学用实船组织理论和实操教学	具备船舶管理的师资,见三副教学人员安排表	教学楼相应课室、船艺室和“芙蓉号”教学用实船	1.《船舶管理(第二版)》 2.《船舶管理》 3.《船舶管理(二/三副)》
3.6.1 监督遵守国际公约要求 1. SOLAS 公约(2 h) 2. 港口国监督概述、港口国检查、违规与滞留、操作性要求监督指南、ISM 规则港口国监督导则、最低配员标准和发证、港口国检查备忘录组织(沿海不适用)(2 h)		3.6.1 监督遵守国际公约要求 1. 了解的内容:SOLAS 公约、MARPOL 公约(关于特殊区域及特殊区域内的操作,沿海不适用)、国际载重线公约、STCW 公约马尼拉修正案、国际卫生条例、	28	0	利用多媒体和“芙蓉号”教学用实船组织理论和实操教学	具备船舶管理的师资,见三副教学人员安排表	教学楼相应课室、“芙蓉号”教学用实船	1.《船舶管理(第二版)》 2.《船舶管理》 3.《船舶管理(二/三副)》

表 5－40(续 3)

培训内容		培训目标	时间/h		培训方式	教员安排	场地、设施设备	教材及参考资料
理论知识	实践技能		理论	实践				
3.《国际防止船舶造成污染公约》(MARPOL 公约)(关于特殊区域及特殊区域内的操作,沿海不适用)(2 h) 4. 国际载重线公约(2 h) 5. STCW 公约马尼拉修正案(2 h) 6. 国际卫生条例(2 h) 7. 海事劳工公约(2 h) 8. 压载水和沉积物控制与管理公约(2 h) 9. 联合国海洋法等国际公约(2 h) 3.6.2 监督遵守国内法规要求(10 h) 海上交通安全法、海洋环境保护法、防治船舶污染海洋环境管理条例、海船船员适任考试和发证规则、海船船员值班规则、船舶登记条例、船舶最低安全配员规则、船舶进出		海事劳工公约、压载水和沉积物控制与管理公约、联合国海洋法等国际公约 2. 掌握的内容:港口国监督概述、港口国检查、违规与滞留、操作性要求监督指南、ISM 规则港口国监督导则、最低配员标准和发证、港口国检查备忘录组织(沿海不适用) 3.6.2 监督遵守国内法规要求了解海上交通安全法、海洋环境保护法、防治船舶污染海洋环境管理条例、海船船员适任考试和发证规则、海船船员值班规则、船舶登记条例、船舶最低安全配员规则、船舶进出中国口岸检查办法、海员船上工作和生活条件管理办法、船舶引航管理规定、船舶交通管理系统、						

表 5－40(续 4)

培训内容		培训目标	时间/h		培训方式	教员安排	场地、设施设备	教材及参考资料
理论知识	实践技能		理论	实践				
中国口岸检查办法、海员船上工作和生活条件管理办法、船舶引航管理规定、船舶交通管理系统安全监督管理规则、中国船舶报告系统管理规定、国际航行船舶出入境检验检疫规定、船舶安全检查规则、危险货物安全监督管理规则、船舶港内安全作业监督管理办法、海上交通事故调查处理条例、海上船舶污染事故调查处理规定、船员条例、海上海事行政处罚规定、船员违法记分办法等		安全监督管理规则、中国船舶报告系统管理规定、国际航行船舶出入境检验检疫规定、船舶安全检查规则、危险货物安全监督管理规则、船舶港内安全作业监督管理办法、海上交通事故调查处理条例、海上船舶污染事故调查处理规定、船员条例、海上海事行政处罚规定、船员违法记分办法等						
小计			42	8				

5.5.18　航海英语教学大纲

航海英语教学大纲信息情况见表5－41。

表5－41　航海英语教学大纲信息情况表

课程名称	航海英语		课程代码	143008B
学分	8	学时：144　其中含理论学时：122　实践学时：22		
课程性质：☑必修课　□选修课				

课程类型：□公共课程（含公共基础平台课程、通识课程、公选课程等）
□（跨）专业群基础平台课程　☑专业课程
课程特性：☑学科性课程　□工作过程系统化课程　□项目化课程　□任务导向课程　□其他
教学组织：☑以教为主（理论为主）　□以做为主（实践为主）　□理实一体（理论＋实践）

编写年月		执笔		审核	

1.课程性质与定位

航海英语课程是航海技术专业的核心专业课程，也是国家海事主管部门规定的海船操作级驾驶员适任证书考试与技能评估课程之一，是建立在基础英语课程、航海技术专业各门基础课程和专业课程之上的一门跨学科综合应用型课程。通过本课程的学习，学生可掌握必需的专业英语词汇，顺利阅读、正确理解英文专业资料，并能起草基本的英语信函，具备一定的听说能力和专业会话能力，达到STCW公约马尼拉修正案的有关适任标准的要求。本课程不仅包含英语语言技能的训练，而且具有丰富的航海技术专业内涵，是语言技能训练与专业知识学习的结合，是学生毕业后服务于远洋船舶的工作语言，不论是未来的职级晋升，还是船舶航行与营运管理，都离不开本课程所涉及的知识和能力的支撑。

2.课程教学目标

（1）知识目标

①掌握航海英语常用词汇至少3 000个以上；

②掌握专业英语语法特点，能熟练运用本专业及相关学科的常用专业术语和词汇；

③掌握相关航海图书资料、国际公约、航海气象、操纵避碰、结构设备和货运等专业文章资料的内容、知识，能正确阅读、提炼其中的专业信息；

④掌握与岗位有关的各种文本的书写，如航海日志、事故报告等。

（2）能力目标

①在掌握常用英语单词的基础上继续掌握专业词汇，其中800～1 000个词汇要求做到英汉互译、正确拼读、识别词类并掌握常见用法，专业术语及名称要求能做到英汉互译。

②航海专业英语阅读速度达到每分钟40～70个词。能读懂英文版航海图书资料、航海及航运业务函电、国际海事公约与规则、航运法规与业务资料、船舶结构和设备说明、航海仪器说明、船舶修理与保养说明、船舶货运技术资料等。在阅读时能掌握中心意思，理解主要事项和有关细节，能够适当使用英语阅读技巧来提高阅读速度和增强阅读理解能力。

③能完成远洋三副岗位要求的英文函电写作任务，包括填写船上各类表格，书写各类与船舶安全生产相关的书面报告、传真及电子邮件等。要求 30 分钟至 40 分钟内能够完成 60 ~ 150个词的英语业务写作和翻译，内容基本完整，用词基本符合航运业务书面沟通惯例，语意连贯，语法结构基本正确，并能掌握基本的英语写作习惯和技能。

(3)素质目标

①培养分析问题与解决问题的能力；

②培养查阅资料、独立学习、获取新知识的能力；

③培养应变决策和外语应用能力；

④养成善于观察、勤于思考的习惯；

⑤培养较高的职业道德素质和较强的爱岗敬业精神；

⑥培养良好的团队合作精神和较强的环保意识。

培训内容、培训目标、学时、培训方式、教员安排、场地、设施设备、培训教材见表 5 - 42。

表 5－42　航海英语教学大纲内容安排表

培训内容		培训目标	时间/h		培训方式	教员安排	场地、设施设备	教材及参考资料
理论知识	实践技能		理论	实践				
教学时间安排：三年制第 2～5 学期								
1.6 航海英语 使用《IMO 标准海事通信用语》，以书面和口语形式使用英语 1. 英文版海图和英文版航海出版物的阅读能力（12 h） 2. 英文航海气象资料的阅读能力（10 h） 3. 船舶操纵性能和操纵设备的英语术语（10 h） 4. 英文版国际海上避碰规则（14 h） 5. 船舶安全和紧急设备的英语术语（16 h） 6. 基本船体结构名称的英语术语（12 h） 7. 船舶安全管理相关的英语知识（8 h） 8. 驾驶台航海仪器的英文说明书及操作程序（12 h）	1. 基于标准航海通信用语（SMCP）的与航海各个环节相关人员进行英语听说的能力（4 h） 2. 阅读和理解各类英文版航海出版物和英文版海图（4 h） 3. 阅读和理解与航海日常事务相关的国际公约和法律文书（4 h） 4. 看懂船上相关航海仪器和设备的操作、使用说明书（2 h） 5. 阅读和理解船上收到的航行警告、气象报告、传真、电传等资料（2 h）	1. 与相关人员的英语听说交流是流利和熟练的 2. 能熟练阅读英文版航海出版物，从中获取的信息是正确的 3. 从相关英文版国际公约和法律文书中获取的信息是正确的 4. 航海仪器和设备的英文操作及使用说明书的应用是熟练的 5. 从英文气象报告、航海通告、航行警告等中获取的信息是准确的 6. 航海日志等文书的英文填写是正确的和适当的 7. 撰写的业务信函和海事报告格式和内容是正确的	122	22	航海英语理论教学利用多媒体课室进行，实操部分利用语音室进行训练	具备航海英语理论实操教学的师资，见三副教学人员安排表	教学楼相应多媒体课室、语音室的听力设备	1.《航海英语》 2.《航海英语（二/三副用）》 3.《航海英语听力与会话（第四版）》

表 5 -42(续)

培训内容		培训目标	时间/h		培训方式	教员安排	场地、设施设备	教材及参考资料
理论知识	实践技能		理论	实践				
9. 用英语记载航海日志和其他书表文件(12 h) 10. 基于 SMCP 的与他船、岸台、船舶交通服务(VTS)中心、引航站和港口相关方的信息交流能力(16 h)	6. 用英语填报航海日志等规定的文书和表格(4 h) 7. 基于消防、救生等设备的港口国监督检查交流(2 h)							
小计			122	22				

5.5.19　航海英语听力与会话教学大纲

航海英语听力与会话教学大纲信息情况见表 5－43。

表 5－43　航海英语听力与会话教学大纲信息情况表

<table>
<tr><td>课程名称</td><td colspan="2">航海英语听力与会话</td><td>课程代码</td><td>144078C</td></tr>
<tr><td>学分</td><td>2</td><td colspan="3">学时：__48__其中含理论学时：__0__实践学时：__48__</td></tr>
<tr><td colspan="5">课程性质：☑必修课　□选修课</td></tr>
<tr><td colspan="5">课程类型：□公共课程（含公共基础平台课程、通识课程、公选课程等）
□（跨）专业群基础平台课程　☑专业课程
课程特性：□学科性课程　□工作过程系统化课程　☑项目化课程　□任务导向课程　□其他
教学组织：□以教为主（理论为主）　☑以做为主（实践为主）　□ 理实一体（理论＋实践）</td></tr>
</table>

编写年月		执笔		审核	

1. 课程性质与定位

航海英语听力与会话是航海技术专业的重要实训课程之一，根据 STCW 公约马尼拉修正案和我国海船船员适任考试及评估大纲的要求，本课程属于航海听力与会话评估项目。本课程的任务是使学生能够满足三副岗位要求的有效面对面，以及通过甚高频（VHF）和其他无线电、电子通信设备进行口语沟通，包括船舶进出港、锚泊和航行期间各种作业及安全和保安等场景中的英语交流，能够掌握并使用 SMCP。培养符合现代航运企业需求，满足 STCW 公约马尼拉修正案和国家海事局对船员培训、考试及发证 SMCP 法规的要求，具有可持续发展能力的、能胜任现代化远洋船舶日常和工作沟通交流任务的、走向国际舞台的高素质技能型高级船员。

2. 课程教学目标

（1）知识目标

①掌握航海英语听力和会话日常用语及核心词汇，口语表述的专业词汇不少于 800 个；

②掌握船舶日常各种工作情境中的听力句式、句型和内容等知识；

③掌握船舶日常各种工作情境中的对话句式、句型和内容等知识。

（2）能力目标

①能用英语进行日常生活交流；

②能基本听懂语速为每分钟 100～150 个词汇的交流内容；

③能进行每分钟不低于 90 个词汇，叙述内容不短于 1 分钟的完整表达；

④能够掌握并使用 SMCP；

⑤能够进行三副岗位要求的有效面对面，以及通过 VHF 和其他无线电、电子通信设备所进行的船舶各日常工作场景的口语沟通。

（3）素质目标

①培养良好的沟通表达能力；

②养成严谨、认真、耐心的学习和工作态度；
③培养对突发应急情况的应变能力；
④培养团队协作和良好的与同事交流、合作的能力；
⑤培养较高的职业道德素质和较强的爱岗敬业精神。
培训内容、培训目标、学时、培训方式、教员安排、场地、设施设备、培训教材见表 5 - 44。

5.5.20 课程教学进程计划表

航海技术专业课程教学进程计划见表 5 - 45。

5.5.21 培训课程表

航海技术 1/2 班课程表见表 5 - 46 ~ 表 5 - 51。
航海技术 3/4 班课程表见表 5 - 52 ~ 表 5 - 57。
航海技术 5/6 班课程表见表 5 - 58 ~ 表 5 - 63。

5.5.22 实操教学安排表

航海技术专业实操教学安排见表 5 - 64。

表 5-44　航海英语听力与会话教学大纲内容安排表

培训内容		培训目标	时间/h		培训方式	教员安排	场地、设施设备	教材及参考资料
理论知识	实践技能		理论	实践				
教学时间安排:三年制第 5 学期								
1.6 航海英语 使用《IMO 标准海事通信用语》,以书面和口语形式使用英语,基于 SMCP 的与他船、岸台、VTS 中心、引航站和港口相关方的信息交流能力	基于 SMCP 的与航海各个环节相关人员进行英语听说的能力,包括: 1. 普通英语(4 h) 2. 常用命令(4 h) 3. 进出港业务/引航业务(4 h) 4. 靠离泊作业、装卸作业(4 h) 5. 装卸作(4 h) 6. 航行(4 h) 7. 海上呼叫(4 h) 8. 海上救生与求生(4 h) 9. 修船与船舶保养(4 h) 10. 港口国检查(4 h) 11. 船舶保安(4 h) 12. 航海英语朗读(4 h)	1. 掌握航海人员日常对话用语和文明用语,掌握船舶上常用语句,运用陆上求助用语对话 2. 熟练掌握并能正确使用船舶口令(舵令,车钟令,系解船缆令,锚令和进运河、船闸、船坞、狭水道等特殊口令)标准用语 3. 熟练掌握接待与引航船人员间的沟通用语 4. 熟练掌握驾驶台值班用语,并能与其他人员进行沟通,熟练掌握呼叫、船首尾作业及锚泊班值守等相关业务用语,能分组在模拟器室模拟各项目对话内容 5. 熟练掌握备舱、甲板值班、理货业务、事故处理、特殊货物作业、进入封闭处所、污泊水处理等装卸业务用语 6. 熟练掌握航行值班交接、海图作业、避碰操作、	0	48	利用语音室进行训练	具备航海英语师资,见三副教学人员安排表	语音室、听力设备	《航海英语听力与会话(第四版)》

表 5－44(续)

培训内容		培训目标	时间/h		培训方式	教员安排	场地、设施设备	教材及参考资料
理论知识	实践技能		理论	实践				
		值守 VHF 频道和通信、接收航行警告 7. 熟练掌握遇险、紧急、安全呼叫的标准用语,熟练掌握与遇险船、救助中心、救助者之间的标准通信用语 8. 熟练掌握救生与消防演习、船员自救作业的相关标准用语 9. 熟练掌握船舶进船坞的修理项目用语和物料申报用语,完成个人所管理项目的修理沟通 10. 熟练掌握操作性要求检查、安全应急设备检查、防污染检查、ISM 及 SMS 检查、不合格项纠正等相关用语 11. 熟练掌握值班安全检查及船舶保安设备的安全检查与操作有关用语 12. 能较流利地阅读一整段文章,无明显卡顿现象						
小计			0	48				

表 5－45　航海技术专业课程教学进程计划表

课程类型	课程模块	课程名称	课程代码	学分	计划学时			考核方式	各学期周学时分配						备注
					总学时	理论学时	实践学时		一学年		二学年		三学年		
									14 周	16 周	14 周	14 周	5 周	20 周	
公共课程	公共基础课模块（必修）	思想道德修养与法律基础（含廉洁修身）	411004B	2.5	44	38	6	C	2×11	2×11					其中廉洁修身 8 学时
		毛泽东思想和中国特色社会主义理论体系概论	411050B	3.5	60	52	8	C			2×15	2×15			
		形势与政策（含军事理论）	411051B	2	40	34	6	C	1×10	讲座（2×5）	讲座（2×5）	讲座（2×5）			讲座每学期 5 次，其中军事理论 12 学时，合计 30 学时
		军事理论	411049B	1.5	24	20	4	C	24						其中 6 学时采用讲座集中授课方式，18 学时采用在线开放课程、混合式教学方式
		思想政治教育实践课	411052B	1	16	0	16	C		2×4	2×4				第 2 学期与基础课衔接，第 3 学期不进课表
		大学体育	411033B	3	52	4	48	C	2×11	2×15					分模块教学，未含体质测试、校运动会
		大学英语	411037B	6	104	60	44	S	4×11	4×15					分类分级教学
		高等数学	411022B	2.5	44	44	0	S	4×11/32						分类分模块教学
		大学数学（海事模块）	411012B	1.5	30	30	0	C		2×15					分类分模块教学
		计算机应用基础	411012B	2	32	18	14	S	32						分类教学

表 5－45(续 1)

课程类型	课程模块	课程名称	课程代码	学分	计划学时			考核方式	各学期周学时分配						备注
					总学时	理论学时	实践学时		一学年		二学年		三学年		
									14 周	16 周	14 周	14 周	5 周	20 周	
		大学生心理健康	411017B	0.5	10	8	2	C	1×10						
		创新基础	411018B	0.5	10	8	2	C	1×10						
		马克思主义中国化进程与青年学生使命担当	411056A	1	20	20	0	C	2×10						
		创业就业指导	411015B	1	16	10	6	C				2×8			
	通识课与公共选修课模块(选修)	通识课分为人文社科、自然科学与工程技术、交通行业、创新创业 4 类	—	8	144	120	24	C	第 2 学期至第 5 学期,根据专业特点,按规定进行选修						
		公共选修课分为兴趣特长、专业能力拓展 2 类	—												
专业基础课/基本技能课	群内课程模块(必修)	航海心理学	322003B	1	28	24	4	C	2×11						
		专业(群)导论	482002B	1	16	16	0	C	讲座(2×2)	讲座(2×2)	讲座(2×2)	讲座(2×2)			每学期讲座 2 次
		航海体育健康	322001B	1.5	28	8	20	C		2×14					分模块教学
		航运管理	392047B	1.5	28	26	2	C			2				
		基本安全(Z01)	482004B	3	100	60	40	C		3 周					
		精通救生艇筏和救助艇(Z02)	482007B	1	40	14	26	C			1 周				
		高级消防(Z04)	482003B	2	46	20	26	C			2 周				

表 5－45(续 2)

课程类型	课程模块	课程名称	课程代码	学分	计划学时			考核方式	各学期周学时分配						备注
					总学时	理论学时	实践学时		一学年		二学年		三学年		
									14 周	16 周	14 周	14 周	5 周	20 周	
		精通急救(Z05)	482006B	1	34	20	14	C			1				
		船舶保安意识与职责(Z07/Z08)	482005B	1	24	22	2	C			1				
	跨群课程模块(必修)	海洋观	352001B	1.5	28	26	2	C		2					
	其他基础课程模块(必修)	电工电子技术	393111B	2	32	26	6	C	3						
专业课/综合技能课	专业课模块(必修)	轮机概论	143037B	1.5	28	20	8	C				2			
		海商法	143039B	2	36	32	4	C			3				
		驾驶台资源管理	143031B	1	20	20	0	C					4		
		船舶操纵与避碰(操纵)	143069B	5	46	44	2	S		3					
		船舶操纵与避碰(避碰)	143070B		48	48	0	S				4			
		船舶结构与货运(1)	143071B	5	42	41	1	S	4						
		船舶结构与货运(2)	143072B		48	48	0	S			4				
		航海学(地文、天文)	143068B	10	82	74	8	S	3	3					
		航海学(仪器)	143066B		48	48	0	S		4					
		航海学(气象)	143067B		56	56	0	S			4				

表 5 – 45(续 3)

课程类型	课程模块	课程名称	课程代码	学分	计划学时			考核方式	各学期周学时分配						备注
					总学时	理论学时	实践学时		一学年		二学年		三学年		
									14 周	16 周	14 周	14 周	5 周	20 周	
		航海英语	143008B	8	144	122	22	S		3	3	3	6		
		船舶管理	143004B	2.5	50	42	8	S				4			
		值班水手业务	143063B	2	10	10	0	C				3			
	专业限选课模块（选修）	船长业务	143056B	1.5	28	24	4	C					6		
		世界海运地理	143059B					C							
		航海社交礼仪	143051B	1.5	28	24	4	C			2				
		水上交通安全事故分析	143058B					C							
集中实践课/特色技能课	整周实训、课程设计/特色技能课（必修）	军训（含入学教育）	414001C	2	48	0	48	C	2						
		公益劳动	414002C	1	24	0	24	C		1					
		电子海图显示与信息系统	144074C	1	40	20	20	C					1		
		航线设计	144064C	3	64	28	36	C					2		
		雷达操作与应用	144073C	1	40	20	20	C					1		
		船舶操纵、避碰与驾驶台资源管理	144082C	1	56	0	56	C					1		
		货物积载与系固	144091C	1	40	4	36	C					1		
		航海仪器的使用	144071C	2	80	46	34	C					2		
		航海英语听力与会话	144078C	2	48	0	48	C					2		
		水手工艺与值班	143064B	4	13	0	13	C				4			
		值班水手听力与会话	143065B	1	24	0	24	C				1			

表 5－45(续 4)

课程类型	课程模块	课程名称	课程代码	学分	计划学时			考核方式	各学期周学时分配						备注
					总学时	理论学时	实践学时		一学年		二学年		三学年		
									14 周	16 周	14 周	14 周	5 周	20 周	
	毕业考核(必修)	毕业测试(适任证书考试＋专题论文)	484015C	4	96	0	96	C					4		
	毕业顶岗实习(必修)	毕业顶岗实习(必修)	484002C	20	480	0	480	C						20	
第二课堂项目(选修)	分科技活动、文化艺术、社会实践、其他项目 4 类		—	10	—	—	—	—	第 1 学期至第 5 学期内完成						

表 5－46　航海技术 1/2 班课程表(第 1 学期)

周次	节次	星期一			星期二			星期三			星期四			星期五		
		课程	授课教师	授课地点	课程	授课教师	授课地点	课程	授课教师	授课地点	课程	授课教师	授课地点	课程	授课教师	授课地点
单周	1～2	航海学(地文、天文)	教师 A	课室 1	航海学(地文、天文)	教师 A	课室 1									
	3～4	船舶结构与货运(1)	教师 B	课室 2	船舶结构与货运(1)	教师 B	课室 2									
	5～6															
	7～8															
双周	1～2	航海学(地文、天文)	教师 A	课室 1												
	3～4	船舶结构与货运(1)	教师 B	课室 2	船舶结构与货运(1)	教师 B	课室 2									
	5～6															
	7～8															

说明:从第 1 周至第 14 周,航海学(地文、天文)单周 4 节,双周 2 节;船舶结构与货运(1)每周 4 节。

表 5－47　航海技术 1/2 班课程表(第 2 学期)

周次	节次	星期一			星期二			星期三			星期四			星期五		
		课程	授课教师	授课地点	课程	授课教师	授课地点	课程	授课教师	授课地点	课程	授课教师	授课地点	课程	授课教师	授课地点
单周	1～2	船舶操纵与避碰(操纵)	教师 C	课室 3				航海英语	教师 D	课室 5						
	3～4	航海学(地文、天文)	教师 A	课室 4	船舶操纵与避碰(操纵)	教师 C	课室 3				航海英语	教师 D	课室 5			
	5～6				航海学(地文、天文)	教师 A	课室 4									
	7～8															
双周	1～2							航海英语	教师 D	课室 5						
	3～4	航海学(地文、天文)	教师 A	课室 4	船舶操纵与避碰(操纵)	教师 C	课室 3									
	5～6															
	7～8															
第 1～3 周	基本安全															

说明:从第 4 周至第 19 周,航海学(地文、天文)、船舶操纵与避碰(操纵)、航海英语均为单周 4 节,双周 2 节。整周实训安排 3 周,具体安排见 5.5.23 节。

表 5－48　航海技术 1/2 班课程表(第 3 学期)

周次	节次	星期一			星期二			星期三			星期四			星期五		
		课程	授课教师	授课地点	课程	授课教师	授课地点	课程	授课教师	授课地点	课程	授课教师	授课地点	课程	授课教师	授课地点
单周	1～2	船舶结构与货运(2)	教师 B	课室 1	航海英语	教师 D	课室 3									
	3～4	航海学(仪器)	教师 E	课室 2				航海英语	教师 D	课室 5						
	5～6				船舶结构与货运(2)	教师 B	课室 1									
	7～8				航海学(仪器)	教师 E	课室 2									
双周	1～2	船舶结构与货运(2)	教师 B	课室 1				航海英语	教师 D	课室 5						
	3～4	航海学(仪器)	教师 E	课室 2												
	5～6				船舶结构与货运(2)	教师 B	课室 1									
	7～8				航海学(仪器)	教师 E	课室 2									
第 15 周	精通急救(Z05)															
第 16 周	船舶保安意识与职责(Z07/Z08)															
第 17 周	高级消防(Z04)															

表 5－48(续)

周次	节次	星期一			星期二			星期三			星期四			星期五		
		课程	授课教师	授课地点	课程	授课教师	授课地点	课程	授课教师	授课地点	课程	授课教师	授课地点	课程	授课教师	授课地点
第 18 周	高级消防(Z04)															
第 19 周	精通救生艇筏和救助艇(Z02)															

说明:从第 1 周至第 14 周,航海学(仪器)、船舶结构与货运(2)每周 4 节;航海英语均为单周 4 节,双周 2 节。整周实训安排 5 周,具体安排见 5.5.23 节。

表 5－49　航海技术 1/2 班课程表(第 4 学期)

周次	节次	星期一			星期二			星期三			星期四			星期五		
		课程	授课教师	授课地点	课程	授课教师	授课地点	课程	授课教师	授课地点	课程	授课教师	授课地点	课程	授课教师	授课地点
单周	1～2	船舶操纵与避碰(避碰)	教师 C	课室 3	船舶管理	教师 F	课室 1	船舶操纵与避碰(避碰)	教师 C	课室 3	船舶管理	教师 F	课室 1			
	3～4	航海学(气象)	教师 E	课室 2	航海英语	教师 D	课室 5	航海学(气象)	教师 E	课室 2	航海英语	教师 D	课室 5			
	5～6				值班水手业务	教师 G	课室 4				值班水手业务	教师 G	课室 4			
	7～8															

表 5-49(续)

周次	节次	星期一			星期二			星期三			星期四			星期五		
		课程	授课教师	授课地点	课程	授课教师	授课地点	课程	授课教师	授课地点	课程	授课教师	授课地点	课程	授课教师	授课地点
双周	1~2	船舶操纵与避碰(避碰)	教师 C	课室 3	船舶管理	教师 F	课室 1	船舶操纵与避碰(避碰)	教师 C	课室 3	船舶管理	教师 F	课室 1			
	3~4	航海学(气象)	教师 E	课室 2				航海学(气象)	教师 E	课室 2	航海英语	教师 D	课室 5			
	5~6										值班水手业务	教师 G	课室 4			
	7~8															
第 15 周		水手工艺与值班														
第 16 周		水手工艺与值班														
第 17 周		水手工艺与值班														
第 18 周		水手工艺与值班														
第 19 周		值班水手听力与会话														

说明:从第 1 周至第 14 周,船舶操纵与避碰(避碰)、航海学(气象)、船舶管理每周 4 节;航海英语、值班水手业务均为单周 4 节,双周 2 节。整周实训安排 5 周,具体安排见 5.5.23 节。

表5-50 航海技术1/2班课程表(第5学期)

<table>
<tr><th rowspan="2">周次</th><th rowspan="2">节次</th><th colspan="3">星期一</th><th colspan="3">星期二</th><th colspan="3">星期三</th><th colspan="3">星期四</th><th colspan="3">星期五</th></tr>
<tr><th>课程</th><th>授课教师</th><th>授课地点</th><th>课程</th><th>授课教师</th><th>授课地点</th><th>课程</th><th>授课教师</th><th>授课地点</th><th>课程</th><th>授课教师</th><th>授课地点</th><th>课程</th><th>授课教师</th><th>授课地点</th></tr>
<tr><td rowspan="4">单周</td><td>1~2</td><td>航海英语</td><td>教师D</td><td>课室5</td><td>航海英语</td><td>教师D</td><td>课室5</td><td>航海英语</td><td>教师D</td><td>课室5</td><td></td><td></td><td></td><td></td><td></td><td></td></tr>
<tr><td>3~4</td><td></td><td></td><td></td><td></td><td></td><td></td><td></td><td></td><td></td><td></td><td></td><td></td><td></td><td></td><td></td></tr>
<tr><td>5~6</td><td></td><td></td><td></td><td></td><td></td><td></td><td></td><td></td><td></td><td></td><td></td><td></td><td></td><td></td><td></td></tr>
<tr><td>7~8</td><td></td><td></td><td></td><td></td><td></td><td></td><td></td><td></td><td></td><td></td><td></td><td></td><td></td><td></td><td></td></tr>
<tr><td colspan="2">第6周</td><td colspan="15">电子海图显示与信息系统</td></tr>
<tr><td colspan="2">第7周</td><td colspan="15">航线设计</td></tr>
<tr><td colspan="2">第8周</td><td colspan="15">航线设计</td></tr>
<tr><td colspan="2">第9周</td><td colspan="15">雷达操作与应用</td></tr>
<tr><td colspan="2">第10周</td><td colspan="15">船舶操纵、避碰与驾驶台资源管理</td></tr>
<tr><td colspan="2">第11周</td><td colspan="15">货物积载与系固</td></tr>
<tr><td colspan="2">第12周</td><td colspan="15">航海仪器的使用</td></tr>
<tr><td colspan="2">第13周</td><td colspan="15">航海仪器的使用</td></tr>
<tr><td colspan="2">第14周</td><td colspan="15">航海英语听力与会话</td></tr>
<tr><td colspan="2">第15周</td><td colspan="15">航海英语听力与会话</td></tr>
<tr><td colspan="2">第16周</td><td colspan="15">毕业测试</td></tr>
<tr><td colspan="2">第17周</td><td colspan="15">毕业测试</td></tr>
<tr><td colspan="2">第18周</td><td colspan="15">毕业测试</td></tr>
<tr><td colspan="2">第19周</td><td colspan="15">毕业测试</td></tr>
</table>

说明:理论课程安排5周,航海英语每周6节,整周实训安排14周,具体安排见5.5.23节。

表5－51　航海技术1/2班课程表(第6学期)

周次	节次	星期一			星期二			星期三			星期四			星期五		
		课程	授课教师	授课地点	课程	授课教师	授课地点	课程	授课教师	授课地点	课程	授课教师	授课地点	课程	授课教师	授课地点
单周	1～2	船舶结构与货运(1)	教师B	课室2	船舶结构与货运(1)	教师B	课室2									
	3～4	航海学(地文、天文)	教师A	课室1	航海学(地文、天文)	教师A	课室1									
	5～6															
	7～8															
双周	1～2	船舶结构与货运(1)	教师B	课室2	船舶结构与货运(1)	教师B	课室2									
	3～4	航海学(地文、天文)	教师A	课室1												
	5～6															
	7～8															

表5－52 航海技术3/4班课程表(第1学期)

周次	节次	星期一			星期二			星期三			星期四			星期五		
		课程	授课教师	授课地点	课程	授课教师	授课地点	课程	授课教师	授课地点	课程	授课教师	授课地点	课程	授课教师	授课地点
单周	1～2	船舶结构与货运(1)	教师B	课室2	船舶结构与货运(1)	教师B	课室2									
	3～4	航海学(地文、天文)	教师A	课室1	航海学(地文、天文)	教师A	课室1									
	5～6															
	7～8															
双周	1～2	船舶结构与货运(1)	教师B	课室2	船舶结构与货运(1)	教师B	课室2									
	3～4	航海学(地文、天文)	教师A	课室1												
	5～6															
	7～8															

说明:理论安排14周,航海学(地文、天文)单周4节,双周2节;船舶结构与货运(1)每周4节。

表 5－53　航海技术 3/4 班课程表（第 2 学期）

周次	节次	星期一			星期二			星期三			星期四			星期五		
		课程	授课教师	授课地点	课程	授课教师	授课地点	课程	授课教师	授课地点	课程	授课教师	授课地点	课程	授课教师	授课地点
单周	1～2	航海学（地文、天文）	教师 A	课室 4							航海英语	教师 D	课室 5			
	3～4	船舶操纵与避碰（操纵）	教师 C	课室 3	航海学（地文、天文）	教师 A	课室 4	航海英语	教师 D	课室 5						
	5～6				船舶操纵与避碰（操纵）	教师 C	课室 3									
	7～8															
第 2 周	1～2	航海学（地文、天文）	教师 A	课室 4	船舶操纵与避碰（操纵）	教师 C	课室 3									
	3～4							航海英语	教师 D	课室 5						
	5～6															
	7～8															

表 5－53(续)

周次	节次	星期一			星期二			星期三			星期四			星期五		
		课程	授课教师	授课地点	课程	授课教师	授课地点	课程	授课教师	授课地点	课程	授课教师	授课地点	课程	授课教师	授课地点
第 17 周		基本安全(Z01)														
第 18 周		基本安全(Z01)														
第 19 周		基本安全(Z01)														

说明:理论安排 16 周,航海学(地文、天文)、船舶操纵与避碰(操纵)、航海英语均为单周 4 节,双周 2 节。整周实训安排 3 周,具体安排见 5.5.23 节。

表 5－54　航海技术 3/4 班课程表(第 3 学期)

周次	节次	星期一			星期二			星期三			星期四			星期五		
		课程	授课教师	授课地点	课程	授课教师	授课地点	课程	授课教师	授课地点	课程	授课教师	授课地点	课程	授课教师	授课地点
单周	1～2	航海学(仪器)	教师 E	课室 2				航海英语	教师 D	课室 5						
	3～4	船舶结构与货运(2)	教师 B	课室 1	航海英语	教师 D	课室 3									
	5～6				航海学(仪器)	教师 E	课室 2									
	7～8				船舶结构与货运(2)	教师 B	课室 1									

表 5 －54(续)

周次	节次	星期一			星期二			星期三			星期四			星期五		
		课程	授课教师	授课地点	课程	授课教师	授课地点	课程	授课教师	授课地点	课程	授课教师	授课地点	课程	授课教师	授课地点
第 2 周	1 ~ 2	航海学(仪器)	教师 E	课室 2												
	3 ~ 4	船舶结构与货运(2)	教师 B	课室 1				航海英语	教师 D	课室 5						
	5 ~ 6				航海学(仪器)	教师 E	课室 2									
	7 ~ 8				船舶结构与货运(2)	教师 B	课室 1									
第 15 周		精通救生艇筏和救助艇(Z02)														
第 16 周		高级消防(Z04)														
第 17 周		高级消防(Z04)														
第 18 周		精通急救(Z05)														
第 19 周		船舶保安意识与职责(Z07/Z08)														

说明:理论安排 14 周,航海学(仪器)、船舶结构与货运(2)每周 4 节;航海英语均为单周 4 节,双周 2 节。整周实训安排 5 周,具体安排见 5.5.23 节。

表 5－55　航海技术 3/4 班课程表（第 4 学期）

周次	节次	星期一			星期二			星期三			星期四			星期五		
		课程	授课教师	授课地点	课程	授课教师	授课地点	课程	授课教师	授课地点	课程	授课教师	授课地点	课程	授课教师	授课地点
单周	1～2	航海学（气象）	教师 E	课室 2	航海英语	教师 D	课室 5	航海学（气象）	教师 E	课室 2	航海英语	教师 D	课室 5			
	3～4	船舶操纵与避碰（避碰）	教师 C	课室 3	船舶管理	教师 F	课室 1	船舶操纵与避碰（避碰）	教师 C	课室 3	船舶管理	教师 F	课室 1			
	5～6															
	7～8				值班水手业务	教师 G	课室 4				值班水手业务	教师 G	课室 4			
双周	1～2	航海学（气象）	教师 E	课室 2				航海学（气象）	教师 E	课室 2	航海英语	教师 D	课室 5			
	3～4	船舶操纵与避碰（避碰）	教师 C	课室 3	船舶管理	教师 F	课室 1	船舶操纵与避碰（避碰）	教师 C	课室 3	船舶管理	教师 F	课室 1			
	5～6															
	7～8										值班水手业务	教师 G	课室 4			
第 15 周		水手工艺与值班														
第 16 周		水手工艺与值班														

表 5－55(续)

周次	节次	星期一			星期二			星期三			星期四			星期五		
		课程	授课教师	授课地点	课程	授课教师	授课地点	课程	授课教师	授课地点	课程	授课教师	授课地点	课程	授课教师	授课地点
第 17 周		水手工艺与值班														
第 18 周		水手工艺与值班														
第 19 周		值班水手听力与会话														

说明:理论安排 14 周,船舶操纵与避碰(避碰)、航海学(气象)、船舶管理每周 4 节;航海英语、值班水手业务均为单周 4 节,双周 2 节。整周实训安排 5 周,具体安排见 5.5.23 节。

表 5－56　航海技术 3/4 班课程表(第 5 学期)

周次	节次	星期一			星期二			星期三			星期四			星期五		
		课程	授课教师	授课地点	课程	授课教师	授课地点	课程	授课教师	授课地点	课程	授课教师	授课地点	课程	授课教师	授课地点
单周	1～2															
	3～4	航海英语	教师 D	课室 5	航海英语	教师 D	课室 5	航海英语	教师 D	课室 5						
	5～6															
	7～8															
第 6 周		电子海图显示与信息系统														
第 7 周		航线设计														

表 5 – 56(续)

<table>
<tr><th rowspan="2">周次</th><th rowspan="2">节次</th><th colspan="3">星期一</th><th colspan="3">星期二</th><th colspan="3">星期三</th><th colspan="3">星期四</th><th colspan="3">星期五</th></tr>
<tr><th>课程</th><th>授课
教师</th><th>授课
地点</th><th>课程</th><th>授课
教师</th><th>授课
地点</th><th>课程</th><th>授课
教师</th><th>授课
地点</th><th>课程</th><th>授课
教师</th><th>授课
地点</th><th>课程</th><th>授课
教师</th><th>授课
地点</th></tr>
<tr><td colspan="2">第 8 周</td><td colspan="15">航线设计</td></tr>
<tr><td colspan="2">第 9 周</td><td colspan="15">雷达操作与应用</td></tr>
<tr><td colspan="2">第 10 周</td><td colspan="15">船舶操纵、避碰与驾驶台资源管理</td></tr>
<tr><td colspan="2">第 11 周</td><td colspan="15">货物积载与系固</td></tr>
<tr><td colspan="2">第 12 周</td><td colspan="15">航海仪器的使用</td></tr>
<tr><td colspan="2">第 13 周</td><td colspan="15">航海仪器的使用</td></tr>
<tr><td colspan="2">第 14 周</td><td colspan="15">航海英语听力与会话</td></tr>
<tr><td colspan="2">第 15 周</td><td colspan="15">航海英语听力与会话</td></tr>
<tr><td colspan="2">第 16 周</td><td colspan="15">毕业测试</td></tr>
<tr><td colspan="2">第 17 周</td><td colspan="15">毕业测试</td></tr>
<tr><td colspan="2">第 18 周</td><td colspan="15">毕业测试</td></tr>
<tr><td colspan="2">第 19 周</td><td colspan="15">毕业测试</td></tr>
</table>

说明：理论安排 5 周，航海英语每周 6 节，整周实训安排 14 周，具体安排见 5.5.23 节。

表 5－57　航海技术 3/4 班课程表（第 6 学期）

周次	节次	星期一			星期二			星期三			星期四			星期五		
		课程	授课教师	授课地点	课程	授课教师	授课地点	课程	授课教师	授课地点	课程	授课教师	授课地点	课程	授课教师	授课地点
第 1～20 周		毕业顶岗实习														

表 5－58　航海技术 5/6 班课程表（第 1 学期）

周次	节次	星期一			星期二			星期三			星期四			星期五		
		课程	授课教师	授课地点	课程	授课教师	授课地点	课程	授课教师	授课地点	课程	授课教师	授课地点	课程	授课教师	授课地点
单周	1～2															
	3～4															
	5～6	船舶结构与货运(1)	教师 B	课室 2	船舶结构与货运(1)	教师 B	课室 2									
	7～8	航海学（地文、天文）	教师 A	课室 1	航海学（地文、天文）	教师 A	课室 1									
第 2 周	1～2															
	3～4															
	5～6	船舶结构与货运(1)	教师 B	课室 2	船舶结构与货运(1)	教师 B	课室 2									
	7～8	航海学（地文、天文）	教师 A	课室 1												

说明：理论安排 14 周，航海学（地文、天文）单周 4 节，双周 2 节；船舶结构与货运(1)每周 4 节。

表 5－59　航海技术 5/6 班课程表(第 2 学期)

周次	节次	星期一			星期二			星期三			星期四			星期五		
		课程	授课教师	授课地点	课程	授课教师	授课地点	课程	授课教师	授课地点	课程	授课教师	授课地点	课程	授课教师	授课地点
单周	1～2	航海英语	教师 D	课室 5	航海英语	教师 D	课室 5									
	3～4															
	5～6	航海学(地文、天文)	教师 A	课室 4				航海学(地文、天文)	教师 A	课室 4						
	7～8	船舶操纵与避碰(操纵)	教师 C	课室 3				船舶操纵与避碰(操纵)	教师 C	课室 3						
第 2 周	1～2															
	3～4															
	5～6	航海学(地文、天文)	教师 A	课室 4	船舶操纵与避碰(操纵)	教师 C	课室 3									
	7～8							航海英语	教师 D	课室 5						
第 17 周		基本安全														
第 18 周		基本安全														
第 19 周		基本安全														

说明:第 1 周至第 16 周,航海学(地文、天文)、船舶操纵与避碰(操纵)、航海英语均为单周 4 节,双周 2 节。整周实训安排 3 周,具体安排见 5.5.23 节。

表5-60 航海技术5/6班课程表(第3学期)

周次	节次	星期一			星期二			星期三			星期四			星期五		
		课程	授课教师	授课地点	课程	授课教师	授课地点	课程	授课教师	授课地点	课程	授课教师	授课地点	课程	授课教师	授课地点
单周	1~2	航海英语	教师D	课室3												
	3~4										航海学仪器	教师E	课室2			
	5~6	航海学(仪器)	教师E	课室2	航海英语	教师D	课室5	船舶结构与货运(2)	教师B	课室1						
	7~8	船舶结构与货运(2)	教师B	课室1												
第2周	1~2	航海学(仪器)	教师E	课室2												
	3~4	船舶结构与货运(2)	教师B	课室1				航海英语	教师D	课室5						
	5~6				航海学(仪器)	教师E	课室2									
	7~8				船舶结构与货运(2)	教师B	课室1									

表 5－60(续)

周次	节次	星期一			星期二			星期三			星期四			星期五		
		课程	授课教师	授课地点	课程	授课教师	授课地点	课程	授课教师	授课地点	课程	授课教师	授课地点	课程	授课教师	授课地点
第 15 周		精通救生艇筏和救助艇(Z02)														
第 16 周		高级消防(Z04)														
第 17 周		高级消防(Z04)														
第 18 周		精通急救(Z05)														
第 19 周		船舶保安意识与职责(Z07/Z08)														

说明:第 1 周至第 14 周,航海学(仪器)、船舶结构与货运(2)每周 4 节;航海英语均为单周 4 节,双周 2 节。整周实训安排 5 周,具体安排见 5.5.23 节。

表 5－61　航海技术 5/6 班课程表(第 4 学期)

周次	节次	星期一			星期二			星期三			星期四			星期五		
		课程	授课教师	授课地点	课程	授课教师	授课地点	课程	授课教师	授课地点	课程	授课教师	授课地点	课程	授课教师	授课地点
第 1 周	1～2	航海英语	教师 D	课室 5	航海学(气象)	教师 E	课室 2	航海英语	教师 D	课室 5	航海学(气象)	教师 E	课室 2			
	3～4	船舶管理	教师 F	课室 1	船舶操纵与避碰(避碰)	教师 C	课室 3	船舶管理	教师 F	课室 1	船舶操纵与避碰(避碰)	教师 C	课室 3			
	5～6															
	7～8	值班水手业务	教师 G	课室 4				值班水手业务	教师 G	课室 4						

表 5－61(续)

周次	节次	星期一			星期二			星期三			星期四			星期五		
		课程	授课教师	授课地点	课程	授课教师	授课地点	课程	授课教师	授课地点	课程	授课教师	授课地点	课程	授课教师	授课地点
第2周	1～2				航海学（气象）	教师E	课室2	航海英语	教师D	课室5	航海学（气象）	教师E	课室2			
	3～4	船舶管理	教师F	课室1	船舶操纵与避碰（避碰）	教师C	课室3	船舶管理	教师F	课室1	船舶操纵与避碰（避碰）	教师C	课室3			
	5～6															
	7～8							值班水手业务	教师G	课室4						
第15周		水手工艺与值班														
第16周		水手工艺与值班														
第17周		水手工艺与值班														
第18周		水手工艺与值班														
第19周		值班水手听力与会话														

说明：第1周至第14周，船舶操纵与避碰（避碰）、航海学（气象）、船舶管理每周4节；航海英语、值班水手业务均为单周4节，双周2节。整周实训安排5周，具体安排见5.5.23节。

表 5 – 62　航海技术 5/6 班课程表(第 5 学期)

周次	节次	星期一			星期二			星期三			星期四			星期五		
		课程	授课教师	授课地点	课程	授课教师	授课地点	课程	授课教师	授课地点	课程	授课教师	授课地点	课程	授课教师	授课地点
第 1 ~ 5 周	1 ~ 2															
	3 ~ 4															
	5 ~ 6				航海英语	教师 D	课室 5	航海英语	教师 D	课室 5	航海英语	教师 D	课室 5			
	7 ~ 8															
第 6 周		电子海图显示与信息系统														
第 7 周		航线设计														
第 8 周		航线设计														
第 9 周		雷达操作与应用														
第 10 周		船舶操纵、避碰与驾驶台资源管理														
第 11 周		货物积载与系固														
第 12 周		航海仪器的使用														
第 13 周		航海仪器的使用														
第 14 周		航海英语听力与会话														
第 15 周		航海英语听力与会话														
第 16 周		毕业测试														
第 17 周		毕业测试														
第 18 周		毕业测试														
第 19 周		毕业测试														
备注		航海 1 班														

说明:理论安排 5 周,航海英语每周 6 节;整周实训安排 14 周,具体安排见 5.5.23 节。

表 5 – 63　航海技术 5/6 班课程表(第 6 学期)

周次	节次	星期一			星期二			星期三			星期四			星期五		
		课程	授课教师	授课地点	课程	授课教师	授课地点	课程	授课教师	授课地点	课程	授课教师	授课地点	课程	授课教师	授课地点
第 1 ~ 20 周		毕业顶岗实习														

表 5 – 64　航海技术专业实操教学安排表

学期	班级	人数	教学周																			
			1	2	3	4	5	6	7	8	9	10	11	12	13	14	15	16	17	18	19	20
第 1 学期	航海技术(1 班)	40																				
	航海技术(2 班)	40																				
	航海技术(3 班)	40																				
	航海技术(4 班)	40																				
	航海技术(5 班)	40																				

表 5 - 64(续 1)

学期	班级	人数	教学周																			
			1	2	3	4	5	6	7	8	9	10	11	12	13	14	15	16	17	18	19	20
	航海技术(6 班)	40																				
第 2 学期	航海技术(1 班)	40	基本安全(Z01)	基本安全(Z01)	基本安全(Z01)																	
	航海技术(2 班)	40	基本安全(Z01)	基本安全(Z01)	基本安全(Z01)																	
	航海技术(3 班)	40				基本安全(Z01)	基本安全(Z01)	基本安全(Z01)														
	航海技术(4 班)	40				基本安全(Z01)	基本安全(Z01)	基本安全(Z01)														
	航海技术(5 班)	40							基本安全(Z01)	基本安全(Z01)	基本安全(Z01)											
	航海技术(6 班)	40							基本安全(Z01)	基本安全(Z01)	基本安全(Z01)											

表 5－64(续 2)

学期	班级	人数	教学周																			
			1	2	3	4	5	6	7	8	9	10	11	12	13	14	15	16	17	18	19	20
第 3 学期	航海技术(1 班)	40															精通急救(Z05)	船舶保安意识与职责(Z07/Z08)	高级消防(Z04)	高级消防(Z04)	精通救生艇筏和救助艇(Z02)	
	航海技术(2 班)	40															精通急救(Z05)	船舶保安意识与职责(Z07/Z08)	高级消防(Z04)	高级消防(Z04)	精通救生艇筏和救助艇(Z02)	
	航海技术(3 班)	40															高级消防(Z04)	高级消防(Z04)	精通救生艇筏和救助艇(Z02)	船舶保安意识与职责(Z07/Z08)	精通急救(Z05)	
	航海技术(4 班)	40															高级消防(Z04)	高级消防(Z04)	精通救生艇筏和救助艇(Z02)	船舶保安意识与职责(Z07/Z08)	精通急救(Z05)	

表5－64(续3)

学期	班级	人数	教学周																			
			1	2	3	4	5	6	7	8	9	10	11	12	13	14	15	16	17	18	19	20
	航海技术(5班)	40															船舶保安意识与职责(Z07/Z08)	精通救生艇筏和救助艇(Z02)	精通急救(Z05)	高级消防(Z04)	高级消防(Z04)	
	航海技术(6班)	40															船舶保安意识与职责(Z07/Z08)	精通救生艇筏和救助艇(Z02)	精通急救(Z05)	高级消防(Z04)	高级消防(Z04)	
第4学期	航海技术(1班)	40															水手工艺与值班	水手工艺与值班	水手工艺与值班	水手工艺与值班	值班水手听力与会话	
	航海技术(2班)	40															水手工艺与值班	水手工艺与值班	水手工艺与值班	水手工艺与值班	值班水手听力与会话	

表 5 - 64(续 4)

学期	班级	人数	教学周																			
			1	2	3	4	5	6	7	8	9	10	11	12	13	14	15	16	17	18	19	20
	航海技术(3 班)	40											水手工艺与值班	水手工艺与值班	水手工艺与值班	水手工艺与值班	值班水手听力与会话					
	航海技术(4 班)	40											水手工艺与值班	水手工艺与值班	水手工艺与值班	水手工艺与值班	值班水手听力与会话					
	航海技术(5 班)	40							水手工艺与值班	水手工艺与值班	水手工艺与值班	水手工艺与值班	值班水手听力与会话									
	航海技术(6 班)	40							水手工艺与值班	水手工艺与值班	水手工艺与值班	水手工艺与值班	值班水手听力与会话									

表5－64(续5)

学期	班级	人数	教学周																			
			1	2	3	4	5	6	7	8	9	10	11	12	13	14	15	16	17	18	19	20
第5学期	航海技术(1班)	40						航线设计	航线设计	货物积载与系固	雷达操作与应用	航海仪器的使用	航海仪器的使用	电子海图显示与信息系统	船舶操纵、避碰与驾驶台资源管理	航海英语听力与会话	航海英语听力与会话	毕业测试	毕业测试	毕业测试	毕业测试	
	航海技术(2班)	40						航海仪器的使用	航海仪器的使用	航线设计	航线设计	雷达操作与应用	电子海图显示与信息系统	航海英语听力与会话	航海英语听力与会话	船舶操纵、避碰与驾驶台资源管理	货物积载与系固	毕业测试	毕业测试	毕业测试	毕业测试	
	航海技术(3班)	40	航线设计	航线设计	货物积载与系固	航海仪器的使用	航海仪器的使用	雷达操作与应用	电子海图显示与信息系统	船舶操纵、避碰与驾驶台资源管理	航海英语听力与会话	航海英语听力与会话						毕业测试	毕业测试	毕业测试	毕业测试	

表5-64(续6)

学期	班级	人数	教学周																			
			1	2	3	4	5	6	7	8	9	10	11	12	13	14	15	16	17	18	19	20
第5学期	航海技术(4班)	40	航海仪器的使用	航海仪器的使用	航线设计	航线设计	雷达操作与应用	电子海图显示与信息系统	航海英语听力与会话	航海英语听力与会话	货物积载与系固	船舶操纵、避碰与驾驶台资源管理						毕业测试	毕业测试	毕业测试	毕业测试	
	航海技术(5班)	40						货物积载与系固	雷达操作与应用	航海仪器的使用	航海仪器的使用	航海英语听力与会话	航海英语听力与会话	航线设计	航线设计	电子海图显示与信息系统	船舶操纵、避碰与驾驶台资源管理	毕业测试	毕业测试	毕业测试	毕业测试	
	航海技术(6班)	40						航海英语听力与会话	航海英语听力与会话	电子海图显示与信息系统	船舶操纵、避碰与驾驶台资源管理	货物积载与系固	雷达操作与应用	航海仪器的使用	航海仪器的使用	航线设计	航线设计	毕业测试	毕业测试	毕业测试	毕业测试	

表5-64(续7)

学期	班级	人数	教学周																			
			1	2	3	4	5	6	7	8	9	10	11	12	13	14	15	16	17	18	19	20
第6学期	航海技术(1班)	40	毕业顶岗实习	毕业顶岗实习	毕业顶岗实习	毕业顶岗实习	毕业顶岗实习	毕业顶岗实习	毕业顶岗实习	毕业顶岗实习	毕业顶岗实习	毕业顶岗实习	毕业顶岗实习	毕业顶岗实习	毕业顶岗实习	毕业顶岗实习	毕业顶岗实习	毕业顶岗实习	毕业顶岗实习	毕业顶岗实习	毕业顶岗实习	毕业顶岗实习
	航海技术(2班)	40	毕业顶岗实习	毕业顶岗实习	毕业顶岗实习	毕业顶岗实习	毕业顶岗实习	毕业顶岗实习	毕业顶岗实习	毕业顶岗实习	毕业顶岗实习	毕业顶岗实习	毕业顶岗实习	毕业顶岗实习	毕业顶岗实习	毕业顶岗实习	毕业顶岗实习	毕业顶岗实习	毕业顶岗实习	毕业顶岗实习	毕业顶岗实习	毕业顶岗实习
	航海技术(3班)	40	毕业顶岗实习	毕业顶岗实习	毕业顶岗实习	毕业顶岗实习	毕业顶岗实习	毕业顶岗实习	毕业顶岗实习	毕业顶岗实习	毕业顶岗实习	毕业顶岗实习	毕业顶岗实习	毕业顶岗实习	毕业顶岗实习	毕业顶岗实习	毕业顶岗实习	毕业顶岗实习	毕业顶岗实习	毕业顶岗实习	毕业顶岗实习	毕业顶岗实习
	航海技术(4班)	40	毕业顶岗实习	毕业顶岗实习	毕业顶岗实习	毕业顶岗实习	毕业顶岗实习	毕业顶岗实习	毕业顶岗实习	毕业顶岗实习	毕业顶岗实习	毕业顶岗实习	毕业顶岗实习	毕业顶岗实习	毕业顶岗实习	毕业顶岗实习	毕业顶岗实习	毕业顶岗实习	毕业顶岗实习	毕业顶岗实习	毕业顶岗实习	毕业顶岗实习
	航海技术(5班)	40	毕业顶岗实习	毕业顶岗实习	毕业顶岗实习	毕业顶岗实习	毕业顶岗实习	毕业顶岗实习	毕业顶岗实习	毕业顶岗实习	毕业顶岗实习	毕业顶岗实习	毕业顶岗实习	毕业顶岗实习	毕业顶岗实习	毕业顶岗实习	毕业顶岗实习	毕业顶岗实习	毕业顶岗实习	毕业顶岗实习	毕业顶岗实习	毕业顶岗实习
	航海技术(6班)	40	毕业顶岗实习	毕业顶岗实习	毕业顶岗实习	毕业顶岗实习	毕业顶岗实习	毕业顶岗实习	毕业顶岗实习	毕业顶岗实习	毕业顶岗实习	毕业顶岗实习	毕业顶岗实习	毕业顶岗实习	毕业顶岗实习	毕业顶岗实习	毕业顶岗实习	毕业顶岗实习	毕业顶岗实习	毕业顶岗实习	毕业顶岗实习	毕业顶岗实习

备注:此表为整周的课程实操安排表。

5.6　模拟器培训论证材料

5.6.1　模拟器训练方案

1. 训练目标

通过本适任评估训练项目,使被评估者达到《中华人民共和国海船船员适任评估大纲和规范(三副)》《海船船员(船长和高级船员)适任证书模拟器培训大纲(2016 版)》(以下简称《培训大纲》)对船员所规定的实操、实作技能要求,满足国家海事局签发船员适任证书的必备条件。

2. 训练时间

三副训练不少于 28 学时。

3. 训练方式

以理论授课与现场教学相结合的方式进行,包括 PPT 演示、分组训练。

4. 教员要求

船舶操纵、避碰与驾驶台资源管理教员中至少 1 名为相应航区等级的船长,并且每台本船船舶操纵模拟器至少有 1 名教员、主控台有 1 名教员。

5. 训练设施设备

训练设施设备包括航海模拟器 2 套。

6. 训练内容及学时(表 5 - 65)

表 5 - 65　航海技术专业(三副)模拟器训练方案训练内容及学时

训练内容	学时
1 开阔水域中船舶航行与值班	3
1.1 航线设计	
1.1.1 纸质海图航线设计	
1.1.2 电子海图航线设计	
1.2 定速航行	
1.2.1 正常情况时的定速航行	
1.3 航行值班	
1.3.1 一般情况时的航行值班	
1.3.2 能见度不良时的航行值班	
1.4 船舶避碰	
1.4.1 互见时的船舶避碰	
1.4.2 能见度不良时的船舶避碰	
2 狭水道中船舶航行与值班	3
2.1.1 船舶方面的准备	
2.2 船速控制	

表 5－65(续 1)

训练内容	学时
2.2.1 各种情况下的船速控制	
2.3 航行值班	
2.3.1 一般情况时的航行值班	
2.3.2 拥挤水域时的航行值班	
2.4 VTS 控制水域的航行与避碰	
2.4.1 报告制度	
2.4.2 交通管制时的航行与避碰	
3 船舶港内航行与锚泊操纵	6
3.1 港内航行	
3.1.1 港内航行的准备	
3.1.2 履行港内航行(港章)	
3.3 紧急情况的处理	
3.3.1 船舶避碰时的紧急情况	
3.4 报告与通信	
3.4.1 一般情况时的报告与通信	
3.4.2 异常情况时的报告与通信	
4 船舶进出港与靠离泊操纵	6
4.1 进出港准备	
4.1.1 进港准备	
4.1.2 出港准备	
4.2 船速控制	
4.2.1 进港时的船速控制	
4.2.2 出港时的船速控制	
4.3 航行值班	
4.3.1 进港时的航行值班	
4.3.2 出港时的航行值班	
4.4 VTS 控制水域的航行与避碰	
4.4.1 报告制度	
4.4.2 交通管制时的航行与避碰	
5 应急操纵与处置	6
5.1 人员落水	
5.1.1 开阔水域人员落水时的处置与操纵	
5.5 导航设备失效	
5.5.1 雷达故障	

表5－65(续2)

训练内容	学时
5.5.2 电罗经故障	
5.6 驾驶台资源管理(BRM)	4
5.6.1 驾驶台资源管理的理念	
5.6.2 驾驶台资源管理的运用	
总学时	28

7.训练教材

(1)《SMU型船舶操纵模拟器操作指导书》;

(2)《船舶操纵、避碰与驾驶台资源管理课程标准》(自编讲义);

(3)《船舶操纵、避碰与驾驶台资源管理评估模拟器训练指导书》(自编讲义);

(4)中华人民共和国海船船员模拟器知识更新培训教材《航海模拟器》。

5.6.2　模拟器训练标准要求的测试报告

模拟器训练标准要求的测试报告见表5－66。

表5－66　模拟器训练标准要求的测试报告

论证项目	航海模拟器		
培训课程(项目)	航海技术专业(三副)培训课程		
编制人员			
论证人员		论证时间	

论证内容

一、航海模拟器性能

该单位船舶操纵航海模拟器实验室于2008年11月正式建成并投入使用,面积约200 m^2。2016年11月新建了大型船舶操纵模拟器实验室,面积400 m^2,仪器设备总值400万人民币,主要设备为上海海事大学设计开发的全任务船舶操纵模拟器。该型号模拟器不论在软件功能、硬件工艺,还是在整体可靠性方面目前均处于世界领先地位,在驾驶台设计、模拟功能、船舶数学模型、3D视景技术等方面反映了航海技术的最新进展,整体技术指标满足或超过了国际海事组织和中国海事主管当局关于船舶操纵模拟器最新技术规范的要求。实验室的装修和布置力求与实船环境相一致,系统的性能指标完全满足STCW公约马尼拉修正案对航海模拟器的要求,满足海船船员航海评估的要求。

二、该单位航海模拟器培训教材

1.《SMU型船舶操纵模拟器操作指导书》;

2.《船舶操纵、避碰与驾驶台资源管理课程标准》(自编讲义);

3.《船舶操纵、避碰与驾驶台资源管理评估模拟器训练指导书》(自编讲义);

4.中华人民共和国海船船员模拟器知识更新培训教材《航海模拟器》。

表5-66(续1)

三、国家海事局航海模拟器性能标准要求
1. 每台本船不超过4人。
(1)三副适任培训至少5台本船，其中1台本船水平视景不小于180°投影，其他本船水平视景不小于120°，且具有三维实景漫游及望远镜功能；
(2)船长和大副适任培训至少5台本船，其中1台本船模拟器水平视景主本船不小于180°投影，其他本船水平视景不低于120°，且具有三维实景漫游及望远镜功能(不能和三副适任培训兼用)。
2. 模拟器性能应满足：
(1)可模拟至少6种船型的航行和操纵性能，包括车、侧推器、舵、锚、拖轮和缆绳等的使用；
(2)可实时模拟航行环境，包括风、浪、流、浅水效应、岸壁效应、船吸和船推效应、外界运动和固定物标、码头、海岸等；
(3)具有船舶驾驶台所需的各种航行、定位和通信设备，包括雷达、无线电定位设施、电子海图系统、操舵仪、车钟、雾号、海图及海图桌、绘图工具、测深仪、计程仪、VHF无线电话、航海图书资料、航海日志以及其他必要设施和设备；
(4)每台本船配备1张海图桌、1套海图作业工具、1套航线设计资料、1套训练用海图(与船舶操纵模拟器练习题的电子海图配套)、1套驾驶台视听监控设备、1套船内通信电话；
(5)至少配1个控制室，配备讨论桌和椅、投影仪及电动幕、本船控制设备、监控设备、打印设备。
论证情况：该单位航海模拟器培训教材和模拟器性能满足国家规定的大纲及模拟器性能标准要求。
论证结论：该单位航海模拟器培训教材和模拟器性能满足国家规定的大纲及模拟器性能标准要求。
四、培训内容和课时
论证情况：该单位航海模拟器完全能够胜任《培训大纲》对航海模拟器培训内容和课时的要求，满足《培训大纲》的规定。
论证结论：该单位航海模拟器能够满足《培训大纲》对航海模拟器培训内容和课时的要求。
五、培训方式
模拟器操作教学、PPT演示等。
论证情况：培训内容的实操教学安排合理，培训方式有效，满足《培训大纲》要求。
该单位制定了培训计划，对《培训大纲》要求的内容进行了充分详细的安排，采用多媒体演示教学与模拟器操作教学，各个环节设计合理，能确保学员完成“航海模拟器培训内容”的培训。
六、培训配置
由持有甲类船长证书的教员××、教员××、教员××、教员××、教员××等授课，教学经验丰富、教学能力强，满足该单位各吨位级别培训规模的师资要求。
论证情况：经查阅该单位提供的上述师资资料，教师具备船员培训管理规则规定的任课条件，满足该单位开展航海模拟器培训的师资要求。
论证结论：该单位培训师资满足培训规模需要，教学能力可胜任既定的培训目标。
七、制度保障
论证情况：建立了完善的船员培训管理制度、安全防护制度及符合交通运输部规定的船员培训质量控制体系。
论证结论：该单位的制度保障在符合性方面，能达到规定的培训标准和规模要求。
论证和测试总结论：
1. 通过测试，航海技术专业(三副)课程模拟器训练实操方案在模拟器上能满足模拟器训练标准的要求。
2. 该单位船舶操纵模拟器能够胜任《中华人民共和国海船船员适任评估大纲和规范(三副)》对“航海技术专业(三副)”船舶操纵模拟器培训内容和课时的要求，满足《培训大纲》的规定。

表 5 －66(续 2)

3. 制定了培训方案,对《培训大纲》要求的内容进行了充分详细的安排,采用模拟器操作教学,各个环节设计合理,该方案是可行的,能确保学员完成“船舶操纵模拟器培训内容”的培训,达到航海技术专业(三副)培训目标的要求。
4. 培训公司建立和采用了船员教育和船员培训质量体系,并制定了《航海技术专业(三副)课程模拟器训练实操方案实际操作指导书》《船舶操纵模拟器实训室管理制度》《船舶操纵模拟器实训室使用须知》《船舶操纵模拟器实训室学员实训须知》《实践教学管理规定》《学员考勤制度》等,在管理制度上,确保了培训的有效开展,制度保障满足模拟器训练标准的最低要求,能达到规定的培训标准和训练规模的要求。
该航海技术专业(三副)课程模拟器训练实操方案满足模拟器训练标准的要求。

组长:
成员:
年　月　日

5.7　培训课程论证

5.7.1　培训课程论证情况表

1. 航海学(地文、天文)(表 5 －67)

表 5 －67　航海学(地文、天文)培训课程论证情况表

培训课程(项目)	航海学(地文、天文)		
编制人员			
论证人员		论证时间	

培训内容
通过对该课程以下各模块的培训进行论证:
本课程培训内容对应《培训大纲》的 1.1.1 天文航海、1.1.2 地文航海和沿海航行、1.2.3 船舶定线制、1.2.5 船舶报告制各项规定。具体培训内容可见本书航海学(地文、天文)课程教学大纲。
课程采用 2012 年版人民交通出版社、大连海事大学出版社出版的《航海学(地文、天文和仪器)》教材。
结论:培训内容、培训教材符合大纲和水上交通安全、防治船舶污染的要求。

培训课时
《培训大纲》规定的培训课时为 82 学时,其中理论 74 学时,实际操作 8 学时。
本课程计划培训 82 学时,其中理论 74 学时,实操 8 学时(详细安排见本书《航海学(地文、天文)课程教学大纲》)。
结论:培训课时和实操课时安排合理,达到《培训大纲》的要求,能确保培训教学质量达到的适任要求。

表5-67(续1)

培训方式

培训方式目前采用理论与实操相结合,理论集中进行培训方式为主,实操训练在课室、海图室、教学楼顶等进行培训,理论教学在多媒体教室进行,采用PPT、影像资料、教学卡片等培训方式进行教学;实操以实验室教学、现场教学、先示范后训练的培训方式进行教学,能确保教学质量。

结论:培训方式科学、有效,完成课程后能达到规定的适任标准。

教学人员

一、师资要求

根据《〈中华人民共和国船员培训管理规则〉实施办法》中对三副教学人员的要求,教员需满足下列条件:

姓名	学历	专业	所持证书	教学资历/月	船上资历/月	教学科目	备注(注明自有/兼职)
教员三	研究生	航海技术	甲类三副、讲师	18	18	航海英语听力与会话/航海英语/航海学/电子海图/航线设计/船舶结构与货运/货物积载与系固	自有/已通过航海学(气象)、航海英语(操作级)师资培训
教员一	研究生	航海技术	教师资格证、甲类船长、副教授	60	128	船舶操纵与避碰/船舶操纵、避碰与驾驶台资源管理/驾驶台资源管理/航海英语听力与会话/航海英语/航海气象与海洋学/航海学/航线设计	自有/驾驶台资源管理师资、航海英语师资、值班水手业务
教员五	中专	航海技术	甲类船长、高级船长	66	208	航海学、电子海图/航线设计/船舶操纵、避碰与驾驶台资源管理/驾驶台资源管理	自有/高级船长、通过驾驶台资源管理师资培训
教员四	本科	船舶驾驶	教师资格证、甲类大副	56	96	航海英语听力与会话/船舶操纵与避碰/航海英语/船舶管理/船舶结构与货运/货物积载与系固/航海仪器的使用/航海气象与海洋学/电子海图/值班水手业务/航海学	自有/已通过船舶管理、船舶避碰、航海气象与海洋学、海上货物运输、航海英语、ECDIS师资、值班水手业务培训

表5-67(续2)

姓名	学历	专业	所持证书	教学资历/月	船上资历/月	教学科目	备注(注明自有、兼职)
教员十五	研究生	船舶驾驶	甲类三副	18	24	航海学/船舶管理/船舶结构与货运/雷达操作与应用/货物积载与系固/航海仪器的使用	自有/新增
教员八	本科	航海技术	教师资格证、甲类船长	36	180	船舶管理/船舶结构与货运/货物积载与系固/船舶操纵、避碰与驾驶台资源管理/驾驶台资源管理/船舶操纵与避碰/值班水手业务/航海学	自有/已通过船舶结构与货运、船舶管理和航海英语听力与会话师资、值班水手业务培训,具有不少于2年的相应航区等级三副及以上任职资历,且具有不少于1年的教学经验

(1)具有不少于2年的相应航区等级三副及以上任职资历,且具有不少于1年的教学经验。

(2)具有不少于1年的相应航区等级三副及以上任职资历,具有中级及以上职称的专业教师。

二、培训师资论证结论

目前配备3名教员,均满足船员培训管理规则关于师资的规定,全部为自有教员,教学人员80%通过中华人民共和国海事局组织的师资考试。

结论:师资符合《中华人民共和国船员培训管理规则》教学人员的要求,能满足公司目前培训规模(40人/班×6班)的培训教学要求。

资源保障

1. 目前配备教学管理人员23人,能保障教学与培训日常教学管理。

2. 根据《中华人民共和国船员培训管理规则》对课程要求配备了规定的场地、设施及设备,保障课程开展教学与培训所需的场地、设施及设备。

3. 按要求建立了船员教育和培训质量体系,并建立相关规章制度和应急预案,保障课程培训安全及培训教学的正常开展。

4. 制订完善的培训计划、教学大纲和详细教学方案,确保培训的教学质量。

5. 具备教学大纲和详细教学方案。

结论:资源保障科学、有效,完成课程后能达到规定的适任标准。

表5-67(续3)

通过对该课程以上资源的论证,该课程培训采用的培训教材和培训内容满足《培训大纲》和水上交通安全、防治船舶污染的要求;教学人员的数量满足培训规模的需要,教学能力能胜任课程的培训目标;培训内容的理论和实操学时安排合理,符合《培训大纲》的相应要求;培训采用的培训方式合理,资源保障科学、有效,完成课程后能达到课程规定的适任标准,资源保障满足要求。

组长:
年　月　日

对课程论证报告中提及的改进措施及完成日期:

培训机构负责人签名:__________

年　月　日

注:1.论证报告应包括对课程确认各个方面进行具体评价,并对每一方面的符合性分别出具结论,可另附页。
2.论证人员不少于3人,人员资格应附表说明。

2.毕业顶岗实习(船上)(表5-68)

表5-68　毕业顶岗实习(船上)培训课程论证情况表

培训课程(项目)	毕业顶岗实习(船上)		
编制人员			
论证人员		论证时间	

培训内容
通过对该课程以下各模块的培训进行论证:
本课程培训内容对应《培训大纲》的1.1.1天文航海、1.1.2地文航海和沿海航行、1.1.3海图和航海图书资料、1.1.7罗经差测定、1.1.9气象学培训要求的培训内容。具体培训内容可见本书毕业顶岗实习(船上)课程教学大纲。
课程采用2012年版人民交通出版社、大连海事大学出版社出版的《航海学(地文、天文和仪器)》、2018年版大连海事大学出版社出版的《航海仪器》以及自编的《顶岗实习指导书》等教材。
结论:培训内容、培训教材符合大纲和水上交通安全、防治船舶污染的要求。

培训课时
《培训大纲》规定的培训课时为48学时,其中理论0学时,实际操作48学时。
本课程计划培训49学时,其中理论0学时,实操49学时(详细安排见本书《毕业顶岗实习(船上)课程教学大纲》)。
结论:培训课时和实操课时安排合理,达到《培训大纲》的要求,能确保培训教学质量达到的适任要求。

表 5 - 68(续 1)

培训方式

培训方式目前采用实操教学方式,利用第 6 学期学生在船上顶岗实习等进行培训,实操以现场教学、先示范后训练的培训方式进行教学,能确保教学质量。

结论:培训方式科学、有效,完成课程后能达到规定的适任标准。

教学人员

一、师资要求

根据《〈中华人民共和国船员培训管理规则〉实施办法》中三副教学人员的要求,教员需满足下列条件:

(1)具有不少于 2 年的相应航区等级三副及以上任职资历,且具有不少于 1 年的教学经验。

(2)具有不少于 1 年的相应航区等级三副及以上任职资历,具有中级及以上职称的专业教师。

(3)航海气象与海洋学、船舶结构与货运、航海仪器教员应满足以下条件之一:

①具有相关专业本科及以上学历,海上资历不少于 6 个月并具有中级及以上职称的专业教师。

②具有大专以上学历,不少于 1 年的相应航区等级大副及以上任职资历,且具有不少于 1 年的教学经验。

姓名	学历	专业	所持证书	教学资历/月	船上资历/月	教学科目	备注(注明自有、兼职)
教员三	研究生	航海技术	甲类三副、讲师	18	18	航海英语听力与会话/航海英语/航海学/电子海图/航线设计/船舶结构与货运 /货物积载与系固	自有/已通过航海学(气象)、航海英语(操作级)师资培训
教员五	中专	航海技术	甲类船长、高级船长	66	208	航海学/电子海图/航线设计/船舶操纵、避碰与驾驶台资源管理/驾驶台资源管理	自有/高级船长、通过驾驶台资源管理师资培训
教员十五	研究生	船舶驾驶	甲类三副	18	24	航海学/船舶管理/船舶结构与货运/雷达操作与应用/货物积载与系固/航海仪器的使用	自有/新增
教员一	研究生	航海技术	教师资格证、甲类船长、副教授	60	128	船舶操纵与避碰/船舶操纵、避碰与驾驶台资源管理/驾驶台资源管理/航海英语听力与会话/航海英语/航海气象与海洋学/航线设计	自有/驾驶台资源管理师资、航海英语师资

表5-68(续2)

姓名	学历	专业	所持证书	教学资历/月	船上资历/月	教学科目	备注(注明自有、兼职)
教员二	本科	船舶驾驶	教师资格证、船员服务簿	186	15	船舶结构与货运/航海气象与海洋学/航海仪器/航海仪器的使用/电子海图	自有/ECDIS 师资培训
教员七	本科	航海技术	教师资格证、GMDSS、副教授	126	72	船舶操纵、避碰与驾驶台资源管理/驾驶台资源管理/船舶结构与货运/航海气象与海洋学/航海仪器	自有/通过驾驶台资源管理师资培训

二、培训师资论证结论

目前配备6名教员,均满足船员培训管理规则关于师资的规定,全部为自有教员,教学人员80%通过中华人民共和国海事局组织的师资考试。

结论:师资符合《中华人民共和国船员培训管理规则》教学人员的要求,能满足公司目前培训规模(40人/班×6班)的培训教学要求。

资源保障

1. 目前配备教学管理人员23人,能保障教学与培训日常教学管理。

2. 根据《中华人民共和国船员培训管理规则》对课程要求配备了规定的场地、设施及设备,保障课程开展教学与培训所需的场地、设施及设备。

3. 按要求建立了船员教育和培训质量体系,并建立相关规章制度和应急预案,保障课程培训安全及培训教学的正常开展。

4. 制订完善的培训计划、教学大纲和详细教学方案,确保培训的教学质量。

5. 具备教学大纲和详细教学方案。

结论:资源保障科学、有效,完成课程后能达到规定的适任标准。

通过对该课程以上资源的论证,该课程培训采用的培训教材和培训内容满足《培训大纲》和水上交通安全、防治船舶污染的要求;教学人员的数量满足培训规模的需要,教学能力能胜任课程的培训目标;培训内容的理论和实操学时安排合理,符合《培训大纲》的相应要求;培训采用的培训方式合理,资源保障科学、有效,完成课程后能达到课程规定的适任标准,资源保障满足要求。

组长:

年　月　日

表 5 - 68(续 3)

对课程论证报告中提及的改进措施及完成日期：

培训机构负责人签名：

年　月　日

注:1. 论证报告应包括对课程确认各个方面进行具体评价,并对每一方面的符合性分别出具结论,可另附页。
2. 论证人员不少于 3 人,人员资格应附表说明。

3. 航线设计(表 5 - 69)

表 5 - 69　航线设计培训课程论证情况表

培训课程(项目)	航线设计		
编制人员			
论证人员		论证时间	

培训内容
通过对该课程以下各模块的培训进行论证：
本课程培训内容对应《培训大纲》的 1.1.2 地文航海和沿海航行、1.1.3 海图和航海图书资料各项规定。具体培训内容可见本书《航线设计课程教学大纲》。
课程采用 2012 年版人民交通出版社、大连海事大学出版社出版的《航海学(地文、天文和仪器)》、自编《航线设计指导书》等教材。
结论:培训内容、培训教材符合大纲和水上交通安全、防治船舶污染的要求。

培训课时
《培训大纲》规定的培训课时为 64 学时,其中理论 28 学时,实际操作 36 学时。
本课程计划培训 64 学时,其中理论 28 学时,实际操作 36 学时(详细安排见 5.5.3《航线设计课程教学大纲》)。
结论:培训课时和实操课时安排合理,达到《培训大纲》的要求,能确保培训教学质量达到的适任要求。

培训方式
培训方式目前采用理论与实操相结合,理论集中进行的培训方式为主,实操训练在课室、海图室等进行,理论教学在多媒体教室进行,采用 PPT、影像资料、教学卡片等培训方式进行教学;实操以实验室教学、现场教学、先示范后训练的培训方式进行教学,能确保教学质量。
结论:培训方式科学、有效,完成课程后能达到规定的适任标准。

表 5-69(续 1)

教学人员

一、师资要求

根据《〈中华人民共和国船员培训管理规则〉实施办法》中三副教学人员的要求,教员需满足下列条件:

(1)具有不少于 2 年的相应航区等级三副及以上任职资历,且具有不少于 1 年的教学经验。

(2)具有不少于 1 年的相应航区等级三副及以上任职资历,具有中级及以上职称的专业教师。

姓名	学历	专业	所持证书	教学资历/月	船上资历/月	教学科目	备注(注明自有、兼职)
教员三	研究生	航海技术	甲类三副、讲师	18	18	航海英语听力与会话/航海英语/航海学/电子海图/航线设计/船舶结构与货运 /货物积载与系固	自有/已通过航海学(气象)、航海英语(操作级)师资培训
教员五	中专	航海技术	甲类船长、高级船长	66	208	航海学/电子海图/航线设计/船舶操纵、避碰与驾驶台资源管理/驾驶台资源管理	自有/高级船长,已通过驾驶台资源管理师资培训
教员十五	研究生	船舶驾驶	甲类三副	18	24	航海学/船舶管理/船舶结构与货运/雷达操作与应用/货物积载与系固/航海仪器的使用	自有/新增
教员一	研究生	航海技术	教师资格证、甲类船长、副教授	60	128	船舶操纵与避碰/船舶操纵、避碰与驾驶台资源管理/驾驶台资源管理/航海英语听力与会话/航海英语/航海气象与海洋学/航线设计	自有/驾驶台资源管理师资、航海英语师资

二、培训师资论证结论

目前配备 4 名教员,均满足船员培训管理规则关于师资的规定,全部为自有教员,教学人员 80% 通过中华人民共和国海事局组织的师资考试。

结论:师资符合《中华人民共和国船员培训管理规则》教学人员的要求,能满足公司目前培训规模(40 人/班 ×6 班)的培训教学要求。

表 5 – 69(续 2)

资源保障

1. 目前配备教学管理人员 23 人,能保障教学与培训日常教学管理。

2. 根据《中华人民共和国船员培训管理规则》对课程要求配备了规定的场地、设施及设备,保障课程开展教学与培训所需的场地、设施及设备。

3. 按要求建立了船员教育和培训质量体系,并建立相关规章制度和应急预案,保障课程培训安全及培训教学的正常开展。

4. 制定完善的培训计划、教学大纲和详细教学方案,确保培训的教学质量。

5. 具备教学大纲和详细教学方案。

结论:资源保障科学、有效,完成课程后能达到规定的适任标准。

通过对该课程以上资源的论证,该课程培训采用的培训教材和培训内容满足《培训大纲》和水上交通安全、防治船舶污染的要求;教学人员的数量满足培训规模的需要,教学能力能胜任课程的培训目标;培训内容的理论和实操学时安排合理,符合《培训大纲》的相应要求;培训采用的培训方式合理,资源保障科学、有效,完成课程后能达到课程规定的适任标准,资源保障满足要求。

组长:

年　月　日

对课程论证报告中提及的改进措施及完成日期:

培训机构负责人签名:

年　月　日

注:1. 论证报告应包括对课程确认各个方面进行具体评价,并对每一方面的符合性分别出具结论,可另附页。

2. 论证人员不少于 3 人,人员资格应附表说明。

4. 航海学(仪器)(表 5 – 70)

表 5 – 70　航海学(仪器)培训课程论证情况表

培训课程(项目)	航海学(仪器)		
编制人员			
论证人员		论证时间	

培训内容

通过对该课程以下各模块的培训进行论证:

本课程培训内容对应《培训大纲》的 1.1.4 电子定位和导航系统、1.1.6 磁罗经和陀螺罗经原理的知识、

表 5-70(续 1)

1.2.4 使用来自导航设备的信息保持安全航行值班、1.2.7 雷达导航各项规定。具体培训内容可见本书《航海学(仪器)课程教学大纲》。
课程采用 2012 年版人民交通出版社、大连海事大学出版社出版的《航海学(地文、天文和仪器)》、2018 年版大连海事大学出版社出版的《航海仪器》等教材。
结论:培训内容、培训教材符合大纲和水上交通安全、防治船舶污染的要求。

培训课时
《培训大纲》规定的培训课时为 48 学时,其中理论 48 学时,实际操作 0 学时。
本课程计划培训 48 学时,其中理论 48 学时,实际操作 0 学时(详细安排见本书《航海学(仪器)课程教学大纲》)。
结论:培训课时和实操课时安排合理,达到《培训大纲》的要求,能确保培训教学质量达到的适任要求。

培训方式
培训方式目前采用理论教学,理论教学采用 PPT、影像资料、教学卡片等培训方式在课室、航海仪器室进行教学做一体化教学,确保教学质量。
结论:培训方式科学、有效,完成课程后能达到规定的适任标准。

教学人员
一、师资要求
根据《〈中华人民共和国船员培训管理规则〉实施办法》中三副教学人员的要求,教员需满足下列条件:
(1)具有相关专业本科及以上学历,海上资历不少于 6 个月并具有中级及以上职称的专业教师;
(2)具有大专以上学历,不少于 1 年的相应航区等级大副及以上任职资历,且具有不少于 1 年的教学经验。

姓名	学历	专业	所持证书	教学资历/月	船上资历/月	教学科目	备注(注明自有、兼职)
教员三	研究生	航海技术	甲类三副、讲师	18	18	航海英语听力与会话/航海英语/航海学/电子海图/航线设计/船舶结构与货运/货物积载与系固	自有/已通过航海学(气象)、航海英语(操作级)师资培训
教员二	本科	船舶驾驶	教师资格证、船员服务簿	186	15	船舶结构与货运/航海气象与海洋学/航海仪器/航海仪器的使用/电子海图	自有/已通过 ECDIS 师资培训
教员十五	研究生	船舶驾驶	甲类三副	18	24	航海学/船舶管理/船舶结构与货运/雷达操作与应用/货物积载与系固/航海仪器的使用	自有/新增

表5-70(续2)

姓名	学历	专业	所持证书	教学资历/月	船上资历/月	教学科目	备注(注明自有、兼职)
教员十二	本科	船舶驾驶	教师资格证、副教授	144	29	船舶结构与货运/航海气象与海洋学/航海仪器/航海仪器的使用/电子海图	自有/已通过ECDIS师资培训
教员十三	专科	船舶驾驶	教师资格证、教授GMDSSS	242	14	船舶结构与货运/航海气象与海洋学/航海仪器/航海仪器的使用/电子海图	自有/已通过ECDIS师资培训
教员十六	本科	船舶驾驶	教师资格证、副教授	144	24	船舶结构与货运/航海气象与海洋学/航海仪器/航海仪器的使用/电子海图/雷达操作与应用//货物积载与系固/基本安全	自有/已通过ECDIS师资培训

二、培训师资论证结论

目前配备6名教员,均满足船员培训管理规则关于师资的规定,全部为自有教员,教学人员80%通过中华人民共和国海事局组织的师资考试。

结论:师资符合《中华人民共和国船员培训管理规则》教学人员的要求,能满足公司目前培训规模(40人/班×6班)的培训教学要求。

资源保障

1.目前配备教学管理人员23人,能保障教学与培训日常教学管理。

2.根据《中华人民共和国船员培训管理规则》对课程要求配备了规定的场地、设施及设备,保障课程开展教学与培训所需的场地、设施及设备。

3.按要求建立了船员教育和培训质量体系,并建立相关规章制度和应急预案,保障课程培训安全及培训教学的正常开展。

4.制订完善的培训计划、教学大纲和详细教学方案,确保培训的教学质量。

5.具备教学大纲和详细教学方案。

结论:资源保障科学、有效,完成课程后能达到规定的适任标准。

通过对该课程以上资源的论证,该课程培训采用的培训教材和培训内容满足《培训大纲》和水上交通安全、防治船舶污染的要求;教学人员的数量满足培训规模的需要,教学能力能胜任课程的培训目标;培训内容的理论和实操学时安排合理,符合《培训大纲》的相应要求;培训采用的培训方式合理,资源保障科学、有效,完成课程后能达到课程规定的适任标准,资源保障满足要求。

组长:

年　月　日

表5－70(续3)

对课程论证报告中提及的改进措施及完成日期： 培训机构负责人签名： 年　月　日

注:1.论证报告应包括对课程确认各个方面进行具体评价,并对每一方面的符合性分别出具结论,可另附页。
2.论证人员不少于3人,人员资格应附表说明。

5.航海仪器的使用(表5－71)

表5－71　航海仪器的使用培训课程论证情况表

培训课程(项目)	航海仪器的使用		
编制人员			
论证人员		论证时间	
培训内容 通过对该课程以下各模块的培训进行论证： 本课程培训内容对应《培训大纲》的1.1.4电子定位和导航系统、1.1.5回声测深仪、1.1.6磁罗经和陀螺罗经原理的知识、1.1.7罗经差测定、1.2.4使用来自导航设备的信息保持安全航行值班、1.2.7雷达导航各项规定。具体培训内容可见本书《航海仪器的使用课程教学大纲》。 课程采用2012年版人民交通出版社、大连海事大学出版社出版的《航海学(地文、天文和仪器)》、2018年版大连海事大学出版社出版的《航海仪器》《航海仪器操作与维护》等教材。 结论:培训内容、培训教材符合大纲和水上交通安全、防治船舶污染的要求。			
培训课时 《培训大纲》规定的培训课时为80学时,其中理论48学时,实际操作32学时。 本课程计划培训80学时,其中理论48学时,实际操作32学时(详细安排见本书《航海仪器的使用课程教学大纲》)。 结论:培训课时和实操课时安排合理,达到《培训大纲》的要求,能确保培训教学质量达到的适任要求。			
培训方式 培训方式目前采用理论与实操相结合,理论集中进行培训方式为主,实操训练在课室、航海仪器实训室、教学楼顶等进行,理论教学在多媒体教室进行,采用PPT、影像资料、教学卡片等培训方式进行教学;实操以实验室教学、现场教学、先示范后训练分组进行的培训方式进行教学,能确保教学质量。 结论:培训方式科学、有效,完成课程后能达到规定的适任标准。			

表5－71(续1)

教学人员

一、师资要求

根据《〈中华人民共和国船员培训管理规则〉实施办法》中三副教学人员的要求，教员需满足下列条件：

(1)具有相关专业本科及以上学历，海上资历不少于6个月并具有中级及以上职称的专业教师；

(2)具有大专以上学历，不少于1年的相应航区等级大副及以上任职资历，且具有不少于1年的教学经验。

姓名	学历	专业	所持证书	教学资历/月	船上资历/月	教学科目	备注(注明自有、兼职)
教员四	本科	船舶驾驶	教师资格证、甲类大副	56	96	航海英语听力与会话/船舶操纵与避碰/航海英语/船舶管理/船舶结构与货运/货物积载与系固/航海仪器的使用/航海气象与海洋学	自有/已通过船舶管理、船舶避碰、航海气象与海洋学、海上货物运输、航海英语、ECDIS师资培训
教员二	本科	船舶驾驶	教师资格证、船员服务簿	186	15	船舶结构与货运/航海气象与海洋学/航海仪器/航海仪器的使用/电子海图	自有/已通过ECDIS师资培训
教员十五	研究生	船舶驾驶	甲类三副	18	24	航海学/船舶管理/船舶结构与货运/雷达操作与应用/货物积载与系固/航海仪器的使用	自有/新增
教员十二	本科	船舶驾驶	教师资格证、副教授	144	29	船舶结构与货运/航海气象与海洋学/航海仪器/航海仪器的使用/电子海图	自有/已通过ECDIS师资培训
教员十三	专科	船舶驾驶	教师资格证、教授、GMDSSS	242	14	船舶结构与货运/航海气象与海洋学/航海仪器/航海仪器的使用/电子海图	自有/已通过ECDIS师资培训
教员十四	本科	船舶驾驶	甲类船长	24	116	雷达操作与应用/船舶操纵、避碰与驾驶台资源管理/货物积载与系固/航海仪器的使用	兼职(珠海九州港客运服务有限公司)

表5－71(续2)

二、培训师资论证结论
目前配备6名教员,均满足船员培训管理规则关于师资的规定,其中5名为自有教员,教学人员80%通过中华人民共和国海事局组织的师资考试。
结论:师资符合《中华人民共和国船员培训管理规则》教学人员的要求,能满足公司目前培训规模(40人/班×6班)的培训教学要求。

资源保障
1. 目前配备教学管理人员23人,能保障教学与培训日常教学管理。
2. 根据《中华人民共和国船员培训管理规则》对课程要求配备了规定的场地、设施及设备,保障课程开展教学与培训所需的场地、设施及设备。
3. 按要求建立了船员教育和培训质量体系,并建立相关规章制度和应急预案,保障课程培训安全及培训教学的正常开展。
4. 制定完善的培训计划、教学大纲和详细教学方案,确保培训的教学质量。
5. 具备教学大纲和详细教学方案。
结论:资源保障科学、有效,完成课程后能达到规定的适任标准。
通过对该课程以上资源的论证,该课程培训采用的培训教材和培训内容满足《培训大纲》和水上交通安全、防治船舶污染的要求;教学人员的数量满足培训规模的需要,教学能力能胜任课程的培训目标;培训内容的理论和实操学时安排合理,符合《培训大纲》的相应要求;培训采用的培训方式合理,资源保障科学、有效,完成课程后能达到课程规定的适任标准,资源保障满足要求。

组长:
年 月 日

对课程论证报告中提及的改进措施及完成日期:

培训机构负责人签名:

年 月 日

注:1. 论证报告应包括对课程确认各个方面进行具体评价,并对每一方面的符合性分别出具结论,可另附页。
2. 论证人员不少于3人,人员资格应附表说明。

6. 雷达操作与应用(表5－72)

表5－72 雷达操作与应用培训课程论证情况表

培训课程(项目)	雷达操作与应用		
编制人员			
论证人员		论证时间	

培训内容
通过对该课程以下各模块的培训进行论证:
本课程培训内容对应《培训大纲》的1.2.7雷达导航各项规定。具体培训内容可见本书《雷达操作与应用

表5-72(续1)

课程教学大纲》。
课程采用2012年版人民交通出版社、大连海事大学出版社出版的《航海学(地文、天文和仪器)》、2018年版大连海事大学出版社出版的《航海仪器》《航海仪器操作与维护》以及自编《航海仪器指导书》等教材。
结论:培训内容、培训教材符合大纲和水上交通安全、防治船舶污染的要求。

培训课时
《培训大纲》规定的培训课时为40学时,其中理论20学时,实际操作20学时。
本课程计划培训40学时,其中理论20学时,实际操作20学时(详细安排见本书《雷达操作与应用课程教学大纲》)。
结论:培训课时和实操课时安排合理,达到《培训大纲》的要求,能确保培训教学质量达到的适任要求。

培训方式
培训方式目前采用理论与实操相结合,理论集中进行培训方式为主,实操训练在课室、航海仪器实训室、教学楼顶等进行,理论教学在多媒体教室进行,采用PPT、影像资料、教学卡片等培训方式进行教学;实操以实验室教学、现场教学、先示范后训练分组进行的培训方式进行教学,能确保教学质量。
结论:培训方式科学、有效,完成课程后能达到规定的适任标准。

教学人员
一、师资要求
根据《〈中华人民共和国船员培训管理规则〉实施办法》中三副教学人员的要求,教员需满足下列条件:
(1)具有相关专业本科及以上学历,海上资历不少于6个月并具有中级及以上职称的专业教师;
(2)具有大专以上学历,不少于1年的相应航区等级大副及以上任职资历,且具有不少于1年的教学经验。

姓名	学历	专业	所持证书	教学资历/月	船上资历/月	教学科目	备注(注明自有、兼职)
教员二	本科	船舶驾驶	教师资格证、船员服务簿	186	15	船舶结构与货运/航海气象与海洋学/航海仪器/航海仪器的使用/电子海图/雷达操作与应用	自有/已通过ECDIS师资培训
教员十五	研究生	船舶驾驶	甲类三副	18	24	航海学/船舶管理/船舶结构与货运/雷达操作与应用/货物积载与系固/航海仪器的使用	自有/新增
教员十二	本科	船舶驾驶	教师资格证、副教授	144	29	船舶结构与货运/航海气象与海洋学/航海仪器/航海仪器的使用/电子海图/雷达操作与应用	自有/已通过ECDIS师资培训

表 5-72(续 2)

姓名	学历	专业	所持证书	教学资历/月	船上资历/月	教学科目	备注（注明自有、兼职）
教员十三	专科	船舶驾驶	教师资格证、教授、GMDSSS	242	14	船舶结构与货运/航海气象与海洋学/航海仪器/航海仪器的使用/电子海图/雷达操作与应用	自有/已通过 ECDIS 师资培训
教员十四	本科	船舶驾驶	甲类船长	24	116	雷达操作与应用/船舶操纵、避碰与驾驶台资源管理/货物积载与系固/航海仪器的使用	兼职（珠海九州港客运服务有限公司）
教员十六	本科	船舶驾驶	教师资格证、副教授	144	24	船舶结构与货运/航海气象与海洋学/航海仪器/航海仪器的使用/电子海图/雷达操作与应用/货物积载与系固/基本安全	自有/已通过 ECDIS 师资培训

二、培训师资论证结论

目前配备 6 名教员，均满足船员培训管理规则关于师资的规定，其中 5 名为自有教员，教学人员 80% 通过中华人民共和国海事局组织的师资考试。

结论：师资符合《中华人民共和国船员培训管理规则》教学人员的要求，能满足公司目前培训规模（40 人/班×6 班）的培训教学要求。

资源保障

1. 目前配备教学管理人员 23 人，能保障教学与培训日常教学管理。
2. 根据《中华人民共和国船员培训管理规则》对课程要求配备了规定的场地、设施及设备，保障课程开展教学与培训所需的场地、设施及设备。
3. 按要求建立了船员教育和培训质量体系，并建立相关规章制度和应急预案，保障课程培训安全及培训教学的正常开展。
4. 制定完善的培训计划、教学大纲和详细教学方案，确保培训的教学质量。
5. 具备教学大纲和详细教学方案。

结论：资源保障科学、有效，完成课程后能达到规定的适任标准。

表 5－72(续3)

通过对该课程以上资源的论证,该课程培训采用的培训教材和培训内容满足《培训大纲》和水上交通安全、防治船舶污染的要求;教学人员的数量满足培训规模的需要,教学能力能胜任课程的培训目标;培训内容的理论和实操学时安排合理,符合《培训大纲》的相应要求;培训采用的培训方式合理,资源保障科学、有效,完成课程后能达到课程规定的适任标准,资源保障满足要求。 组长: 年　月　日
对课程论证报告中提及的改进措施及完成日期: 培训机构负责人签名: 年　月　日

注:1. 论证报告应包括对课程确认各个方面进行具体评价,并对每一方面的符合性分别出具结论,可另附页。
2. 论证人员不少于 3 人,人员资格应附表说明。

7. 电子海图显示与信息系统(表 5－73)

表 5－73　电子海图显示与信息系统培训课程论证情况表

<table>
<tr><td>培训课程(项目)</td><td colspan="3">电子海图显示与信息系统</td></tr>
<tr><td>编制人员</td><td colspan="3"></td></tr>
<tr><td>论证人员</td><td></td><td>论证时间</td><td></td></tr>
<tr><td colspan="4">培训内容
通过对该课程以下各模块的培训进行论证:
本课程培训内容对应培训大纲的 1.1.5 电子海图的使用各项规定。具体培训内容可见本书《电子海图显示与信息系统课程教学大纲》。
课程采用 2019 年版大连海事大学出版社出版的《电子海图显示与信息系统》、2015 年版大连海事大学出版社出版的《电子海图显示与信息系统(ECDIS)的操作使用(1.27)(国际海事组织海员行为示范)》等教材。
结论:培训内容、培训教材符合大纲和水上交通安全、防治船舶污染的要求。</td></tr>
<tr><td colspan="4">培训课时
《培训大纲》规定的培训课时为 40 学时,其中理论 20 学时,实际操作 20 学时。
本课程计划培训 40 学时,其中理论 20 学时,实际操作 20 学时(详细安排见本书《航海仪器的使用课程教学大纲》)。
结论:培训课时和实操课时安排合理,达到《培训大纲》的要求,能确保培训教学质量达到的适任要求。</td></tr>
</table>

表 5 – 73(续 1)

培训方式

培训方式目前采用理论与实操相结合,理论集中进行培训方式为主,实操训练在电子海图实训室进行,理论教学在多媒体教室进行,采用 PPT、影像资料、教学卡片等培训方式进行教学;实操以实验室教学、先示范后训练的培训方式进行教学,能确保教学质量。

结论:培训方式科学、有效,完成课程后能达到规定的适任标准。

教学人员

一、师资要求

根据《〈中华人民共和国船员培训管理规则〉实施办法》中三副教学人员的要求,教员需满足下列条件:

(1)具有相关专业本科及以上学历,海上资历不少于 6 个月并具有中级及以上职称的专业教师;

(2)具有大专以上学历,不少于 1 年的相应航区等级大副及以上任职资历,且具有不少于 1 年的教学经验。

姓名	学历	专业	所持证书	教学资历/月	船上资历/月	教学科目	备注(注明自有、兼职)
教员四	本科	船舶驾驶	教师资格证、甲类大副	56	96	航海英语听力与会话/船舶操纵与避碰/航海英语/船舶管理/船舶结构与货运/货物积载与系固/航海仪器的使用/航海气象与海洋学/电子海图	自有/已通过船舶管理、船舶避碰、航海气象与海洋学、海上货物运输、航海英语、ECDIS 师资培训
教员三	研究生	航海技术	甲类三副、讲师	18	18	航海英语听力与会话/航海英语/航海学/电子海图/航线设计/船舶结构与货运/货物积载与系固	自有/已通过航海学(气象)、航海英语(操作级)师资培训
教员二	本科	船舶驾驶	教师资格证、船员服务簿	186	15	船舶结构与货运/航海气象与海洋学/航海仪器/航海仪器的使用/电子海图	自有/已通过 ECDIS 师资培训
教员十六	本科	船舶驾驶	教师资格证、副教授	144	24	船舶结构与货运/航海气象与海洋学/航海仪器/航海仪器的使用/电子海图/雷达操作与应用/货物积载与系固/基本安全	自有/已通过 ECDIS 师资培训
教员十二	本科	船舶驾驶	教师资格证、副教授	144	29	船舶结构与货运/航海气象与海洋学/航海仪器/航海仪器的使用/电子海图	自有/已通过 ECDIS 师资培训

表 5－73(续 2)

姓名	学历	专业	所持证书	教学资历/月	船上资历/月	教学科目	备注(注明自有、兼职)
教员十三	专科	船舶驾驶	教师资格证、教授、GMDSSS	242	14	船舶结构与货运/航海气象与海洋学/航海仪器/航海仪器的使用/电子海图	自有/已通过 ECDIS 师资培训
教员十四	本科	船舶驾驶	甲类船长	24	116	雷达操作与应用/船舶操纵、避碰与驾驶台资源管理/货物积载与系固/航海仪器的使用/电子海图	兼职(珠海九州港客运服务有限公司)

二、培训师资论证结论

目前配备 7 名教员，均满足船员培训管理规则关于师资的规定，其中 6 名为自有教员，教学人员 80% 通过中华人民共和国海事局组织的师资考试。

结论：师资符合《中华人民共和国船员培训管理规则》教学人员的要求，能满足公司目前培训规模(40 人/班 ×6 班)的培训教学要求。

资源保障

1. 目前配备教学管理人员 23 人，能保障教学与培训日常教学管理。

2. 根据《中华人民共和国船员培训管理规则》对课程要求配备了规定的场地、设施及设备，保障课程开展教学与培训所需的场地、设施及设备。

3. 按要求建立了船员教育和培训质量体系，并建立相关规章制度和应急预案，保障课程培训安全及培训教学的正常开展。

4. 制订完善的培训计划、教学大纲和详细教学方案，确保培训的教学质量。

5. 具备教学大纲和详细教学方案。

结论：资源保障科学、有效，完成课程后能达到规定的适任标准。

通过对该课程以上资源的论证，该课程培训采用的培训教材和培训内容满足《培训大纲》和水上交通安全、防治船舶污染的要求；教学人员的数量满足培训规模的需要，教学能力能胜任课程的培训目标；培训内容的理论和实操学时安排合理，符合《培训大纲》的相应要求；培训采用的培训方式合理，资源保障科学、有效，完成课程后能达到课程规定的适任标准，资源保障满足要求。

组长：

年　月　日

表5－73(续3)

对课程论证报告中提及的改进措施及完成日期： 培训机构负责人签名： 年 月 日

注:1.论证报告应包括对课程确认各个方面进行具体评价,并对每一方面的符合性分别出具结论,可另附页。
2.论证人员不少于3人,人员资格应附表说明。

8.航海学(气象)(表5－74)

表5－74 航海学(气象)培训课程论证情况表

培训课程(项目)	航海学(气象)		
编制人员			
论证人员		论证时间	
培训内容 通过对该课程以下各模块的培训进行论证： 本课程培训内容对应《培训大纲》的1.1.9航海气象基础知识、1.1.10海上天气系统及其特征、1.1.11航海气象信息的获取与应用各项规定。具体培训内容可见本书《航海学(气象)课程教学大纲》。 课程采用2012年版人民交通出版社、大连海事大学出版社出版的《航海学(航海气象与海洋学)》、2019年版大连海事大学出版社出版的《航海气象与海洋学》等教材。 结论:培训内容、培训教材符合大纲和水上交通安全、防治船舶污染的要求。			
培训课时 《培训大纲》规定的培训课时为56学时,其中理论56学时,实际操作0学时。 本课程计划培训56学时,其中理论56学时,实际操作0学时(详细安排见本书《航海学(气象)课程教学大纲》)。 结论:培训课时和实操课时安排合理,达到《培训大纲》的要求,能确保培训教学质量达到的适任要求。			
培训方式 培训方式目前采用理论教学,采用PPT、影像资料、教学卡片等培训方式在课室、气象室进行教学做一体化教学,确保教学质量。 结论:培训方式科学、有效,完成课程后能达到规定的适任标准。			
教学人员 一、师资要求 根据《〈中华人民共和国船员培训管理规则〉实施办法》中三副教学人员的要求,教员需满足下列条件： (1)具有相关专业本科及以上学历,海上资历不少于6个月并具有中级及以上职称的专业教师；			

表5－74(续1)

(2)具有大专以上学历,不少于1年的相应航区等级大副及以上任职资历,且具有不少于1年的教学经验。

姓名	学历	专业	所持证书	教学资历/月	船上资历/月	教学科目	备注(注明自有、兼职)
教员三	研究生	航海技术	甲类三副、讲师	18	18	航海英语听力与会话/航海英语/航海学/电子海图/航线设计/船舶结构与货运/货物积载与系固	自有/已通过航海学(气象)、航海英语(操作级)师资培训
教员一	研究生	航海技术	教师资格证、甲类船长、副教授	60	128	船舶操纵与避碰/船舶操纵、避碰与驾驶台资源管理/驾驶台资源管理/航海英语听力与会话/航海英语/航海气象与海洋学/航线设计	自有/驾驶台资源管理师资航海英语师资
教员二	本科	船舶驾驶	教师资格证、船员服务簿	186	15	船舶结构与货运/航海气象与海洋学/航海仪器/航海仪器的使用/电子海图	自有/已通过ECDIS师资培训
教员十六	本科	船舶驾驶	教师资格证、副教授	144	24	船舶结构与货运/航海气象与海洋学/航海仪器/航海仪器的使用/电子海图/雷达操作与应用/货物积载与系固/基本安全	自有/已通过ECDIS师资培训
教员十二	本科	船舶驾驶	教师资格证、副教授	144	29	船舶结构与货运/航海气象与海洋学/航海仪器/航海仪器的使用/电子海图	自有/已通过ECDIS师资培训
教员十三	专科	船舶驾驶	教师资格证、教授、GMDSSS	242	14	船舶结构与货运/航海气象与海洋学/航海仪器/航海仪器的使用/电子海图	自有/已通过ECDIS师资培训

二、培训师资论证结论

目前配备6名教员,均满足船员培训管理规则关于师资的规定,全部为自有教员,教学人员80%通过中华人民共和国海事局组织的师资考试。

表5-74(续2)

结论:师资符合《中华人民共和国船员培训管理规则》教学人员的要求,能满足公司目前培训规模(40人/班×6班)的培训教学要求。

资源保障
1. 目前配备教学管理人员23人,能保障教学与培训日常教学管理。
2. 根据《中华人民共和国船员培训管理规则》对课程要求配备了规定的场地、设施及设备,保障课程开展教学与培训所需的场地、设施及设备。
3. 按要求建立了船员教育和培训质量体系,并建立相关规章制度和应急预案,保障课程培训安全及培训教学的正常开展。
4. 制定完善的培训计划、教学大纲和详细教学方案,确保培训的教学质量。
5. 具备教学大纲和详细教学方案。
结论:资源保障科学、有效,完成课程后能达到规定的适任标准。
通过对该课程以上资源的论证,该课程培训采用的培训教材和培训内容满足《培训大纲》和水上交通安全、防治船舶污染的要求;教学人员的数量满足培训规模的需要和教学能力能胜任课程的培训目标;培训内容的理论和实操学时安排合理,符合《培训大纲》的相应要求;培训采用的培训方式合理,资源保障科学、有效,完成课程后能达到课程规定的适任标准,资源保障满足要求。

组长:
年　月　日

对课程论证报告中提及的改进措施及完成日期:

培训机构负责人签名:

年　月　日

注:1. 论证报告应包括对课程确认各个方面进行具体评价,并对每一方面的符合性分别出具结论,可另附页。
2. 论证人员不少于3人,人员资格应附表说明。

9. 船舶操纵与避碰(避碰)(表5-75)

表5-75　船舶操纵与避碰(避碰)培训课程论证情况表

培训课程(项目)	船舶操纵与避碰(避碰)		
编制人员			
论证人员		论证时间	

培训内容
通过对该课程以下各模块的培训进行论证:
本课程培训内容对应《培训大纲》的1.2.1避碰规则、1.2.2航行值班中应遵守的原则各项规定。具体培训内容可见本书《船舶操纵与避碰(避碰)教学大纲》。

表 5－75(续 1)

课程采用 2021 年版人民交通出版社、大连海事大学出版社出版的《船舶操纵与避碰(船舶避碰)》、2016 年版大连海事大学出版社出版的《船舶操纵与避碰(二、三副用)》、2017 年版大连海事大学出版社出版的《船舶操纵与避碰同步辅导(避碰篇)》等教材。
结论:培训内容、培训教材符合大纲和水上交通安全、防治船舶污染的要求。

培训课时
《培训大纲》规定的培训课时为 48 学时,其中理论 48 学时,实际操作 0 学时。
本课程计划培训 48 学时,其中理论 48 学时,实际操作 0 学时(详细安排见本书《船舶操纵与避碰(避碰)教学大纲》)。
结论:培训课时和实操课时安排合理,达到《培训大纲》的要求,能确保培训教学质量达到的适任要求。

培训方式
培训方式目前采用理论教学,采用 PPT、影像资料、教学卡片等培训方式在课室、船舶操纵模拟器室进行教学做一体化教学,确保教学质量。
结论:培训方式科学、有效,完成课程后能达到规定的适任标准。

教学人员
一、师资要求
根据《〈中华人民共和国船员培训管理规则〉实施办法》中三副教学人员的要求,教员需满足下列条件:
(1)具有不少于 2 年的相应航区等级三副及以上任职资历,且具有不少于 1 年的教学经验;
(2)具有不少于 1 年的相应航区等级三副及以上任职资历,具有中级及以上职称的专业教师。

姓名	学历	专业	所持证书	教学资历/月	船上资历/月	教学科目	备注(注明自有、兼职)
教员一	研究生	航海技术	教师资格证、甲类船长、副教授	60	128	船舶操纵与避碰/船舶操纵、避碰与驾驶台资源管理/驾驶台资源管理/航海英语听力与会话/航海英语/航海气象与海洋学/航线设计	自有/驾驶台资源管理师资、航海英语师资
教员四	本科	船舶驾驶	教师资格证、甲类大副	56	96	航海英语听力与会话/船舶操纵与避碰/航海英语/船舶管理/船舶结构与货运/货物积载与系固/航海仪器的使用/航海气象与海洋学/电子海图	自有/已通过船舶管理、船舶避碰、航海气象与海洋学、海上货物运输、航海英语、ECDIS 师资培训
教员五	中专	航海技术	甲类船长、高级船长	66	208	航海学/电子海图/航线设计/船舶操纵、避碰与驾驶台资源管理/驾驶台资源管理/船舶操纵与避碰	自有/高级船长,通过驾驶台资源管理师资培训

表5-75(续2)

姓名	学历	专业	所持证书	教学资历/月	船上资历/月	教学科目	备注(注明自有、兼职)
教员六	本科	航海技术	甲类船长、讲师	68	123	船舶操纵、避碰与驾驶台资源管理/驾驶台资源管理/船舶操纵与避碰	自有/已通过驾驶台资源管理师资培训
教员八	本科	航海技术	教师资格证、甲类船长	36	180	船舶管理/船舶结构与货运/货物积载与系固/船舶操纵、避碰与驾驶台资源管理/驾驶台资源管理/船舶操纵与避碰	自有/已通过船舶结构与货运、船舶管理和航海英语听力与会话师资培训

二、培训师资论证结论

目前配备5名教员,均满足船员培训管理规则关于师资的规定,全部为自有教员,教学人员80%通过中华人民共和国海事局组织的师资考试。

结论:师资符合《中华人民共和国船员培训管理规则》教学人员的要求,能满足公司目前培训规模(40人/班×6班)的培训教学要求。

资源保障

1. 目前配备教学管理人员23人,能保障教学与培训日常教学管理。
2. 根据《中华人民共和国船员培训管理规则》对课程要求配备了规定的场地、设施及设备,保障课程开展教学与培训所需的场地、设施及设备。
3. 按要求建立了船员教育和培训质量体系,并建立相关规章制度和应急预案,保障课程培训安全及培训教学的正常开展。
4. 制订完善的培训计划、教学大纲和详细教学方案,确保培训的教学质量。
5. 具备教学大纲和详细教学方案。

结论:资源保障科学、有效,完成课程后能达到规定的适任标准。

通过对该课程以上资源的论证,该课程培训采用的培训教材和培训内容满足《培训大纲》和水上交通安全、防治船舶污染的要求;教学人员的数量满足培训规模的需要,教学能力能胜任课程的培训目标;培训内容的理论和实操学时安排合理,符合《培训大纲》的相应要求;培训采用的培训方式合理,资源保障科学、有效,完成课程后能达到课程规定的适任标准,资源保障满足要求。

组长:

年　月　日

表 5－75(续 3)

对课程论证报告中提及的改进措施及完成日期：

培训机构负责人签名：

年　月　日

注：1. 论证报告应包括对课程确认各个方面进行具体评价，并对每一方面的符合性分别出具结论，可另附页。
2. 论证人员不少于 3 人，人员资格应附表说明。

10. 驾驶台资源管理(表 5－76)

表 5－76　驾驶台资源管理培训课程论证情况表

培训课程(项目)	驾驶台资源管理		
编制人员			
论证人员		论证时间	

培训内容
通过对该课程以下各模块的培训进行论证：
本课程培训内容对应《培训大纲》的 1.2.6 驾驶台资源管理、3.7 领导力和团队工作技能的运用各项规定。具体培训内容可见本书《驾驶台资源管理教学大纲》。
课程采用 2016 年版大连海事大学出版社出版的《船舶管理》、2014 年版大连海事大学出版社出版的《船舶驾驶台资源管理实用教程》、2013 年版浦江教育出版社出版《船舶驾驶台资源管理》及自编教材。
结论：培训内容、培训教材符合大纲和水上交通安全、防治船舶污染的要求。

培训课时
《培训大纲》规定的培训课时为 20 学时，其中理论 20 学时，实际操作 0 学时。
本课程计划培训 20 学时，其中理论 20 学时，实际操作 0 学时(详细安排见本书《驾驶台资源管理教学大纲》)。
结论：培训课时和实操课时安排合理，达到《培训大纲》的要求，能确保培训教学质量达到的适任要求。

培训方式
培训方式目前采用理论教学，采用 PPT、影像资料、教学卡片等培训方式在课室、船舶操纵模拟器室进行教学做一体化教学，确保教学质量。
结论：培训方式科学、有效，完成课程后能达到规定的适任标准。

教学人员
一、师资要求
根据《〈中华人民共和国船员培训管理规则〉实施办法》中三副教学人员的要求，教员需满足下列条件：
(1)具有不少于 2 年的相应航区等级三副及以上任职资历，且具有不少于 1 年的教学经验；
(2)具有不少于 1 年的相应航区等级三副及以上任职资历，具有中级及以上职称的专业教师。

表5-76(续1)

姓名	学历	专业	所持证书	教学资历/月	船上资历/月	教学科目	备注(注明自有、兼职)
教员一	研究生	航海技术	教师资格证、甲类船长、副教授	60	128	船舶操纵与避碰/船舶操纵、避碰与驾驶台资源管理/驾驶台资源管理/航海英语听力与会话/航海英语/航海气象与海洋学/航线设计	自有/驾驶台资源管理师资航海英语师资
教员五	中专	航海技术	甲类船长、高级船长	66	208	航海学/电子海图/航线设计/船舶操纵、避碰与驾驶台资源管理/驾驶台资源管理/船舶操纵与避碰	自有/高级船长,通过驾驶台资源管理师资培训
教员六	本科	航海技术	甲类船长、讲师	68	123	船舶操纵、避碰与驾驶台资源管理/驾驶台资源管理/船舶操纵与避碰	自有/已通过驾驶台资源管理师资培训
教员八	本科	航海技术	教师资格证、甲类船长	36	180	船舶管理/船舶结构与货运/货物积载与系固/船舶操纵、避碰与驾驶台资源管理/驾驶台资源管理/船舶操纵与避碰	自有/已通过船舶结构与货运、船舶管理和航海英语听力与会话师资培训

二、培训师资论证结论

目前配备4名教员,均满足船员培训管理规则关于师资的规定,全部为自有教员,教学人员80%通过中华人民共和国海事局组织的师资考试。

结论:师资符合《中华人民共和国船员培训管理规则》教学人员的要求,能满足公司目前培训规模(40人/班×6班)的培训教学要求。

资源保障

1. 目前配备教学管理人员23人,能保障教学与培训日常教学管理。

2. 根据《中华人民共和国船员培训管理规则》对课程要求配备了规定的场地、设施及设备,保障课程开展教学与培训所需的场地、设施及设备。

3. 按要求建立了船员教育和培训质量体系,并建立相关规章制度和应急预案,保障课程培训安全及培训教学的正常开展。

表 5 –76(续 2)

4. 制定完善的培训计划、教学大纲和详细教学方案,确保培训的教学质量。
5. 具备教学大纲和详细教学方案。
结论:资源保障科学、有效,完成课程后能达到规定的适任标准。
通过对该课程以上资源的论证,该课程培训采用的培训教材和培训内容满足《培训大纲》和水上交通安全、防治船舶污染的要求;教学人员的数量满足培训规模的需要,教学能力能胜任课程的培训目标;培训内容的理论和实操学时安排合理,符合《培训大纲》的相应要求;培训采用的培训方式合理,资源保障科学、有效,完成课程后能达到课程规定的适任标准,资源保障满足要求。

组长:
年　月　日

对课程论证报告中提及的改进措施及完成日期:

培训机构负责人签名:

年　月　日

注:1. 论证报告应包括对课程确认各个方面进行具体评价,并对每一方面的符合性分别出具结论,可另附页。
2. 论证人员不少于 3 人,人员资格应附表说明。

11. 值班水手业务(表 5 –77)

表 5 –77　值班水手业务培训课程论证情况表

培训课程(项目)	值班水手业务		
编制人员			
论证人员		论证时间	

培训内容
通过对该课程以下各模块的培训进行论证:
本课程培训内容对应《培训大纲》的 1.1.8 操舵控制系统、1.7.1 国际信号规则、1.7.2 莫尔斯信号通信各项规定。具体培训内容可见本书《值班水手业务教学大纲》。
课程采用 2019 年版大连海事大学出版社出版的《值班水手业务》、2015 年版大连海事大学出版社出版的《值班水手业务考试指南》等教材。
结论:培训内容、培训教材符合大纲和水上交通安全、防治船舶污染的要求。

培训课时
《培训大纲》规定的培训课时为 10 学时,其中理论 10 学时,实际操作 0 学时。
本课程计划培训 10 学时,其中理论 10 学时,实际操作 0 学时(详细安排见本书《值班水手业务教学大纲》)。
结论:培训课时和实操课时安排合理,达到《培训大纲》的要求,能确保培训教学质量达到的适任要求。

表 5－77(续 1)

培训方式

培训方式目前采用理论教学,采用 PPT、影像资料、教学卡片等培训方式在课室、船艺室、“芙蓉号”教学用实船进行教学做一体化教学,确保教学质量。

结论:培训方式科学、有效,完成课程后能达到规定的适任标准。

教学人员

一、师资要求

根据《〈中华人民共和国船员培训管理规则〉实施办法》中三副教学人员的要求,教员需满足下列条件:

(1)具有不少于 1 年海船三副及以上资历,并具有 1 年以上教学经历;

(2)具有不少于 3 年的水手长/高级值班水手任职资历。

姓名	学历	专业	所持证书	教学资历/月	船上资历/月	教学科目	备注(注明自有、兼职)
教员一	研究生	航海技术	教师资格证、甲类船长、副教授	60	128	船舶操纵与避碰/船舶操纵、避碰与驾驶台资源管理/驾驶台资源管理/航海英语听力与会话/航海英语/航海气象与海洋学/航线设计 /值班水手业务	自有/驾驶台资源管理师资、航海英语师资
教员三	研究生	航海技术	甲类三副、讲师	18	18	航海英语听力与会话/航海英语/航海学/电子海图/航线设计/船舶结构与货运 /货物积载与系固/航海气象与海洋学/值班水手业务	自有/已通过航海学(气象)、航海英语(操作级)师资培训、值班水手业务
教员四	本科	船舶驾驶	教师资格证、甲类大副	56	96	航海英语听力与会话/船舶操纵与避碰/航海英语/船舶管理/船舶结构与货运/货物积载与系固/航海仪器的使用/航海气象与海洋学/电子海图/值班水手业务	自有/已通过船舶管理、船舶避碰、航海气象与海洋学、海上货物运输、航海英语、ECDIS 师资培训、值班水手业务
教员八	本科	航海技术	教师资格证、甲类船长	36	180	船舶管理/船舶结构与货运/货物积载与系固/船舶操纵、避碰与驾驶台资源管理/驾驶台资源管理/船舶操纵与避碰/值班水手业务	自有/已通过船舶结构与货运、船舶管理和航海英语听力与会话师资培训、值班水手业务

表 5 - 77(续 2)

二、培训师资论证结论
目前配备 4 名教员,均满足船员培训管理规则关于师资的规定,全部为自有教员,教学人员 100% 通过中华人民共和国海事局组织的师资考试。
结论:师资符合《中华人民共和国船员培训管理规则》教学人员的要求,能满足公司目前培训规模(40 人/班 ×6 班)的培训教学要求。

资源保障
1. 目前配备教学管理人员 23 人,能保障教学与培训日常教学管理。
2. 根据《中华人民共和国船员培训管理规则》对课程要求配备了规定的场地、设施及设备,保障课程开展教学与培训所需的场地、设施及设备。
3. 按要求建立了船员教育和培训质量体系,并建立相关规章制度和应急预案,保障课程培训安全及培训教学的正常开展。
4. 制订完善的培训计划、教学大纲和详细教学方案,确保培训的教学质量。
5. 具备教学大纲和详细教学方案。
结论:资源保障科学、有效,完成课程后能达到规定的适任标准。
通过对该课程以上资源的论证,该课程培训采用的培训教材和培训内容满足《培训大纲》和水上交通安全、防治船舶污染的要求;教学人员的数量满足培训规模的需要,教学能力能胜任课程的培训目标;培训内容的理论和实操学时安排合理,符合《培训大纲》的相应要求;培训采用的培训方式合理,资源保障科学、有效,完成课程后能达到课程规定的适任标准,资源保障满足要求。

组长:
年　月　日

对课程论证报告中提及的改进措施及完成日期:

培训机构负责人签名:

年　月　日

注:1. 论证报告应包括对课程确认各个方面进行具体评价,并对每一方面的符合性分别出具结论,可另附页。
2. 论证人员不少于 3 人,人员资格应附表说明。

12. 水手工艺与值班(表 5 - 78)

表 5 - 78　水手工艺与值班培训课程论证情况表

培训课程(项目)	水手工艺与值班		
编制人员			
论证人员		论证时间	

培训内容
通过对该课程以下各模块的培训进行论证:

表 5－78（续 1）

本课程培训内容对应《培训大纲》的 1.1.8 操舵控制系统、1.7.1 国际信号规则、1.7.2 莫尔斯信号通信各项规定。具体培训内容可见本书《水手工艺与值班教学大纲》。
课程采用 2019 年版大连海事大学出版社出版的《值班水手业务》、2015 年版大连海事大学出版社出版的《值班水手业务考试指南》等教材。
结论：培训内容、培训教材符合大纲和水上交通安全、防治船舶污染的要求。

培训课时
《培训大纲》规定的培训课时为 13 学时，其中理论 0 学时，实际操作 13 学时。
本课程计划培训 13 学时，其中理论 0 学时，实际操作 13 学时（详细安排见本书《水手工艺与值班教学大纲》）。
结论：培训课时和实操课时安排合理，达到《培训大纲》的要求，能确保培训教学质量达到的适任要求。

培训方式
培训方式目前采用实操教学，采用先示范后训练等培训方式在船舶操纵模拟器室、船艺室、“芙蓉号”教学用实船进行教学，确保教学质量。
结论：培训方式科学、有效，完成课程后能达到规定的适任标准。

教学人员
一、师资要求
根据《〈中华人民共和国船员培训管理规则〉实施办法》中三副教学人员的要求，教员需满足下列条件：
（1）具有不少于 2 年的相应航区等级三副及以上任职资历，且具有不少于 1 年的教学经验；
（2）具有不少于 1 年的相应航区等级三副及以上任职资历，具有中级及以上职称的专业教师。

姓名	学历	专业	所持证书	教学资历/月	船上资历/月	教学科目	备注（注明自有、兼职）
教员一	研究生	航海技术	教师资格证、甲类船长、副教授	60	128	船舶操纵与避碰/船舶操纵、避碰与驾驶台资源管理/驾驶台资源管理/航海英语听力与会话/航海英语/航海气象与海洋学/航线设计 /值班水手业务	自有/驾驶台资源管理师资、航海英语师资
教员三	研究生	航海技术	甲类三副、讲师	18	18	航海英语听力与会话/航海英语/航海学/电子海图/航线设计/船舶结构与货运 /货物积载与系固/航海气象与海洋学/值班水手业务	自有/已通过航海学（气象）、航海英语（操作级）师资培训、值班水手业务

表5-78(续2)

姓名	学历	专业	所持证书	教学资历/月	船上资历/月	教学科目	备注(注明自有、兼职)
教员四	本科	船舶驾驶	教师资格证、甲类大副	56	96	航海英语听力与会话/船舶操纵与避碰/航海英语/船舶管理/船舶结构与货运/货物积载与系固/航海仪器的使用/航海气象与海洋学/电子海图/值班水手业务	自有/已通过船舶管理、船舶避碰、航海气象与海洋学、海上货物运输、航海英语、ECDIS师资培训、值班水手业务
教员八	本科	航海技术	教师资格证、甲类船长	36	180	船舶管理/船舶结构与货运/货物积载与系固/船舶操纵、避碰与驾驶台资源管理/驾驶台资源管理/船舶操纵与避碰/值班水手业务	自有/已通过船舶结构与货运、船舶管理和航海英语听力与会话师资培训、值班水手业务

二、培训师资论证结论

目前配备4名教员,均满足船员培训管理规则关于师资的规定,全部为自有教员,教学人员100%通过中华人民共和国海事局组织的师资考试。

结论:师资符合《中华人民共和国船员培训管理规则》教学人员的要求,能满足公司目前培训规模(40人/班×6班)的培训教学要求。

资源保障

1. 目前配备教学管理人员23人,能保障教学与培训日常教学管理。

2. 根据《中华人民共和国船员培训管理规则》对课程要求配备了规定的场地、设施及设备,保障课程开展教学与培训所需的场地、设施及设备。

3. 按要求建立了船员教育和培训质量体系,并建立相关规章制度和应急预案,保障课程培训安全及培训教学的正常开展。

4. 制订完善的培训计划、教学大纲和详细教学方案,确保培训的教学质量。

5. 具备教学大纲和详细教学方案。

结论:资源保障科学、有效,完成课程后能达到规定的适任标准。

通过对该课程以上资源的论证,该课程培训采用的培训教材和培训内容满足《培训大纲》和水上交通安全、防治船舶污染的要求;教学人员的数量满足培训规模的需要,教学能力能胜任课程的培训目标;培训内容的理论和实操学时安排合理,符合《培训大纲》的相应要求;培训采用的培训方式合理,资源保障科学、有效,完成课程后能达到课程规定的适任标准,资源保障满足要求。

组长:

年 月 日

表5－78(续3)

对课程论证报告中提及的改进措施及完成日期：

培训机构负责人签名：

年　月　日

注:1.论证报告应包括对课程确认各个方面进行具体评价,并对每一方面的符合性分别出具结论,可另附页。
2.论证人员不少于3人,人员资格应附表说明。

13.船舶操纵与避碰(操纵)(表5－79)

表5－79　船舶操纵与避碰(操纵)培训课程论证情况表

培训课程(项目)	船舶操纵与避碰(操纵)		
编制人员			
论证人员		论证时间	

培训内容
通过对该课程以下各模块的培训进行论证：
本课程培训内容对应《培训大纲》的1.8船舶操纵和操作、1.5搜寻与救助的相关内容要求。具体培训内容见本书《船舶操纵与避碰(操纵)教学大纲》。
课程采用2012年版人民交通出版社、大连海事大学出版社出版的《船舶操纵与避碰(船舶操纵)》、2016年版大连海事大学出版社出版的《船舶操纵与避碰(二、三副用)》、2017年版大连海事大学出版社出版的《船舶操纵与避碰同步辅导(操纵篇)》等教材。
结论:培训内容、培训教材符合大纲和水上交通安全、防治船舶污染的要求。

培训课时
《培训大纲》规定的培训课时为46学时,其中理论44学时,实际操作2学时。
本课程计划培训46学时,其中理论44学时,实际操作2学时(详细安排见本书《船舶操纵与避碰(操纵)教学大纲》)。
结论:培训课时和实操课时安排合理,达到《培训大纲》的要求,能确保培训教学质量达到的适任要求。

培训方式
培训方式目前采用理论与实操相结合,理论教学以在课室集中培训方式为主,辅助以船舶操纵模拟器室进行教学做一体化教学;实操训练主要利用船舶操纵模拟器室进行教学,采用先示范后训练分组进行的培训方式进行教学,能确保教学质量。

教学人员
一、师资要求
根据《〈中华人民共和国船员培训管理规则〉实施办法》中三副教学人员的要求,教员需满足下列条件：
(1)具有不少于2年的相应航区等级三副及以上任职资历,且具有不少于1年的教学经验;
(2)具有不少于1年的相应航区等级三副及以上任职资历,具有中级及以上职称的专业教师。

表 5 – 79(续 1)

姓名	学历	专业	所持证书	教学资历/月	船上资历/月	教学科目	备注（注明自有、兼职）
教员一	研究生	航海技术	教师资格证、甲类船长、副教授	60	128	船舶操纵与避碰/船舶操纵、避碰与驾驶台资源管理/驾驶台资源管理/航海英语听力与会话/航海英语/航海气象与海洋学/航线设计	自有/驾驶台资源管理师资、航海英语师资
教员四	本科	船舶驾驶	教师资格证、甲类大副	56	96	航海英语听力与会话/船舶操纵与避碰/航海英语/船舶管理/船舶结构与货运/货物积载与系固/航海仪器的使用/航海气象与海洋学/电子海图	自有/已通过船舶管理、船舶避碰、航海气象与海洋学、海上货物运输、航海英语、ECDIS 师资培训
教员五	中专	航海技术	甲类船长、高级船长	66	208	航海学/电子海图/航线设计/船舶操纵、避碰与驾驶台资源管理/驾驶台资源管理/船舶操纵与避碰	自有/高级船长，已通过驾驶台资源管理师资培训
教员十五	研究生	船舶驾驶	甲类三副	18	24	航海学/船舶管理/船舶结构与货运/雷达操作与应用/货物积载与系固/航海仪器的使用/电子海图/船舶操纵与避碰	自有/新增
教员八	本科	航海技术	教师资格证、甲类船长	36	180	船舶管理/船舶结构与货运/货物积载与系固/船舶操纵、避碰与驾驶台资源管理/驾驶台资源管理/船舶操纵与避碰	自有/已通过船舶结构与货运、船舶管理和航海英语听力与会话师资培训

二、培训师资论证结论

目前配备 5 名教员，均满足船员培训管理规则关于师资的规定，全部为自有教员，教学人员 80% 通过中华人民共和国海事局组织的师资考试。

结论：师资符合《中华人民共和国船员培训管理规则》教学人员的要求，能满足公司目前培训规模(40 人/班 ×6 班)的培训教学要求。

表 5 - 79(续 2)

资源保障
1. 目前配备教学管理人员 23 人,能保障教学与培训日常教学管理。
2. 根据《中华人民共和国船员培训管理规则》对课程要求配备了规定的场地、设施及设备,保障课程开展教学与培训所需的场地、设施及设备。
3. 按要求建立了船员教育和培训质量体系,并建立相关规章制度和应急预案,保障课程培训安全及培训教学的正常开展。
4. 制订完善的培训计划、教学大纲和详细教学方案,确保培训的教学质量。见 4 培训计划;
5. 具备教学大纲和详细教学方案。
结论:资源保障科学、有效,完成课程后能达到规定的适任标准。
通过对该课程以上资源的论证,该课程培训采用的培训教材和培训内容满足《培训大纲》和水上交通安全、防治船舶污染的要求;教学人员的数量满足培训规模的需要,教学能力能胜任课程的培训目标;培训内容的理论和实操学时安排合理,符合《培训大纲》的相应要求;培训采用的培训方式合理,资源保障科学、有效,完成课程后能达到课程规定的适任标准,资源保障满足要求。

组长:
年　月　日

对课程论证报告中提及的改进措施及完成日期:

培训机构负责人签名:

年　月　日

注:1. 论证报告应包括对课程确认各个方面进行具体评价,并对每一方面的符合性分别出具结论,可另附页。
2. 论证人员不少于 3 人,人员资格应附表说明。

14. 船舶操纵、避碰与驾驶台资源管理(表 5 - 80)

表 5 - 80　船舶操纵、避碰与驾驶台资源管理培训课程论证情况表

培训课程(项目)	船舶操纵、避碰与驾驶台资源管理		
编制人员			
论证人员		论证时间	

培训内容
通过对该课程以下各模块的培训进行论证:
本课程培训内容对应《培训大纲》的 1. 2. 1 避碰规则、1. 2. 2 航行值班中应遵守的原则、1. 2. 5 船舶报告制、1. 2. 6 驾驶台资源管理各项实操规定。具体培训内容可见本书《船舶操纵、避碰与驾驶台资源管理教学大纲》。

表 5 – 80(续 1)

课程采用 2014 年版大连海事大学出版社出版的《船舶驾驶台资源管理实用教程》、2017 年版大连海事大学出版社出版的《船舶操纵与避碰(二、三副用)》以及自编指导书等教材。
结论:培训内容、培训教材符合大纲和水上交通安全、防治船舶污染的要求。

培训课时
《培训大纲》规定的培训课时为 56 学时,其中理论 0 学时,实际操作 56 学时。
本课程计划培训 56 学时,其中理论 0 学时,实际操作 56 学时(详细安排见本书《船舶操纵、避碰与驾驶台资源管理教学大纲》)。
结论:培训课时和实操课时安排合理,达到《培训大纲》的要求,能确保培训教学质量达到的适任要求。

培训方式
培训方式采用实操教学,主要利用船舶操纵模拟器室进行教学,采用先示范后训练分组进行的培训方式,能确保教学质量。
结论:培训方式科学、有效,完成课程后能达到规定的适任标准。

教学人员
一、师资要求
根据《〈中华人民共和国船员培训管理规则〉实施办法》中三副教学人员的要求,教员需满足下列条件:
(1)具有不少于 2 年的相应航区等级船长或大副任职资历;
(2)具有副高及以上职称,并具有不少于 1 年海上服务资历的专业教师。

姓名	学历	专业	所持证书	教学资历/月	船上资历/月	教学科目	备注(注明自有、兼职)
教员一	研究生	航海技术	教师资格证、甲类船长、副教授	60	128	船舶操纵与避碰/船舶操纵、避碰与驾驶台资源管理/驾驶台资源管理/航海英语听力与会话/航海英语/航海气象与海洋学/航线设计	自有/驾驶台资源管理师资、航海英语师资
教员五	中专	航海技术	甲类船长、高级船长	66	208	航海学/电子海图/航线设计/船舶操纵、避碰与驾驶台资源管理/驾驶台资源管理/船舶操纵与避碰	自有/高级船长,已通过驾驶台资源管理师资培训
教员六	本科	航海技术	甲类船长、讲师	68	123	船舶操纵、避碰与驾驶台资源管理/驾驶台资源管理/船舶操纵与避碰	自有/已通过驾驶台资源管理师资培训

表 5－80(续 2)

姓名	学历	专业	所持证书	教学资历/月	船上资历/月	教学科目	备注(注明自有、兼职)
教员八	本科	航海技术	教师资格证、甲类船长	36	180	船舶管理/船舶结构与货运/货物积载与系固/船舶操纵、避碰与驾驶台资源管理/驾驶台资源管理/船舶操纵与避碰	自有/已通过船舶结构与货运、船舶管理和航海英语听力与会话师资培训
教员七	本科	航海技术	教师资格证、GMDSS、副教授	126	72	船舶操纵、避碰与驾驶台资源管理/驾驶台资源管理、船舶结构与货运/航海气象与海洋学/航海仪器	自有/已通过驾驶台资源管理师资培训

二、培训师资论证结论

目前配备 5 名教员，均满足船员培训管理规则关于师资的规定，全部为自有教员，教学人员 80% 通过中华人民共和国海事局组织的师资考试。

结论：师资符合《中华人民共和国船员培训管理规则》教学人员的要求，能满足公司目前培训规模(40 人/班 ×6 班)的培训教学要求。

资源保障

1. 目前配备教学管理人员 23 人，能保障教学与培训日常教学管理。
2. 根据《中华人民共和国船员培训管理规则》对课程要求配备了规定的场地、设施及设备，保障课程开展教学与培训所需的场地、设施及设备。
3. 按要求建立了船员教育和培训质量体系，并建立相关规章制度和应急预案，保障课程培训安全及培训教学的正常开展。
4. 制订完善的培训计划、教学大纲和详细教学方案，确保培训的教学质量。
5. 具备教学大纲和详细教学方案。

结论：资源保障科学、有效，完成课程后能达到规定的适任标准。

通过对该课程以上资源的论证，该课程培训采用的培训教材和培训内容满足《培训大纲》和水上交通安全、防治船舶污染的要求；教学人员的数量满足培训规模的需要，教学能力能胜任课程的培训目标；培训内容的理论和实操学时安排合理，符合《培训大纲》的相应要求；培训采用的培训方式合理，资源保障科学、有效，完成课程后能达到课程规定的适任标准，资源保障满足要求。

组长：

年　月　日

表 5 – 80(续 3)

对课程论证报告中提及的改进措施及完成日期: 培训机构负责人签名: 年　月　日

注:1. 论证报告应包括对课程确认各个方面进行具体评价,并对每一方面的符合性分别出具结论,可另附页。
2. 论证人员不少于 3 人,人员资格应附表说明。

15. 船舶结构与货运(表 5 – 81)

表 5 – 81　船舶结构与货培训课程论证情况表

培训课程(项目)	船舶结构与货运		
编制人员			
论证人员		论证时间	
培训内容 通过对该课程以下各模块的培训进行论证: 本课程培训内容对应《培训大纲》的 2.1 货物装卸、积载和系固,2.2 检查和报告货舱、舱盖和压载舱的缺陷和损坏,3.2.1 船舶稳性,3.2.2 船舶构造各项要求及规定。具体培训内容可见本书《船舶结构与货运课程教学大纲》。 课程采用 2012 年版人民交通出版社、大连海事大学出版社出版的《船舶结构与货运》、2017 年版大连海事大学出版社出版的《船舶结构与货运同步辅导》等教材。 结论:培训内容、培训教材符合大纲和水上交通安全、防治船舶污染的要求。			
培训课时 《培训大纲》规定的培训课时为 90 学时,其中理论 89 学时,实际操作 1 学时。 本课程计划培训 90 学时,其中理论 89 学时,实操 1 学时(详细安排见本书《船舶结构与货运课程教学大纲》)。 结论:培训课时和实操课时安排合理,达到《培训大纲》的要求,能确保培训教学质量达到的适任要求。			
培训方式 培训方式目前采用理论与实操相结合,理论教学采用集中进行培训方式为主,实操训练在“芙蓉号”教学实船开展,理论教学在多媒体教室,采用 PPT、影像资料、教学卡片等培训方式进行;实操以实验室教学、现场教学、先示范后训练的培训方式进行教学,能确保教学质量。 结论:培训方式科学、有效,完成课程后能达到规定的适任标准。			
教学人员 一、师资要求 根据《〈中华人民共和国船员培训管理规则〉实施办法》中三副教学人员的要求,教员需满足下列条件: (1)具有相关专业本科及以上学历,海上资历不少于 6 个月并具有中级及以上职称的专业教师; (2)具有大专以上学历,不少于 1 年的相应航区等级大副及以上任职资历,且具有不少于 1 年的教学经验。			

表 5 -81(续 1)

姓名	学历	专业	所持证书	教学资历/月	船上资历/月	教学科目	备注(注明自有、兼职)
教员三	研究生	航海技术	甲类三副、讲师	18	18	航海英语听力与会话/航海英语/航海学/电子海图/航线设计/船舶结构与货运/货物积载与系固	自有/已通过航海学(气象)、航海英语(操作级)师资培训
教员二	本科	船舶驾驶	教师资格证、船员服务簿	186	15	船舶结构与货运/航海气象与海洋学/航海仪器/航海仪器的使用/电子海图/船舶结构与货运/货物积载与系固	自有/已通过 ECDIS 师资培训
教员十六	本科	船舶驾驶	教师资格证、副教授	144	24	船舶结构与货运/航海气象与海洋学/航海仪器/航海仪器的使用/电子海图/雷达操作与应用/货物积载与系固/基本安全	自有/已通过 ECDIS 师资培训
教员十二	本科	船舶驾驶	教师资格证、副教授	144	29	船舶结构与货运/航海气象与海洋学/航海仪器/航海仪器的使用/电子海图/货物积载与系固	自有/已通过 ECDIS 师资培训
教员十三	专科	船舶驾驶	教师资格证、教授、GMDSSS	242	14	船舶结构与货运/航海气象与海洋学/航海仪器/航海仪器的使用/电子海图/货物积载与系固	自有/已通过 ECDIS 师资培训
教员七	本科	航海技术	教师资格证、GMDSS、副教授	126	72	船舶操纵、避碰与驾驶台资源管理/驾驶台资源管理、船舶结构与货运/航海气象与海洋学/航海仪器/货物积载与系固	自有/已通过驾驶台资源管理师资培训

二、培训师资论证结论

目前配备 6 名教员,均满足船员培训管理规则关于师资的规定,全部为自有教员,教学人员 80% 通过中华人民共和国海事局组织的师资考试。

结论:师资符合《中华人民共和国船员培训管理规则》教学人员的要求,能满足公司目前培训规模(40 人/班 ×6 班)的培训教学要求。

表 5 – 81(续 2)

资源保障

1. 目前配备教学管理人员 23 人,能保障教学与培训日常教学管理。
2. 根据《中华人民共和国船员培训管理规则》对课程要求配备了规定的场地、设施及设备,保障课程开展教学与培训所需的场地、设施及设备。
3. 按要求建立了船员教育和培训质量体系,并建立相关规章制度和应急预案,保障课程培训安全及培训教学的正常开展。
4. 制订完善的培训计划、教学大纲和详细教学方案,确保培训的教学质量。
5. 具备教学大纲和详细教学方案。

结论:资源保障科学、有效,完成课程后能达到规定的适任标准。

通过对该课程以上资源的论证,该课程培训采用的培训教材和培训内容满足《培训大纲》和水上交通安全、防治船舶污染的要求;教学人员的数量满足培训规模的需要,教学能力能胜任课程的培训目标;培训内容的理论和实操学时安排合理,符合《培训大纲》的相应要求;培训采用的培训方式合理,资源保障科学、有效,完成课程后能达到课程规定的适任标准,资源保障满足要求。

组长:

年　月　日

对课程论证报告中提及的改进措施及完成日期:

培训机构负责人签名:

年　月　日

注:1. 论证报告应包括对课程确认各个方面进行具体评价,并对每一方面的符合性分别出具结论,可另附页。
2. 论证人员不少于 3 人,人员资格应附表说明。

16. 货物积载与系固(表 5 – 82)

表 5 – 82　货物积载与系固培训课程论证情况表

培训课程(项目)	货物积载与系固		
编制人员			
论证人员		论证时间	

培训内容

通过对该课程以下各模块的培训进行论证:

本课程培训内容对应《培训大纲》的 2.1 货物装卸、积载和系固的各项要求及规定。具体培训内容可见本书《货物积载与系固课程教学大纲》。

课程采用 2012 年版人民交通出版社、大连海事大学出版社出版的《船舶结构与货运》、2017 年版大连海事大学出版社出版的《船舶结构与货运同步辅导》等教材。

结论:培训内容、培训教材符合大纲和水上交通安全、防治船舶污染要求。

表5－82(续1)

培训课时
《培训大纲》规定的培训课时为40学时,其中理论4学时,实际操作36学时。
本课程计划培训40学时,其中理论4学时,实际操作36学时(详细安排见本书《货物积载与系固课程教学大纲》)。
结论:培训课时和实操课时安排合理,达到《培训大纲》的要求,能确保培训教学质量达到的适任要求。

培训方式
培训方式目前采用理论与实操相结合,理论教学采用集中进行培训方式为主,实操训练在船舶货物配载实验室利用配载模拟软件以及利用"芙蓉号"教学用实船开展,理论教学在多媒体教室采用PPT、影像资料、教学卡片等培训方式进行;实操以实验室教学、现场教学等培训方式为主,采取教学做一体化的培训方式,能确保教学质量。
结论:培训方式科学、有效,完成课程后能达到规定的适任标准。

教学人员
一、师资要求
根据《〈中华人民共和国船员培训管理规则〉实施办法》中三副教学人员的要求,教员需满足下列条件:
(1)具有相关专业本科及以上学历,海上资历不少于6个月并具有中级及以上职称的专业教师;
(2)具有大专以上学历,不少于1年的相应航区等级大副及以上任职资历,且具有不少于1年的教学经验。

姓名	学历	专业	所持证书	教学资历/月	船上资历/月	教学科目	备注(注明自有、兼职)
教员三	研究生	航海技术	甲类三副、讲师	18	18	航海英语听力与会话/航海英语/航海学/电子海图/航线设计/船舶结构与货运/货物积载与系固	自有/已通过航海学(气象)、航海英语(操作级)师资培训
教员二	本科	船舶驾驶	教师资格证、船员服务簿	186	15	船舶结构与货运/航海气象与海洋学/航海仪器/航海仪器的使用/电子海图/船舶结构与货运/货物积载与系固	自有/已通过ECDIS师资培训
教员十六	本科	船舶驾驶	教师资格证、副教授	144	24	船舶结构与货运/航海气象与海洋学/航海仪器/航海仪器的使用/电子海图/雷达操作与应用/货物积载与系固/基本安全	自有/已通过ECDIS师资培训

表 5－82(续 2)

姓名	学历	专业	所持证书	教学资历/月	船上资历/月	教学科目	备注(注明自有、兼职)
教员十二	本科	船舶驾驶	教师资格证、副教授	144	29	船舶结构与货运/航海气象与海洋学/航海仪器/航海仪器的使用/电子海图/货物积载与系固	自有/已通过 ECDIS 师资培训
教员十三	专科	船舶驾驶	教师资格证、教授、GMDSSS	242	14	船舶结构与货运/航海气象与海洋学/航海仪器/航海仪器的使用/电子海图/货物积载与系固	自有/已通过 ECDIS 师资培训
教员七	本科	航海技术	教师资格证、GMDSS、副教授	126	72	船舶操纵、避碰与驾驶台资源管理/驾驶台资源管理、船舶结构与货运/航海气象与海洋学/航海仪器/货物积载与系固	自有/已通过驾驶台资源管理师资培训

二、培训师资论证结论

目前配备 6 名教员，均满足船员培训管理规则关于师资的规定，全部为自有教员，教学人员 80% 通过中华人民共和国海事局组织的师资考试。

结论：师资符合《中华人民共和国船员培训管理规则》教学人员的要求，能满足公司目前培训规模(40 人/班×6 班)的培训教学要求。

资源保障

1. 目前配备教学管理人员 23 人，能保障教学与培训日常教学管理。

2. 根据《中华人民共和国船员培训管理规则》对课程要求配备了规定的场地、设施及设备，保障课程开展教学与培训所需的场地、设施及设备。

3. 按要求建立了船员教育和培训质量体系，并建立相关规章制度和应急预案，保障课程培训安全及培训教学的正常开展。

4. 制订完善的培训计划、教学大纲和详细教学方案，确保培训的教学质量。

5. 具备教学大纲和详细教学方案。

结论：资源保障科学、有效，完成课程后能达到规定的适任标准。

通过对该课程以上资源的论证，该课程培训采用的培训教材和培训内容满足《培训大纲》和水上交通安全、防治船舶污染的要求；教学人员的数量满足培训规模的需要，教学能力能胜任课程的培训目标；培训内容的理论和实操学时安排合理，符合《培训大纲》的相应要求；培训采用的培训方式合理，资源保障科学、有效，完成课程后能达到课程规定的适任标准，资源保障满足要求。

组长：

年　月　日

表5－82(续3)

对课程论证报告中提及的改进措施及完成日期： 培训机构负责人签名： 年　月　日

注:1. 论证报告应包括对课程确认各个方面进行具体评价,并对每一方面的符合性分别出具结论,可另附页。
2. 论证人员不少于3人,人员资格应附表说明。

17. 船舶管理(表5－83)

表5－83　船舶管理培训课程论证情况表

培训课程(项目)	船舶管理		
编制人员			
论证人员		论证时间	

培训内容 通过对该课程以下各模块的培训进行论证： 本课程培训内容对应《培训大纲》的1.4.2船舶碰撞或搁浅初步应急措施,1.4.3救助落水人员、协助遇险船舶、港内应急反应应遵循的程序,3.1防止海洋环境污染和防污染程序,3.6.1监督遵守国际公约要求,3.6.2监督遵守国内法规要求的各项要求及规定。具体培训内容可见本书《船舶管理课程教学大纲》。 课程采用2012年版人民交通出版社、大连海事大学出版社出版的《船舶管理(驾驶)》和2016年版大连海事大学出版社出版的《船舶管理》《船舶管理(二/三副)》等教材。 结论:培训内容、培训教材符合大纲和水上交通安全、防治船舶污染的要求。
培训课时 《培训大纲》规定的培训课时为49学时,其中理论42学时,实际操作7学时。 本课程计划培训50学时,其中理论42学时,实际操作8学时(详细安排见本书《船舶管理课程教学大纲》)。 结论:培训课时和实操课时安排合理,达到《培训大纲》的要求,能确保培训教学质量达到的适任要求。
培训方式 培训方式目前采用理论与实操相结合,理论教学采用集中进行培训方式为主,实操训练在船舶操纵模拟器室、船艺室、“芙蓉号”教学用实船开展,理论教学在多媒体教室或船艺室采用PPT、影像资料、教学卡片等培训方式进行;实操以实验室教学、现场教学等培训方式为主,采取教学做一体化的培训方式,能确保教学质量。 结论:培训方式科学、有效,完成课程后能达到规定的适任标准。

表 5-83(续 1)

教学人员

一、师资要求

根据《〈中华人民共和国船员培训管理规则〉实施办法》中三副教学人员的要求,教员需满足下列条件:

(1)具有不少于 2 年的相应航区等级三副及以上任职资历,且具有不少于 1 年的教学经验;

(2)具有不少于 1 年的相应航区等级三副及以上任职资历,具有中级及以上职称的专业教师。

姓名	学历	专业	所持证书	教学资历/月	船上资历/月	教学科目	备注(注明自有、兼职)
教员四	本科	船舶驾驶	教师资格证、甲类大副	56	96	航海英语听力与会话/船舶操纵与避碰/航海英语/船舶管理/船舶结构与货运/货物积载与系固/航海仪器的使用/航海气象与海洋学/电子海图/值班水手业务/航海学	自有/已通过船舶管理、船舶避碰、航海气象与海洋学、海上货物运输、航海英语、ECDIS 师资培训、值班水手业务
教员八	本科	航海技术	教师资格证、甲类船长	36	180	船舶管理/船舶结构与货运/货物积载与系固/船舶操纵、避碰与驾驶台资源管理/驾驶台资源管理/船舶操纵与避碰/值班水手业务/航海学	自有/已通过船舶结构与货运、船舶管理和航海英语听力与会话师资培训、值班水手业务
教员十五	研究生	船舶驾驶	甲类三副	18	24	航海学/船舶管理/船舶结构与货运/雷达操作与应用/货物积载与系固/航海仪器的使用/电子海图/船舶操纵与避碰/基本安全	自有/新增
教员一	研究生	航海技术	教师资格证、甲类船长、副教授	60	128	船舶操纵与避碰/船舶管理/船舶操纵、避碰与驾驶台资源管理/驾驶台资源管理/航海英语听力与会话/航海英语/航海气象与海洋学/航海学/航线设计	自有/驾驶台资源管理师资航海英语师资、值班水手业务

二、培训师资论证结论

目前配备 4 名教员,均满足船员培训管理规则关于师资的规定,全部为自有教员,教学人员 80% 通过中华人民共和国海事局组织的师资考试。

结论:师资符合《中华人民共和国船员培训管理规则》教学人员的要求,能满足公司目前培训规模(40 人/班 × 6 班)的培训教学要求。

表 5 – 83(续 2)

资源保障
1. 目前配备教学管理人员 23 人,能保障教学与培训日常教学管理。
2. 根据《中华人民共和国船员培训管理规则》对课程要求配备了规定的场地、设施及设备,保障课程开展教学与培训所需的场地、设施及设备。
3. 按要求建立了船员教育和培训质量体系,并建立相关规章制度和应急预案,保障课程培训安全及培训教学的正常开展。
4. 制订完善的培训计划、教学大纲和详细教学方案,确保培训的教学质量。
5. 具备教学大纲和详细教学方案。
结论:资源保障科学、有效,完成课程后能达到规定的适任标准。
通过对该课程以上资源的论证,该课程培训采用的培训教材和培训内容满足《培训大纲》和水上交通安全、防治船舶污染的要求;教学人员的数量满足培训规模的需要,教学能力能胜任课程的培训目标;培训内容的理论和实操学时安排合理,符合《培训大纲》的相应要求;培训采用的培训方式合理,资源保障科学、有效,完成课程后能达到课程规定的适任标准,资源保障满足要求。

组长:
年　月　日

对课程论证报告中提及的改进措施及完成日期:

培训机构负责人签名:

年　月　日

注:1. 论证报告应包括对课程确认各个方面进行具体评价,并对每一方面的符合性分别出具结论,可另附页。
2. 论证人员不少于 3 人,人员资格应附表说明。

18. 航海英语(表 5 – 84)

表 5 – 84　航海英语培训课程论证情况表

培训课程(项目)	航海英语		
编制人员			
论证人员		论证时间	

培训内容
通过对该课程以下各模块的培训进行论证:
本课程培训内容对应《培训大纲》的 1.6 航海英语要求的各项要求及规定。具体培训内容可见本书《航海英语课程教学大纲》。
课程采用 2012 年版人民交通出版社、大连海事大学出版社出版的《航海英语》、2016 年版大连海事大学出版社出版的《航海英语》《航海英语听力与会话(第四版)》等教材。
结论:培训内容、培训教材符合大纲和水上交通安全、防治船舶污染的要求。

表5-84(续1)

培训课时
《培训大纲》规定的培训课时为90学时,其中理论74学时,实际操作16学时。
本课程计划培训144学时,其中理论122学时,实际操作22学时(详细安排见本书《航海英语课程教学大纲》)。
结论:培训课时和实操课时安排合理,达到《培训大纲》的要求,能确保培训教学质量达到的适任要求。

培训方式
培训方式目前采用理论与实操相结合,理论教学采用集中进行培训方式为主,实操训练在语音室开展,理论教学在多媒体教室采用PPT、影像资料、教学卡片等培训方式进行;实操以语音室听力会话等培训方式为主,采取教学做一体化的培训方式进行,能确保教学质量。
结论:培训方式科学、有效,完成课程后能达到规定的适任标准。

教学人员
一、师资要求
根据《〈中华人民共和国船员培训管理规则〉实施办法》中三副教学人员的要求,教员需满足下列条件:
(1)具有英语专业本科及以上学历,海上资历不少于3个月并具有中级及以上职称的专业教师;
(2)具有航海专业本科及以上学历,不少于1年的无限航区三副及以上任职资历,并具有不少于1年的专业英语教学/助教经验。

姓名	学历	专业	所持证书	教学资历/月	船上资历/月	教学科目	备注(注明自有、兼职)
教员三	研究生	航海技术	甲类三副、讲师	18	18	航海英语听力与会话/航海英语/航海学/电子海图/航线设计/船舶结构与货运/货物积载与系固/航海气象与海洋学/值班水手业务	自有/已通过航海学(气象)、航海英语(操作级)师资培训、值班水手业务
教员四	本科	船舶驾驶	教师资格证、甲类大副	56	96	航海英语听力与会话/船舶操纵与避碰/航海英语/船舶管理/船舶结构与货运/货物积载与系固/航海仪器的使用/航海气象与海洋学/电子海图/值班水手业务/航海学	自有/已通过船舶管理、船舶避碰、航海气象与海洋学、海上货物运输、航海英语、ECDIS师资培训、值班水手业务

表 5－84(续 2)

姓名	学历	专业	所持证书	教学资历/月	船上资历/月	教学科目	备注（注明自有、兼职）
教员一	研究生	航海技术	教师资格证、甲类船长、副教授	60	128	船舶操纵与避碰/船舶管理/船舶操纵、避碰与驾驶台资源管理/驾驶台资源管理/航海英语听力与会话/航海英语/航海气象与海洋学/航海学/航线设计	自有/驾驶台资源管理师资、航海英语师资、值班水手业务
教员九	研究生	英语	教师资格证、副教授	252	6	航海英语/航海英语听力与会话	自有/中国海事局第二期海事英语师资班培训
教员十	本科	英语	教师资格证、讲师	240	6	航海英语/航海英语听力与会话	自有
教员十一	研究生	海商法	教师资格证、讲师	240	6	航海英语/航海英语听力与会话	自有/中国海事局第三期海事英语师资班培训

二、培训师资论证结论

目前配备 6 名教员，均满足船员培训管理规则关于师资的规定，全部为自有教员，教学人员 80% 通过中华人民共和国海事局组织的师资考试。

结论：师资符合《中华人民共和国船员培训管理规则》教学人员的要求，能满足公司目前培训规模(40 人/班×6 班)的培训教学要求。

资源保障

1. 目前配备教学管理人员 23 人，能保障教学与培训日常教学管理。
2. 根据《中华人民共和国船员培训管理规则》对课程要求配备了规定的场地、设施及设备，保障课程开展教学与培训所需的场地、设施及设备。
3. 按要求建立了船员教育和培训质量体系，并建立相关规章制度和应急预案，保障课程培训安全及培训教学的正常开展。
4. 制订完善的培训计划、教学大纲和详细教学方案，确保培训的教学质量。
5. 具备教学大纲和详细教学方案。

结论：资源保障科学、有效，完成课程后能达到规定的适任标准。

通过对该课程以上资源的论证，该课程培训采用的培训教材和培训内容满足《培训大纲》和水上交通安全、防治船舶污染的要求；教学人员的数量满足培训规模的需要，教学能力能胜任课程的培训目标；培训内容

表 5 – 84(续 3)

的理论和实操学时安排合理,符合《培训大纲》的相应要求;培训采用的培训方式合理,资源保障科学、有效,完成课程后能达到课程规定的适任标准,资源保障满足要求。

组长:
年　月　日

对课程论证报告中提及的改进措施及完成日期:

培训机构负责人签名:

年　月　日

注:1. 论证报告应包括对课程确认各个方面进行具体评价,并对每一方面的符合性分别出具结论,可另附页。
2. 论证人员不少于 3 人,人员资格应附表说明。

19. 航海英语听力与会话(表 5 – 85)

表 5 – 85　航海英语听力与会话培训课程论证情况表

培训课程(项目)	航海英语听力与会话		
编制人员			
论证人员		论证时间	

培训内容
通过对该课程以下各模块的培训进行论证:
本课程培训内容对应《培训大纲》的 1.6 航海英语要求的各项要求及规定。具体培训内容可见本书《航海英语听力与会话课程教学大纲》。
课程采用人民交通出版社、大连海事大学出版社出版的《航海英语听力与会话(第四版)》等教材。
结论:培训内容、培训教材符合大纲和水上交通安全、防治船舶污染的要求。

培训课时
《培训大纲》规定的培训课时为 48 学时,其中理论 0 学时,实际操作 48 学时。
本课程计划培训 48 学时,其中理论 0 学时,实际操作 48 学时(详细安排见本书《航海英语听力与会话课程教学大纲》)。
结论:培训课时和实操课时安排合理,达到《培训大纲》的要求,能确保培训教学质量达到的适任要求。

培训方式
培训方式目前采用实操训练,在语音室开展,以听力会话等培训方式为主,采取教学做一体化的培训方式,能确保教学质量。
结论:培训方式科学、有效,完成课程后能达到规定的适任标准。

表5-85(续1)

教学人员

一、师资要求

根据《〈中华人民共和国船员培训管理规则〉实施办法》中三副教学人员的要求，教员需满足下列条件：

(1)具有英语专业本科及以上学历，海上资历不少于3个月并具有中级及以上职称的专业教师；

(2)具有航海专业本科及以上学历，不少于1年的无限航区三副及以上任职资历，并具有不少于1年的专业英语教学/助教经验。

姓名	学历	专业	所持证书	教学资历/月	船上资历/月	教学科目	备注(注明自有、兼职)
教员三	研究生	航海技术	甲类三副、讲师	18	18	航海英语听力与会话/航海英语/航海学/电子海图/航线设计/船舶结构与货运/货物积载与系固/航海气象与海洋学/值班水手业务	自有/已通过航海学(气象)、航海英语(操作级)师资培训、值班水手业务
教员四	本科	船舶驾驶	教师资格证、甲类大副	56	96	航海英语听力与会话/船舶操纵与避碰/航海英语/船舶管理/船舶结构与货运/货物积载与系固/航海仪器的使用/航海气象与海洋学/电子海图/值班水手业务/航海学	自有/已通过船舶管理、船舶避碰、航海气象与海洋学、海上货物运输、航海英语、ECDIS师资培训、值班水手业务
教员一	研究生	航海技术	教师资格证、甲类船长、副教授	60	128	船舶操纵与避碰/船舶管理/船舶操纵、避碰与驾驶台资源管理/驾驶台资源管理/航海英语听力与会话/航海英语/航海气象与海洋学/航海学/航线设计	自有/驾驶台资源管理师资、航海英语师资、值班水手业务
教员九	研究生	英语	教师资格证、副教授	252	6	航海英语/航海英语听力与会话	自有/中国海事局第二期海事英语师资班培训
教员十	本科	英语	教师资格证、讲师	240	6	航海英语/航海英语听力与会话	自有

表5-85(续2)

姓名	学历	专业	所持证书	教学资历/月	船上资历/月	教学科目	备注(注明自有、兼职)
教员十一	研究生	海商法	教师资格证、讲师	240	6	航海英语/航海英语听力与会话	自有/中国海事局第三期海事英语师资班培训

二、培训师资论证结论

目前配备6名教员,均满足船员培训管理规则关于师资的规定,全部为自有教员,教学人员80%通过中华人民共和国海事局组织的师资考试。

结论:师资符合《中华人民共和国船员培训管理规则》教学人员的要求,能满足公司目前培训规模(40人/班×6班)的培训教学要求。

资源保障

1. 目前配备教学管理人员23人,能保障教学与培训日常教学管理。
2. 根据《中华人民共和国船员培训管理规则》对课程要求配备了规定的场地、设施及设备,保障课程开展教学与培训所需的场地、设施及设备。
3. 按要求建立了船员教育和培训质量体系,并建立相关规章制度和应急预案,保障课程培训安全及培训教学的正常开展。
4. 制订完善的培训计划、教学大纲和详细教学方案,确保培训的教学质量。
5. 具备教学大纲和详细教学方案。

结论:资源保障科学、有效,完成课程后能达到规定的适任标准。

通过对该课程以上资源的论证,该课程培训采用的培训教材和培训内容满足《培训大纲》和水上交通安全、防治船舶污染的要求;教学人员的数量满足培训规模的需要,教学能力能胜任课程的培训目标;培训内容的理论和实操学时安排合理,符合《培训大纲》的相应要求;培训采用的培训方式合理,资源保障科学、有效,完成课程后能达到课程规定的适任标准,资源保障满足要求。

组长:

年　月　日

对课程论证报告中提及的改进措施及完成日期:

培训机构负责人签名:

年　月　日

注:1. 论证报告应包括对课程确认各个方面进行具体评价,并对每一方面的符合性分别出具结论,可另附页。

2. 论证人员不少于3人,人员资格应附表说明。

5.7.2　课程论证人员资格情况

课程论证人员资格情况见表 5－86。

表 5－86　课程论证人员资格情况表

序号	姓名	单位	性别	专业	职称	所持证书	签名
1							
2							
3							

5.8　培训机构认证与培训课程确认相关的其他说明材料

5.8.1　课程论证的其他情况说明

航海技术专业课程有两年制、三年制、四年制、五年一贯制的航海技术专业教育课程，在进行航海技术专业课程确认时，应根据学制时间进行编制课程确认，每一课程（模块）最低学时应不少于《培训大纲》规定的学时，确保课程培训学时，相关设施、设备能保障课程培训教学的开展，保证课程培训教学质量。本书是根据三年制的航海技术专业教学课程撰写的课程确认。

5.8.2　教学管理人员配备

根据《中华人民共和国船员培训管理规则》的要求，教学管理人员配备应满足以下要求：

（1）配备专职教学管理人员、教学设施设备管理人员、培训发证管理人员和档案管理人员；

（2）教学管理人员至少 2 人，具有水运类中专以上学历，或者其他专业大专以上学历，熟悉相关国内法规，熟悉所管理的培训项目；

（3）教学设施设备管理人员至少 1 人，具有中专以上学历，能够熟练操作所管理的设施、设备。

教学管理人员配备一览表见表 5－87。

表 5－87　教学管理人员配备一览表

序号	姓名	学历	职称（院校系列）	所持船员证书	教学资历/年	海上资历/年	职责
1							专职教学管理人员

表5-87(续)

序号	姓名	学历	职称（院校系列）	所持船员证书	教学资历/年	海上资历/年	职责
2							专职教学管理人员
3							培训发证管理人员
4							培训发证管理人员
5							档案管理人员
6							档案管理人员
7							教学设施设备管理人员
8							教学设施设备管理人员
9							教学设施设备管理人员

5.8.3　质量体系证书

提供最新的船员教育与培训质量体系审核证书，证明本培训机构管理的有效性和制度上的保障。

5.8.4　培训许可证

提供最新的船员培训许可证，证明本培训机构可以开展的培训项目(课程)。

第 6 章　专业合格证课程确认

6.1　专业合格证的论证材料说明

本专业的专业合格证课程有 6 门,分别是基本安全(Z01)、精通救生艇筏和救助艇(Z02)、船舶高级消防(Z04)、精通急救(Z05)、保安意识培训(Z07)和负有指定保安职责培训(Z08)。专业合格证课程论证一般分开论证,每一门课程撰写一份课程确认材料。专业合格证课程的论证材料在编制时应考虑本培训机构专业教学与社会船员培训本课程的需要,在保证培训学时不少于《培训大纲》培训学时的同时,也应考虑学校教学规律,一般以周为教学单元,可按以下如时间来安排。6 门专业合格证课程的《培训大纲》与专业课程学时情况见表 6 - 1。

表 6 - 1　专业合格证课程的《培训大纲》与专业课程学时

<table>
<tr><th rowspan="2">序号</th><th rowspan="2">专业合格证名称</th><th colspan="3">《培训大纲》规定学时</th><th colspan="3">本专业培训学时
(课程论证学时)</th><th rowspan="2">备注
(周数)</th></tr>
<tr><th>总学时</th><th>理论</th><th>实操</th><th>总学时</th><th>理论</th><th>实操</th></tr>
<tr><td>1</td><td>基本安全(Z01)</td><td>76</td><td>43</td><td>33</td><td>100</td><td>60</td><td>40</td><td>3</td></tr>
<tr><td>2</td><td>精通救生艇筏和救助艇(Z02)</td><td>28</td><td>10</td><td>18</td><td>40</td><td>14</td><td>26</td><td>1</td></tr>
<tr><td>3</td><td>船舶高级消防(Z04)</td><td>36</td><td>16</td><td>20</td><td>46</td><td>20</td><td>26</td><td>2</td></tr>
<tr><td>4</td><td>精通急救(Z05)</td><td>30</td><td>18</td><td>12</td><td>32</td><td>18</td><td>14</td><td>1</td></tr>
<tr><td>5</td><td>保安意识培训(Z07)</td><td>6</td><td>6</td><td>0</td><td>8</td><td>8</td><td>0</td><td rowspan="2">1</td></tr>
<tr><td>6</td><td>负有指定保安职责培训(Z08)</td><td>12</td><td>11</td><td>1</td><td>16</td><td>14</td><td>2</td></tr>
<tr><td colspan="2">合计</td><td>188</td><td>104</td><td>84</td><td>242</td><td>134</td><td>108</td><td>8</td></tr>
</table>

6.2　专业合格证课程确认模板

根据相关要求,结合教学与培训的要求,专业合格证课程的确认可参考基本安全(Z01)培训课程确认材料来撰写。

6.2.1 培训课程论证情况表

培训课程论证情况表见表 6－2。

表 6－2　基本安全培训课程论证情况表

培训课程(项目)	基本安全(Z01)		
编制人员			
论证人员		论证时间	

培训内容
通过对该课程以下各职能模块的培训内容进行论证。
一、个人求生
审定个人求生的基本知识,课程内容覆盖《培训大纲》的各个知识点的要求,学员完成该课程内容学习后,能具备以下技能:
1. 识别紧急集合信号后的行动符合其所示的紧急情况和既定的应急程序;
2. 单个行动的时机和顺序适合于当时的环境和情况,并把潜在危险和对求生者的威胁降低到最低程度;
3. 登救生艇筏的方法合适并避免危及其他求生者;
4. 离船后的初始行动和在水中的程序、行动把对求生的威胁降低到最低程度。
二、防火与灭火
审定防火与灭火的基本知识,课程内容覆盖《培训大纲》的各个知识点的要求,学员完成该课程内容学习后,能具备以下技能:
1. 发觉紧急情况后的初始行动符合认可的做法和程序;
2. 识别紧急集合信号后的行动适合其所示的紧急情况并符合既定的应急程序;
3. 着装和装备适合灭火作业的性质;
4. 运用合适的程序、技术和灭火剂扑灭火灾;
5. 使用呼吸装置的步骤和技能符合公认的做法和程序。
三、基本急救
审定基本急救的基本知识,课程内容覆盖《培训大纲》的各个知识点的要求,学员完成该课程内容学习后,能具备以下技能:
1. 发出警报的方式和时间适合;
2. 急性情况下对受伤的可能原因、性质和范围的认定迅速充分;
3. 急救措施的先后顺序与对生命潜在威胁相适应,始终把对自身和伤员的进一步危害降低到最低程度。
四、个人安全与社会责任
审定个人安全与社会责任基本知识,课程内容覆盖《培训大纲》的各个知识点的要求,学员完成该课程内容学习后,能具备以下技能:
1. 遵循应急程序;
2. 遵守安全作业方法;
3. 采取防止海洋环境污染的措施;
4. 有助于船上有效的交流;
5. 有助于船上有效的人际关系;
6. 理解并采取必要的措施控制疲劳。

表 6-2(续 1)

五、课程采用人民交通出版社、大连海事大学出版社出版的《基本安全》,教学满足国家规定的《培训大纲》和水上交通安全、防治船舶污染等的要求。
本课程培训内容符合《中华人民共和国船员基本安全专业培训、考试和发证办法》和《培训大纲》Z01 的培训内容要求。

培训课时
《培训大纲》Z01 的规定课时为 76 学时,其中理论 43 学时,实操 33 学时。
学校开展的基本安全(Z01)培训规模为(40 人/班×2 班),培训时间为 3 周(每周 5 天,其中 2 天为考试,周六、周日休息),用于培训时间为 13 天,共 76 学时(折算 100 课时,每课时 45 min),每天安排 8 课时,其中理论 43 学时(折算 60 课时),实操 33 学时(折算 40 课时)。
理论课与实操课都大于规定的课时,培训课时符合要求。

培训方式
学校的基本安全(Z01)培训方式目前采用理论与实操相结合,集中进行培训方式为主,实操分组交叉同时进行培训,理论教学在多媒体教室进行,采用 PPT、培训录像、结合互联网+、云课堂等培训方式进行教学;实操以现场教学、实船训练及项目教学法等培训方式,先示范后训练,能确保教学质量,采用的授课方法、手段、程序科学、有效。
培训方式可行。

培训师资
一、师资配备情况

姓名	学历	专业	所持证书	教学资历/月	船上资历/月	教学科目	备注
						基本安全理论/实操	自有/讲师
						基本安全理论/实操	自有/助理实验师
						基本安全理论/实操	自有/副教授
						基本安全理论/实操	自有/讲师
						基本急救/急救实操	自有/主治医师
						基本安全理论/实操	自有/讲师
						基本急救/急救实操	自有/护理师

二、培训师资论证结论
目前学校配备 7 名教员,6 名通过交通运输部海事局的“海船船员基本安全”师资培训班,考核合格。取得师资培训合格证比例达 85.7%,达到《中华人民共和国船员培训管理规则》中对师资要取得师资培训合格证比例达 80% 的要求。
7 名教员中 5 名为航海技术专业教师,全部都具备 1 年以上海上服务资历,2 名为医生,1 名为主治医师,另 1 名为护理师,都具有丰富的医务实践经验。

表 6－2(续 2)

所有教员对基本安全培训全部内容均全面了解和掌握,也一直从事该门课程教学。
基本安全(Z01)批复给学校的培训规模(40 人/班×2 班),目前有 7 名教员,可以按培训规模开展培训。
培训师资符合《中华人民共和国船员培训管理规则》中基本安全(Z01)师资的要求,能满足学校目前培训规模(40 人/班×2 班)的培训教学要求。

资源保障
1. 学校目前配备教学管理人员 15 人,能保障基本安全(Z01)教学与培训日常教学管理;
2. 根据《中华人民共和国船员培训管理规则》对基本安全(Z01)要求配备了规定的场地、设施及设备,保障开展教学与培训所需的场地、设施及设备。
3. 学校按要求建立了船员教育和培训质量体系,并建立相关规章制度,保障基本安全(Z01)培训安全及培训教学的正常开展。
4. 制订完善的基本安全(Z01)教学实施计划,确保培训质量。
通过对该课程以上资源的论证,学校的基本安全(Z01)培训资源能保障该培训课程的开展。

组长:
年　月　日

对课程论证报告中提及的改进措施及完成日期:
培训机构负责人签名:

年　月　日

6.2.2　论证人员资格情况表

论证人员资格情况见表 6－3。

表 6－3　基本安全论证人员资格情况表

姓名	单位	职务	职称	学历	专业	所持证书	教学资历/月	船上资历/月

6.2.3　船员培训课程安排

船员培训课程安排见表 6－4。

表 6-4　基本安全(Z01)课程安排

课程名称	基本安全(Z01)						培训规模			40 人/班×2 班	
《培训大纲》标准(最低要求)					培训安排						
培训要求		评价标准	学时		培训要求		实现的培训目标	时间/h		培训方式	教员安排
理论	实操		理论	实操	理论	实操		理论	实操		
职能 1. 个人求生 (1)弃船情况下的海上救生											
1. 了解可能发生的紧急情况的类型，如碰撞、失火、沉没(0.5 h) 2. 掌握救生设备的种类与配备标准(艇、筏、衣、浮具、求生信号、通信设备、抛绳设备及属具)(0.5 h) 3. 熟悉救生艇筏内的设备(0.5 h) 4. 熟悉个人救生设备的位置(0.5 h)	1. 能正确认识救生设备的种类与配备标准(艇、筏、衣、浮具、求生信号、通信设备、抛绳设备及属具)(1.5 h) 2. 能正确穿着和使用浸水保温服(0.5 h)	识别紧急集合信号后的行动符合其所示的紧急情况和既定的应急程序	2	2	1. 了解可能发生的紧急情况的类型，如碰撞、失火、沉没(0.5 h) 2. 掌握救生设备的种类与配备标准(艇、筏、衣、浮具、求生信号、通信设备、抛绳设备及属具)(0.5 h) 3. 熟悉救生艇筏内的设备(0.5 h) 4. 熟悉个人救生设备的位置(0.5 h)	1. 能正确认识救生设备的种类与配备标准(艇、筏、衣、浮具、求生信号、通信设备、抛绳设备及属具)(1.5 h) 2. 能正确穿着和使用浸水保温服(0.5 h)	识别紧急集合信号后的行动符合其所示的紧急情况和既定的应急程序	2	2	多媒体教室、模拟船舶(“芙蓉号”)、跳水池	教员一、教员四、教员三、教员七

表 6 -4(续 1)

<table>
<tr><td>课程名称</td><td colspan="6">基本安全(Z01)</td><td colspan="4">培训规模</td><td colspan="2">40 人/班 ×2 班</td></tr>
<tr><td colspan="5">《培训大纲》标准(最低要求)</td><td colspan="8">培训安排</td></tr>
<tr><td colspan="2">培训要求</td><td rowspan="2">评价标准</td><td colspan="2">学时</td><td colspan="2">培训要求</td><td rowspan="2">实现的
培训目标</td><td colspan="2">时间/h</td><td rowspan="2">培训
方式</td><td rowspan="2">教员
安排</td></tr>
<tr><td>理论</td><td>实操</td><td>理论</td><td>实操</td><td>理论</td><td>实操</td><td>理论</td><td>实操</td></tr>
<tr><td>5. 掌握有关求生的原则
(1)熟悉海上求生培训和演习的价值
(2)掌握船上个人防护服及器具的组成及使用方法</td><td>3. 能正确穿着救生衣(1 h)
4. 能安全从高处跳入水中(0.5 h)
5. 能穿着救生衣扶正倾覆救生筏(0.5 h)</td><td>单个行动的时机和顺序适合于当时的环境和情况,并把潜在危险和对求生者的威胁降低到最低程度</td><td>2</td><td>2</td><td>5. 掌握有关求生的原则
(1)熟悉海上求生培训和演习的价值
(2)掌握船上个人防护服及器具的组成及使用方法</td><td>3. 能正确穿着救生衣(1 h)
4. 能安全从高处跳入水中(0.5 h)
5. 能穿着救生衣扶正倾覆救生筏(0.5 h)</td><td>单个行动的时机和顺序适合于当时的环境和情况,并把潜在危险和对求生者的威胁降低到最低程度</td><td>2</td><td>2</td><td>多媒体教室、模拟船舶(“芙蓉号”)、跳水池</td><td>教员一、教员四、教员三、教员七</td></tr>
<tr><td>(3)掌握为任何紧急情况做好准备的必要性
(4)掌握被召至救生艇筏位置时应采取行动的方法
(5)掌握弃船时应采取的行动</td><td>6. 能穿着救生衣游泳(0.5 h)
7. 能未穿着救生衣保持漂浮(0.5 h)
8. 能穿着救生衣从船上或水中登上救生艇筏(1 h)</td><td>登救生艇筏的方法合适并避免危及其他求生者</td><td>2</td><td>2</td><td>(3)掌握为任何紧急情况做好准备的必要性
(4)掌握被召至救生艇筏位置时应采取行动的方法
(5)掌握弃船时应采取的行动</td><td>6. 能穿着救生衣游泳(0.5 h)
7. 能未穿着救生衣保持漂浮(0.5 h)
8. 能穿着救生衣从船上或水中登上救生艇筏(1 h)</td><td>登救生艇筏的方法合适并避免危及其他求生者</td><td>2</td><td>2</td><td>多媒体教室、模拟船舶(“芙蓉号”)、跳水池</td><td>教员一、教员四、教员三、教员七</td></tr>
</table>

表 6-4(续2)

课程名称	基本安全(Z01)						培训规模	40人/班×2班			
《培训大纲》标准(最低要求)					培训安排						
培训要求		评价标准	学时		培训要求		实现的培训目标	时间/h		培训方式	教员安排
理论	实操		理论	实操	理论	实操		理论	实操		
(6)掌握在水中时应采取的行动 (7)熟悉在救生筏上应采取的行动 (8)熟悉求生者的主要危险	9. 为了增加获救机会,在登上救生艇筏后能采取正确的初始行动(1 h) 10. 能正确抛放流锚或海锚(1 h)	离船后的初始行动和在水中的程序、行动把对求生的威胁降低到最低程度	2	2	(6)掌握在水中时应采取的行动 (7)熟悉在救生筏上应采取的行动 (8)熟悉求生者的主要危险	9. 为了增加获救机会,在登上救生艇筏后能采取正确的初始行动(1 h) 10. 能正确抛放流锚或海锚(1 h) 11. 能正确操作救生艇筏上的设备(1 h) 12. 能正确操作定位仪器,包括无线电设备(1 h)	离船后的初始行动和在水中的程序、行动把对求生的威胁降低到最低程度	2	2	多媒体教室、模拟船舶("芙蓉号")、跳水池	教员一、教员四、教员三、教员七
	11. 能正确操作救生艇筏上的设备(1 h) 12. 能正确操作定位仪器,包括无线电设备(1 h)	离船后的初始行动和在水中的程序、行动把对求生的威胁降低到最低程度	0	2		11. 能正确操作救生艇筏上的设备(1 h) 12. 能正确操作定位仪器,包括无线电设备(1 h)	离船后的初始行动和在水中的程序、行动把对求生的威胁降低到最低程度	0	2	模拟船舶("芙蓉号")、跳水池	教员一、教员四、教员三、教员七

表 6 – 4(续 3)

课程名称	基本安全(Z01)						培训规模		40 人/班×2 班		
《培训大纲》标准(最低要求)					培训安排						
培训要求		评价标准	学时		培训要求		实现的培训目标	时间/h		培训方式	教员安排
理论	实操		理论	实操	理论	实操		理论	实操		
2. 防火与灭火 (1)最大限度地减少火灾危险并保持应对包括火灾在内的紧急局面的戒备状态;(2)扑灭火灾											
1. 了解船舶消防组织与应急行动(0.5 h) 2. 了解船舶应变部署表、消防应变信号、值班巡逻制度、人员集合点及各自的职责、通信方式(0.5 h) 3. 了解船舶消防演习(0.5 h) 4. 了解船舶防火控制图(灭火器的位置和应急逃生路线)(0.25 h)	1. 熟悉船舶消防应变部署表和正确使用应变任务卡(1 h) 2. 识读船舶防火控制图,并识别灭火器的位置和应急逃生路线(1 h)	发觉紧急情况后的初始行动符合认可的做法和程序	2	2	1. 了解船舶消防组织与应急行动(0.5 h) 2. 了解船舶应变部署表、消防应变信号、值班巡逻制度、人员集合点及各自的职责、通信方式(0.5 h) 3. 了解船舶消防演习(0.5 h) 4. 了解船舶防火控制图(灭火器的位置和应急逃生路线)(0.25 h)	1. 熟悉船舶消防应变部署表和正确使用应变任务卡(1 h) 2. 识读船舶防火控制图,并识别灭火器的位置和应急逃生路线(1 h)	发觉紧急情况后的初始行动符合认可的做法和程序	2	2	多媒体教室、模拟船舶(“芙蓉号”)	教员一、教员四、教员三、教员七

表6-4(续4)

课程名称	基本安全(Z01)							培训规模		40人/班×2班	
《培训大纲》标准(最低要求)					培训安排						
培训要求		评价标准	学时		培训要求		实现的培训目标	时间/h		培训方式	教员安排
理论	实操		理论	实操	理论	实操		理论	实操		
5. 掌握燃烧的基本知识(0.75 h) 6. 了解船舶火灾的种类和原因 7. 了解火的蔓延(0.25 h) 8. 了解火灾危险、船舶消防工作的重要性及日常防火的必要性(0.25 h) 9. 了解船舶结构防火及船舶火灾的预防措施(0.25 h)	3. 熟悉船舶烟火检测系统和自动报警系统(1 h) 4. 熟悉船舶消防组织与应急行动(1 h)	识别紧急集合信号后的行动适合其所示的紧急情况并符合既定的应急程序	1.5	2	5. 掌握燃烧的基本知识(0.75 h) 6. 了解船舶火灾的种类和原因 7. 了解火的蔓延(0.25 h) 8. 了解火灾危险、船舶消防工作的重要性及日常防火的必要性(0.25 h) 9. 了解船舶结构防火及船舶火灾的预防措施(0.25 h)	3. 熟悉船舶烟火检测系统和自动报警系统(1 h) 4. 熟悉船舶消防组织与应急行动(1 h)	识别紧急集合信号后的行动适合其所示的紧急情况并符合既定的应急程序	1.5	2	多媒体教室、模拟船舶("芙蓉号")	教员一、教员四、教员三、教员七
10. 了解火灾自动探测及报警系统(0.25 h) 11. 熟悉火的种类及特点(0.25 h) 12. 掌握灭火剂的种类及灭火原理和使用注意事项(0.75 h) 13. 熟悉灭火剂适用的对象及灭火注意事项(0.25 h)		识别紧急集合信号后的行动适合其所示的紧急情况并符合既定的应急程序	1.5	0	10. 了解火灾自动探测及报警系统(0.25 h) 11. 熟悉火的种类及特点(0.25 h) 12. 掌握灭火剂的种类及灭火原理和使用注意事项(0.75 h) 13. 熟悉灭火剂适用的对象及灭火注意事项(0.25 h)		识别紧急集合信号后的行动适合其所示的紧急情况并符合既定的应急程序	1.5	0	多媒体教室	教员一、教员四、教员三、教员七

表 6 – 4(续 5)

课程名称	基本安全(Z01)						培训规模	40 人/班 × 2 班			
《培训大纲》标准(最低要求)					培训安排						
培训要求		评价标准	学时		培训要求		实现的培训目标	时间/h		培训方式	教员安排
理论	实操		理论	实操	理论	实操		理论	实操		
1. 熟悉固定灭火系统的作用与操作(0.5 h) 2. 了解消防员装备的组成与性能(0.25 h) 3. 了解个人设备(包括紧急逃生呼吸器(EEBD)、防毒面具)性能与要求(0.25 h) 4. 熟悉各种手提式灭火器的结构、灭火级别、灭火作用和使用方法(0.5 h)	在真实训练条件(如模拟船上)下,如可能或可行时在黑暗中,掌握下列能力: 1. 能正确使用各种类型手提式灭火器(1 h) 2. 能正确使用消防员装备(1 h)	着装和装备适合灭火作业的性质	1.5	2	1. 熟悉固定灭火系统的作用与操作(0.5 h) 2. 了解消防员装备的组成与性能(0.25 h) 3. 了解个人设备(包括紧急逃生呼吸器(EEBD)、防毒面具)性能与要求(0.25 h) 4. 熟悉各种手提式灭火器的结构、灭火级别、灭火作用和使用方法。(0.5 h)	在真实训练条件(如模拟船上)下,如可能或可行时在黑暗中,掌握下列能力: 1. 能正确使用各种类型手提式灭火器(1 h) 2. 能正确使用消防员装备(1 h)	着装和装备适合灭火作业的性质	1.5	2	多媒体教室、模拟船舶(“芙蓉号”)	教员一、教员四、教员三、教员七

表6－4(续6)

课程名称	基本安全(Z01)							培训规模		40人/班×2班	
《培训大纲》标准(最低要求)					培训安排						
培训要求		评价标准	学时		培训要求		实现的培训目标	时间/h		培训方式	教员安排
理论	实操		理论	实操	理论	实操		理论	实操		
5. 了解各种移动式灭火装置的结构、灭火作用和使用方法(0.5 h) 6. 了解其他消防器材及其作用(0.25 h) 7. 了解灭火的基本方法(0.25 h) 8. 掌握船舶灭火程序与基本原则(0.5 h)	3. 能扑灭小火,如电器火、油火、丙烷火(0.5 h) 4. 能正确使用喷水枪及散射喷枪扑灭较大火灾(0.5 h) 5. 能正确使用泡沫、干粉或其他合适的化学剂灭火(1 h)	单个行动的时机和次序适合当时环境和条件	1.5	2	5. 了解各种移动式灭火装置的结构、灭火作用和使用方法(0.5 h) 6. 了解其他消防器材及其作用(0.25 h) 7. 了解灭火的基本方法(0.25 h) 8. 掌握船舶灭火程序与基本原则(0.5 h)	3. 能扑灭小火,如电器火、油火、丙烷火(0.5 h) 4. 能正确使用喷水枪及散射喷枪扑灭较大火灾(0.5 h) 5. 能正确使用泡沫、干粉或其他合适的化学剂灭火(1 h)	单个行动的时机和次序适合当时环境和条件	1.5	2	多媒体教室、模拟船舶(“芙蓉号”)	教员一、教员四、教员三、教员七
	6. 能正确使用救生索,但不戴呼吸装置进入或通过已喷注了高膨胀泡沫的舱室(1 h) 7. 能正确佩戴自给式呼吸装置在充满烟雾的封闭处所灭火(0.5 h) 8. 能正确使用水雾喷头和散射喷枪、化学干粉或泡沫喷头扑救油火(0.5 h)	运用合适的程序、技术和灭火剂扑灭火灾	0	2		6. 能正确使用救生索,但不戴呼吸装置进入或通过已喷注了高膨胀泡沫的舱室(1 h) 7. 能正确佩戴自给式呼吸装置在充满烟雾的封闭处所灭火(0.5 h) 8. 能正确使用水雾喷头和散射喷枪、化学干粉或泡沫喷头扑救油火(0.5 h)	运用合适的程序、技术和灭火剂扑灭火灾	0	2	多媒体教室、模拟船舶(“芙蓉号”)	教员一、教员四、教员三、教员七

表 6－4(续 7)

课程名称	基本安全(Z01)						培训规模		40 人/班×2 班		
《培训大纲》标准(最低要求)					培训安排						
培训要求		评价标准	学时		培训要求		实现的培训目标	时间/h		培训方式	教员安排
理论	实操		理论	实操	理论	实操		理论	实操		
	9. 能正确使用水雾或其他合适的灭火剂扑灭油火，以及冒着浓烟的居住舱室或模拟机舱的火灾(1 h) 10. 能正确佩戴呼吸装置在充满烟雾的舱室实施营救(1 h)	使用呼吸装置的步骤和技能符合公认的做法和程序	0	2		9. 能正确使用水雾或其他合适的灭火剂扑灭油火，以及冒着浓烟的居住舱室或模拟机舱的火灾(1 h) 10. 能正确佩戴呼吸装置在充满烟雾的舱室实施营救(1 h)	使用呼吸装置的步骤和技能符合公认的做法和程序	0	2	多媒体教室、模拟船舶("芙蓉号")	教员一、教员四、教员三、教员七
3. 基本急救： (1)遇到事故或其他急症情况时立即采取应急行动											
掌握评估伤员的需要和对自身安全的威胁(0.5 h)；了解人体构造和功能(1 h)；理解在紧急情况下应采取的应急措施： 1. 安置伤员(0.5 h)	在实验室开展以下工作： 1. 能进行心肺复苏术(2 h)	发出警报的方式和时间适合	2	2	掌握评估伤员的需要和对自身安全的威胁(0.5 h)；了解人体构造和功能(1 h)；理解在紧急情况下应采取的应急措施： 1. 安置伤员(0.5 h)	在实验室开展以下工作： 1. 能进行心肺复苏术(2 h)	发出警报的方式和时间适合	2	2	多媒体教室、模拟船舶("芙蓉号")	教员五、教员六 教员一、教员四、

表 6－4(续 8)

课程名称	基本安全(Z01)						培训规模	40 人/班×2 班			
《培训大纲》标准(最低要求)					培训安排						
培训要求		评价标准	学时		培训要求		实现的培训目标	时间/h		培训方式	教员安排
理论	实操		理论	实操	理论	实操		理论	实操		
2. 心肺复苏术(1 h) 3. 止血术(1 h)	2. 能正确使用止血带止血(1 h) 3. 能进行临时骨折固定(1 h)	急性情况下对受伤的可能原因、性质和范围的认定迅速充分	2	2	2. 心肺复苏术(1 h) 3. 止血术(1 h)	2. 能正确使用止血带止血(1 h) 3. 能进行临时骨折固定(1 h)	急性情况下对受伤的可能原因、性质和范围的认定迅速充分	2	2		
4. 治疗休克的基本措施(1 h) 5. 抢救运送伤员的措施(1 h)	4. 能使用简单三角巾包扎(2 h)	急救措施的先后顺序与对生命潜在威胁相适应；始终把对自身和伤员的进一步危害降到最低限度	2	2	4. 治疗休克的基本措施(1 h) 5. 抢救运送伤员的措施(1 h)	4. 能使用简单三角巾包扎(2 h)	急救措施的先后顺序与对生命潜在威胁相适应；始终把对自身和伤员的进一步危害降到最低限度	2	2		
6. 治疗烧伤和烫伤,包括电击伤应急措施(2 h)			2	0	6. 治疗烧伤和烫伤,包括电击伤应急措施(2 h)			2	0		
7. 简易的包扎方法和急救箱内物品的使用(2 h)			2	0	7. 简易的包扎方法和急救箱内物品的使用(2 h)			2	0		

表 6－4(续 9)

课程名称	基本安全(Z01)						培训规模		40 人/班×2 班		
《培训大纲》标准(最低要求)					培训安排						
培训要求		评价标准	学时		培训要求		实现的培训目标	时间/h		培训方式	教员安排
理论	实操		理论	实操	理论	实操		理论	实操		
4. 个人安全与社会责任 (1)遵循应急程序;(2)遵守安全作业方法;(3)采取防止海洋环境污染的措施;(4)有助于船上有效的交流;(5)有助于船上有效的人际关系;(6)理解并采取必要的措施控制疲劳											
船舶应急应变知识和程序: 1. 了解常见的应急种类、程序和行动 (1)碰撞应急 (2)火灾应急 (3)进水与沉没应急(0.75 h) 2. 掌握船舶各种应急计划的知识(0.5 h) 3. 掌握船舶应变部署及正确使用个人安全设备(0.5 h) 4. 了解船旗国与港口国监督检查(0.25 h)	1. 能开展火灾应急、碰撞应急、进水与沉没应急的演示(0.5 h) 2. 能掌握各项应急程序和方法(0.5 h)	发觉紧急情况后的最初行动符合既定的应急反应程序	2	1	船舶应急应变知识和程序: 1. 了解常见的应急种类、程序和行动 (1)碰撞应急 (2)火灾应急 (3)进水与沉没应急(0.75 h) 2. 掌握船舶各种应急计划的知识(0.5 h) 3. 掌握船舶应变部署及正确使用个人安全设备(0.5 h) 4. 了解船旗国与港口国监督检查(0.25 h)	1. 能开展火灾应急、碰撞应急、进水与沉没应急的演示(0.5 h) 2. 能掌握各项应急的程序和方法(0.5 h)	发觉紧急情况后的最初行动符合既定的应急反应程序	2	1	多媒体教室、模拟船(“芙蓉号”)	教员一、教员二 教员三、教员四

表 6-4(续 10)

课程名称	基本安全(Z01)						培训规模	40 人/班×2 班		
《培训大纲》标准(最低要求)					培训安排					
培训要求		评价标准	学时		培训要求		实现的培训目标	时间/h		培训方式	教员安排
理论	实操		理论	实操	理论	实操		理论	实操		
5. 掌握听到警报信号后的行动(0.5 h) 6. 掌握逃生路线、船上内部应急通信与报警系统(0.5 h) 7. 掌握船员日常安全教育、船上培训及演习(0.5 h) 8. 了解船舶的安全评估方法(0.25 h) 9. 了解国际和国内安全管理规则(0.25 h)		报警信息迅速准确、完整、清晰	2	0	5. 掌握听到警报信号后的行动(0.5 h) 6. 掌握逃生路线、船上内部应急通信与报警系统(0.5 h) 7. 掌握船员日常安全教育、船上培训及演习(0.5 h) 8. 了解船舶的安全评估方法(0.25 h) 9. 了解国际和国内安全管理规则(0.25 h)		报警信息迅速准确、完整、清晰	2	0	多媒体教室、模拟船(“芙蓉号”)	教员一、教员二、教员三、教员四

表6－4(续11)

课程名称	基本安全(Z01)							培训规模	40人/班×2班		
《培训大纲》标准(最低要求)					培训安排						
培训要求		评价标准	学时		培训要求		实现的培训目标	时间/h		培训方式	教员安排
理论	实操		理论	实操	理论	实操		理论	实操		
船上安全作业方法: 1. 了解遵守安全作业方法的重要性(0.5 h) 2. 了解适用于船舶上防止潜在危害的安全和保护装置及安全注意事项:个人劳动安全保护、高空作业、舷外作业、系离泊作业、热工作业、开关舱扫舱作业、金工作业、进入封闭处所(1.5 h) 3. 了解《中华人民共和国海船船员值班规则》中有关适用标准(0.5 h)	1. 能开展使用各种安全和防护设备的演示(0.5 h) 2. 能开展进入封闭舱室的安全训练的演示(0.5 h)	始终遵守安全作业方法并在任何时候都使用合适的安全和防护设备	2	1	船上安全作业方法: 1. 了解遵守安全作业方法的重要性(0.5 h) 2. 了解适用于船舶上防止潜在危害的安全和保护装置及安全注意事项:个人劳动安全保护、高空作业、舷外作业、系离泊作业、热工作业、开关舱扫舱作业、金工作业、进入封闭处所(1.5 h) 3. 了解《中华人民共和国海船船员值班规则》中有关适用标准(0.5 h)	1. 能开展使用各种安全和防护设备的演示(0.5 h) 2. 能开展进入封闭舱室的安全训练的演示(0.5 h)	始终遵守安全作业方法并在任何时候都使用合适的安全和防护设备	2	1	多媒体教室、模拟船舶("芙蓉号")	教员一、教员二 教员三、教员四

表 6－4（续 12）

课程名称	基本安全（Z01）						培训规模	40 人/班×2 班			
《培训大纲》标准（最低要求）					培训安排						
培训要求		评价标准	学时		培训要求		实现的培训目标	时间/h		培训方式	教员安排
理论	实操		理论	实操	理论	实操		理论	实操		
4. 熟悉职业健康及防止工伤事故的国际措施（1 h） 5. 船上常见工伤事故案例分析（0.5 h）		始终遵守安全作业方法并在任何时候都使用合适的安全和防护设备	2	0	4. 熟悉职业健康及防止工伤事故的国际措施（1 h） 5. 船上常见工伤事故案例分析（0.5 h）		始终遵守安全作业方法并在任何时候都使用合适的安全和防护设备	2	0	多媒体教室、模拟船舶（“芙蓉号”）	教员一、教员二、教员三、教员四
防止海洋环境污染的措施： 1. 了解航运对海洋环境的影响，及操作性或事故性污染对海洋环境危害的基本知识（0.5 h） 2. 掌握防止船舶造成污染的基本要求（1.5 h）	1. 了解各种防污染器材（1.5 h） 2. 能对船上垃圾进行分类与处理（0.5 h）	始终遵守为保护海洋环境而制定的组织程序	2	2	防止海洋环境污染的措施： 1. 了解航运对海洋环境的影响，及操作性或事故性污染对海洋环境危害的基本知识（0.5 h） 2. 掌握防止船舶造成污染的基本要求（1.5 h）	1. 了解各种防污染器材（1.5 h） 2. 能对船上垃圾进行分类与处理（0.5 h）	始终遵守为保护海洋环境而制定的组织程序	2	2	多媒体教室、模拟船舶（“芙蓉号”）	教员一、教员二、教员三、教员四

表 6-4(续 13)

课程名称	基本安全(Z01)						培训规模	40 人/班×2 班				
《培训大纲》标准(最低要求)					培训安排							
培训要求		评价标准	学时		培训要求		实现的培训目标	时间/h		培训方式	教员安排
理论	实操		理论	实操	理论	实操		理论	实操		
3. 了解海洋环境多样性、复杂性的基本知识(0.5 h) 4. 了解防污染应急基本程序(0.5 h)			1	0	3. 了解海洋环境多样性、复杂性的基本知识(0.5 h) 4. 了解防污染应急基本程序(0.5 h)			1	0		
船上信息交流和语言技能: 1. 了解语言技能对信息交流的影响(0.25 h) 2. 熟悉船上个人和团队之间有效交流的原则和障碍(0.5 h) 3. 掌握建立和保持有效交流的能力(0.25 h)		在任何时候交流都清楚、有效	1	0	船上信息交流和语言技能: 1. 了解语言技能对信息交流的影响(0.25 h) 2. 熟悉船上个人和团队之间有效交流的原则和障碍(0.5 h) 3. 掌握建立和保持有效交流的能力(0.25 h)		在任何时候交流都清楚、有效	1	0	多媒体教室、模拟船舶(“芙蓉号”)	教员一、教员二、教员三、教员四

表 6-4(续 14)

课程名称	基本安全(Z01)						培训规模	40 人/班×2 班		
《培训大纲》标准(最低要求)					培训安排					
培训要求		评价标准	学时		培训要求		实现的培训目标	时间/h		培训方式	教员安排
理论	实操		理论	实操	理论	实操		理论	实操		
船员人际关系: 1. 熟悉船员人际关系特点(0.25 h) 2. 熟悉保持船上良好的人际关系和工作关系的重要性(0.25 h) 3. 掌握船员群体及其心理特征(0.5 h) 4. 熟悉团队工作的原则和方法,以及冲突的解决(0.5 h)	能开展防止船上冲突及冲突解决办法的训练(0.5 h)	始终遵守所要求的工作及行为准则	1.5	1	船员人际关系: 1. 熟悉船员人际关系特点(0.25 h) 2. 熟悉保持船上良好的人际关系和工作关系的重要性(0.25 h) 3. 掌握船员群体及其心理特征(0.5 h) 4. 熟悉团队工作的原则和方法,以及冲突的解决(0.5 h)	能开展防止船上冲突及冲突解决办法的训练	始终遵守所要求的工作及行为准则	1.5	1	多媒体教室、模拟船舶(“芙蓉号”)	教员一、教员二教员三、教员四
5. 掌握船员的社会责任、任职资格及雇用条件(0.25 h) 6. 熟悉船员的基本权利和义务(0.25 h) 7. 熟悉船员的职业道德和纪律(0.25 h) 8. 掌握滥用药物和酗酒的危害及控制(0.5 h) 9. 掌握危害安全的不良心理素质(0.25 h)		始终遵守所要求的工作及行为准则	1.5		5. 掌握船员的社会责任、任职资格及雇用条件(0.25 h) 6. 熟悉船员的基本权利和义务(0.25 h) 7. 熟悉船员的职业道德和纪律(0.25 h) 8. 掌握滥用药物和酗酒的危害及控制(0.5 h) 9. 掌握危害安全的不良心理素质(0.25 h)		始终遵守所要求的工作及行为准则	1.5	0	多媒体教室、模拟船舶(“芙蓉号”)	教员一、教员二教员三、教员四

表 6-4(续 15)

课程名称	基本安全(Z01)						培训规模	40 人/班×2 班			
《培训大纲》标准(最低要求)					培训安排						
培训要求		评价标准	学时		培训要求		实现的培训目标	时间/h		培训方式	教员安排
理论	实操		理论	实操	理论	实操		理论	实操		
1. 了解必要休息的重要性(0.25 h) 2. 熟悉睡眠、作息时间与生理节律、身体紧张刺激因素、船舶内外环境的紧张刺激因素、作息时间的改变对海员疲劳的影响(1.5 h) 3. 了解消除疲劳的方法和措施(0.25 h)		做法并采取适当的措施	2	0	1. 了解必要休息的重要性(0.25 h) 2. 熟悉睡眠、作息时间与生理节律、身体紧张刺激因素、船舶内外环境的紧张刺激因素、作息时间的改变对海员疲劳的影响(1.5 h) 3. 了解消除疲劳的方法和措施(0.25 h)		做法并采取适当的措施	2	0	多媒体教室、模拟船舶(“芙蓉号”)	教员一、教员二教员三、教员四
小计			43	33				43	33		

注:1. 本表按照项目填写。

2. 培训方式应明确是模拟器培训、实船(在船)培训、实验室设备培训等方式。

3. 使用模拟器培训的,另附模拟器满足有关性能标准、适用培训目标的论证报告。

6.2.4　基本安全课程表

基本安全课程表见表6－5、表6－6。

表6－5　培训班课程表(1班)

编号:GDCP/B074－03

周次(日期)	星期	课时	教室	授课内容	授课教师	备注
第一周	一	1～2	多媒体教室	1. 了解可能发生的紧急情况的类型,如碰撞、失火、沉没(0.5 h) 2. 掌握救生设备的种类与配备标准(艇、筏、衣、浮具、求生信号、通信设备、抛绳设备及属具)(0.5 h) 3. 熟悉救生艇筏内的设备(0.5 h)	教员三	个人求生
		3～4	多媒体教室	4. 熟悉个人救生设备的位置(0.5 h) 5. 熟悉海上求生培训和演习的价值(1 h)	教员三	
		5～6	多媒体教室	6. 掌握船上个人防护服及器具的组成和使用方法(1 h) 7. 掌握为任何紧急情况做好准备的必要性(0.5 h)	教员三	
	二	1～2	多媒体教室	8. 掌握被召至救生艇筏位置时应采取行动的方法(1.5 h)	教员三	
		3～4	多媒体教室	9. 掌握弃船时应采取的行动、在水中时应采取行动(1.5 h)	教员三	
		5～6	多媒体教室	10. 熟悉在救生艇筏上应采取的行动,熟悉求生者的主要危险(1.5 h)	教员三	
		7～8	多媒体教室	小结与复习	教员三	
	三	1～2	多媒体教室	1. 了解船舶消防组织与应急行动(0.5 h) 2. 了解船舶应变部署表、消防应变信号、值班巡逻制度、人员集合点及各自的职责、通信方式(0.5 h) 3. 了解船舶消防演习(0.5 h)	教员一	防火与灭火
		3～4	多媒体教室	4. 了解船舶防火控制图(灭火器的位置和应急逃生路线)(0.25 h) 5. 掌握燃烧的基本知识(0.75 h) 6. 了解船舶火灾的种类和原因(0.25 h) 7. 了解火的蔓延(0.25 h)	教员一	
		5～6	多媒体教室	8. 了解火灾危险、船舶消防工作的重要性及日常防火的必要性(0.25 h) 9. 了解船舶结构防火及船舶火灾的预防措施(0.25 h) 10. 了解火灾自动探测及报警系统(0.25 h) 11. 熟悉火的种类及特点(0.25 h)	教员一	

表 6－5(续 1)

周次(日期)	星期	课时	教室	授课内容	授课教师	备注
				12. 掌握灭火剂的种类及灭火原理(0.75 h) 13. 熟悉灭火剂适用的对象及灭火注意事项(0.25 h)		
		7～8	多媒体教室	1. 熟悉固定灭火系统的作用与操作(0.5 h) 2. 了解消防员装备的组成与性能(0.25 h) 3. 了解个人设备(包括紧急逃生呼吸器(EEBD)、防毒面具)性能与要求(0.25 h) 4. 熟悉各种手提式灭火器的结构、灭火级别、灭火作用和使用方法(0.5 h)	教员一	
	四	1～2	多媒体教室	5. 了解各种移动式灭火装置的结构、灭火作用和使用方法(0.5 h) 6. 了解其他消防器材及其作用(0.25 h) 7. 了解灭火的基本方法(0.25 h) 8. 掌握船舶灭火程序与基本原则(0.5 h)	教员一	
	四	3～4	多媒体教室	掌握评估伤员的需要和对自身安全的威胁(0.5 h) 了解人体构造和功能(1 h) 理解在紧急情况下应采取的应急措施: 1. 了解安置伤员(0.5 h) 2. 掌握心肺复苏术(1 h)	教员七	基本急救
	四	5～6	多媒体教室	3. 熟练掌握止血术(1 h) 4. 了解治疗休克的基本措施(0.5 h)	教员七	基本急救
	四	7～8	多媒体教室	4. 了解治疗休克的基本措施(0.5 h) 5. 了解治疗烧伤和烫伤,包括电击伤的应急措施(1 h)	教员七	基本急救
	五	1～2	多媒体教室	5. 了解治疗烧伤和烫伤,包括电击伤的应急措施(1 h) 6. 了解抢救运送伤员的措施(0.5 h)	教员七	基本急救
	五	3～4	多媒体教室	6. 了解抢救运送伤员的措施(0.5 h) 7. 掌握简易的包扎方法和急救箱内物品的使用(1 h)	教员七	基本急救
	五	5～6	多媒体教室	7. 掌握简易的包扎方法和急救箱内物品的使用(1.5 h)	教员七	基本急救
	五	7～8	多媒体教室	小结与复习	教员七	基本急救

表6－5(续2)

周次(日期)	星期	课时	教室	授课内容	授课教师	备注
第二周	一	1～2	多媒体教室	船舶应急应变知识和程序： 1. 了解常见的应急种类、程序和行动，如碰撞应急、火灾应急、进水与沉没应急(0.75 h) 2. 掌握船舶各种应急计划的知识(0.5 h) 3. 掌握船舶应变部署及正确使用个人安全设备(0.5 h) 4. 掌握听到警报信号后的行动(0.25 h)	教员五	个人安全与社会责任
		3～4		4. 掌握听到警报信号后的行动(0.25 h) 5. 掌握逃生路线、船上内部应急通信与报警系统(0.5 h) 6. 掌握船员日常安全教育、船上培训及演习(0.5 h)	教员五	
		4～6	多媒体教室	7. 了解船舶的安全评估方法(0.25 h) 8. 了解国际和国内安全管理规则(0.25 h) 9. 了解船旗国与港口国监督检查(0.25 h)	教员五	
		7～8		船上安全作业方法： 1. 了解遵守安全作业方法的重要性(0.5 h) 2. 了解适用于船舶上防止潜在危害的安全和保护装置及规程，如个人劳动安全保护、高空作业安全规程、舷外作业安全规程	教员五	
	二	1～2	多媒体教室	掌握系离泊作业安全规程、热工作业安全规程、开关舱扫舱作业安全规程、金工作业安全规程、进入封闭处所的安全规程(1.5 h)	教员五	
		3～4	多媒体教室	3. 了解《中华人民共和国海船船员值班规则》中有关适用标准(0.5 h) 4. 熟悉职业健康及防止工伤事故的国际措施(1 h) 5. 熟悉船上常见工伤事故案例分析(0.5 h)	教员五	
		5～6	多媒体教室	防止海洋环境污染的措施： 1. 了解航运对海洋环境的影响及操作性或事故性污染对海洋环境危害的基本知识(0.5 h)	教员五	
		7～8		2. 掌握国际防止船舶造成污染的基本要求(1.5 h)	教员五	

表 6－5(续 3)

周次(日期)	星期	课时	教室	授课内容	授课教师	备注
	三	1～2	多媒体教室	3. 掌握国内防止船舶造成污染的基本要求(0.5 h) 4. 了解海洋环境多样性、复杂性的基本知识(0.5 h) 5. 了解防止油污染器材的使用(0.5 h) 6. 掌握防污染应急基本程序(0.5 h)	教员五	
		3～4	多媒体教室	船上信息交流和语言技能: 1. 了解语言技能对信息交流的影响(0.25 h) 2. 熟悉船上个人和团队之间有效交流的原则及障碍(0.5 h) 3. 掌握建立和保持有效交流的能力(0.25 h)	教员五	
		5～6		船员人际关系: 1. 熟悉船员人际关系特点(0.25 h) 2. 熟悉保持船上良好的人际关系和工作关系的重要性(0.25 h) 3. 掌握船员群体及其心理特征(0.5 h)	教员五	
		7～8	多媒体教室	4. 掌握危害安全的不良心理素质(0.25 h) 5. 熟悉团队工作的原则和方法、冲突的解决(0.5 h) 6. 掌握船员的社会责任、任职资格及雇用条件(0.25 h) 7. 熟悉船员的基本权利和义务(0.25 h) 8. 熟悉船员的职业道德和纪律(0.25 h) 9. 掌握滥用药物和酗酒的危害及控制方法(0.5 h)	教员五	
	四	1～2	多媒体教室	防止和消除疲劳的措施: 1. 了解必要休息的重要性(0.25 h) 2. 熟悉睡眠、作息时间与生理节律、身体紧张刺激因素、船舶内外环境的紧张刺激因素、作息时间的改变对海员疲劳的影响(1.5 h) 3. 了解消除疲劳的方法和措施(0.25 h)	教员五	
		3～4	多媒体教室	小结与复习	教员五	
		5～6	模拟船舶	1. 能正确认识救生设备的种类与配备标准(艇、筏、衣、浮具、求生信号、通信设备、抛绳设备及属具)(1.5 h)	教员二、教员三、教员一	个人求生实操

表6-5(续4)

周次(日期)	星期	课时	教室	授课内容	授课教师	备注
		7~8	实训室	1. 能正确穿着救生衣(1 h) 2. 能正确穿着救生衣(0.5 h)	教员二、教员三、教员一	
	五	1~2	模拟船舶跳水池	1. 能正确穿着和使用浸水保温服(0.5 h) 2. 能安全从高处跳入水中(0.5 h) 3. 能穿着救生衣扶正倾覆救生筏(0.5 h)	教员二、教员三、教员一	
		3~4	跳水池	1. 能穿着救生衣游泳(0.5 h) 2. 能穿着救生衣从船上或水中登上救生艇筏(1 h)	教员二、教员三、教员一	
		5~6	跳水池	1. 能未穿着救生衣保持漂浮(0.5 h) 2. 为了增加获救机会,在登上救生艇筏后能采取正确的初始行动(1 h)	教员二、教员三、教员一	
		7~8	跳水池	1. 能正确抛放流锚或海锚(1 h)	教员二、教员三、教员一	
第三周	一	1~2	实训室	1. 能正确操作救生艇筏上的设备(1 h) 2. 能正确操作定位仪器,包括无线电设备(1 h)	教员二、教员三、教员一	
		3~4	模拟船舶	1. 能熟悉船舶消防应变部署表和正确使用应变任务卡(0.5 h) 2. 能识读船舶防火控制图,并识别灭火器的位置和应急逃生路线(1 h)	教员四、教员五	防火与灭炎实操
		5~6	模拟船舶	1. 能熟悉船舶烟火检测系统和自动报警系统(1 h) 2. 能了解各类灭火剂的原理和使用注意事项(0.5 h)	教员四、教员五	
		7~8	模拟船舶	1. 能熟悉船舶消防组织与应急行动(1 h) 2. 能正确使用各种类型手提式灭火器(0.5 h)	教员八、教员四、教员五	
	二	1~2	模拟船舶	1. 能正确使用各种类型手提式灭火器(0.5 h) 2. 能正确使用消防员装备(1 h)	教员八、教员四、教员五	

表 6 – 5(续 5)

周次(日期)	星期	课时	教室	授课内容	授课教师	备注
		3 ~ 4	模拟船舶	1. 能扑灭小火,如电器火、油火、丙烷火(0.5 h) 2. 能正确使用泡沫、干粉或其他合适的化学剂灭火(1 h)	教员八、教员四、教员五	
		5 ~ 6	模拟船舶	1. 能正确使用喷水枪及散射喷枪扑灭较大火灾(0.5 h) 2. 能正确使用救生索,但不戴呼吸装置进入或通过已喷注了高膨胀泡沫的舱室(1 h)	教员八、教员四、教员五	
		7 ~ 8	模拟船舶	1. 能正确佩戴自给式呼吸装置在充满烟雾的封闭处所灭火(0.5 h) 2. 能正确使用水雾或其他合适的灭火剂扑灭油火,以及冒着浓烟的居住舱室或模拟机舱的火灾(1 h)	教员八、教员四、教员五	
	三	1 ~ 2	模拟船舶	1. 能正确使用水雾喷头和散射喷枪、化学干粉或泡沫喷头扑救油火(0.5 h) 2. 能正确佩戴呼吸装置在充满烟雾的舱室实施营救(1 h)	教员八、教员四、教员五	
	三	3 ~ 4	模拟船舶	1. 能正确使用水雾喷头和散射喷枪、化学干粉或泡沫喷头扑救油火(0.5 h) 2. 能正确佩戴呼吸装置在充满烟雾的舱室实施营救(1 h)	教员八、教员四、教员五	
	三	5 ~ 6	模拟船舶	1. 能正确使用水雾喷头和散射喷枪、化学干粉或泡沫喷头扑救油火(0.5 h) 2. 能正确佩戴呼吸装置在充满烟雾的舱室实施营救(1 h)	教员八、教员四、教员五	
	三	7 ~ 8	模拟船舶	1. 能进行心肺复苏术(2 h)	教员七、教员六	
	四	1 ~ 2	实训室	1. 能正确使用止血带止血(1 h) 2. 能进行临时骨折固定(1 h)	教员七、教员六	基本急救实操
	四	3 ~ 4	实训室	1. 能使用简单三角巾包扎(2 h)	教员七、教员六	基本急救实操
	四	5 ~ 6	实训室	1. 能使用简单三角巾包扎(2 h)	教员七、教员六	基本急救实操

表 6－5(续 6)

周次(日期)	星期	课时	教室	授课内容	授课教师	备注
		7～8	模拟船舶	1. 能开展火灾应急、碰撞应急、进水与沉没应急的演示(0.5 h) 2. 能掌握各项应急的程序和方法(0.5 h) 3. 能开展使用各种安全和防护设备的演示(0.5 h)	教员五、教员三	个人安全与社会责任实操
	五	1～2	模拟船舶	1. 能开展进入封闭舱室的安全训练的演示(0.5 h) 2. 能对船上垃圾进行分类与处理(0.5 h) 3. 能开展防止船上冲突及冲突解决办法的训练	教员五、教员三	
		3～4	模拟船舶	1. 了解各种防污染器材(1.5 h)	教员五、教员三	

说明:第 1～4 节上课时间为 08:15—12:00;第 5～8 节上课时间为 14:15—18:00。

按《培训大纲》84 h(实际安排 112 课时,每课时 45 min),其中理论 48 h(64 课时),实操 36 h(48 课时)。

项目负责人:　　　　电话:　　　　班主任:　　　　电话:

制表(项目负责人):　　　　　　　　　　复核(系部主任):

审核:审批(分管副院长):

××培训机构

年　月　日

表 6－6　培训班课程表(2 班)

编号:GDCP/B074－03

周次(日期)	星期	课时	教室	授课内容	授课教师	备注
第一周	一	1～2	多媒体教室	1. 了解可能发生的紧急情况的类型,如碰撞、失火、沉没(0.5 h) 2. 掌握救生设备的种类与配备标准(艇、筏、衣、浮具、求生信号、通信设备、抛绳设备及属具)(0.5 h) 3. 熟悉救生艇筏内的设备(0.5 h)	教员一	个人求生
	二	3～4	多媒体教室	4. 熟悉个人救生设备的位置(0.5 h) 5. 熟悉海上求生培训和演习的价值(1 h)	教员一	

表6－6(续1)

周次（日期）	星期	课时	教室	授课内容	授课教师	备注
		5～6	多媒体教室	6. 掌握船上个人防护服及器具的组成和使用方法(1 h) 7. 掌握为任何紧急情况做好准备的必要性(0.5 h)	教员一	
	二	1～2	多媒体教室	8. 掌握被召至救生艇筏位置时应采取行动的方法(1.5 h)	教员一	
		3～4	多媒体教室	9. 掌握弃船时应采取的行动、在水中时应采取行动(1.5 h)	教员一	
		5～6	多媒体教室	10. 熟悉在救生艇筏上应采取的行动,熟悉求生者的主要危险(1.5 h)	教员一	
		7～8	多媒体教室	小结与复习	教员一	
	三	1～2	多媒体教室	1. 了解船舶消防组织与应急行动(0.5 h) 2. 了解船舶应变部署表、消防应变信号、值班巡逻制度、人员集合点及各自的职责、通信方式(0.5 h) 3. 了解船舶消防演习(0.5 h)		防火与灭火
		3～4	多媒体教室	4. 了解船舶防火控制图(灭火器的位置和应急逃生路线)(0.25 h) 5. 掌握燃烧的基本知识(0.75 h) 6. 了解船舶火灾的种类和原因(0.25 h) 7. 了解火的蔓延(0.25 h)	教员八	
		5～6	多媒体教室	8. 了解火灾危险、船舶消防工作的重要性及日常防火的必要性(0.25 h) 9. 了解船舶结构防火及船舶火灾的预防措施(0.25 h) 10. 了解火灾自动探测及报警系统(0.25 h) 11. 熟悉火的种类及特点(0.25 h) 12. 掌握灭火剂的种类及灭火原理(0.75 h) 13. 熟悉灭火剂适用的对象及灭火注意事项(0.25 h)	教员八	

表6-6(续2)

周次(日期)	星期	课时	教室	授课内容	授课教师	备注
		7~8	多媒体教室	1.熟悉固定灭火系统的作用与操作(0.5 h) 2.了解消防员装备的组成与性能(0.25 h) 3.了解个人设备(包括紧急逃生呼吸器(EEBD)、防毒面具)性能与要求(0.25 h) 4.熟悉各种手提式灭火器的结构、灭火级别、灭火作用和使用方法(0.5 h)	教员八	
	四	1~2	多媒体教室	5.了解各种移动式灭火装置的结构、灭火作用和使用方法(0.5 h) 6.了解其他消防器材及其作用(0.25 h) 7.了解灭火的基本方法(0.25 h) 8.掌握船舶灭火程序与基本原则(0.5 h)	教员八	
	四	3~4	多媒体教室	掌握评估伤员的需要和对自身安全的威胁(0.5 h) 了解人体构造和功能(1 h) 理解在紧急情况下应采取的应急措施: 1.了解安置伤员(0.5 h) 2.掌握心肺复苏术(1 h)	教员六	基本急救
	四	5~6	多媒体教室	3.熟练掌握止血术(1 h) 4.了解治疗休克的基本措施(0.5 h)	教员六	
	四	7~8		4.了解治疗休克的基本措施(0.5 h) 5.了解治疗烧伤和烫伤,包括电击伤的应急措施(1 h)	教员六	
	五	1~2	多媒体教室	5.了解治疗烧伤和烫伤,包括电击伤的应急措施(1 h) 6.了解抢救运送伤员的措施(0.5 h)	教员六	
	五	3~4	多媒体教室	6.了解抢救运送伤员的措施(0.5 h) 7.掌握简易的包扎方法和急救箱内物品的使用(1 h)	教员六	
	五	5~6	多媒体教室	7.掌握简易的包扎方法和急救箱内物品的使用(1.5 h)	教员六	
	五	7~8	多媒体教室	小结与复习	教员六	

表 6－6(续 3)

周次(日期)	星期	课时	教室	授课内容	授课教师	备注
第二周	一	1～2	多媒体教室	船舶应急应变知识和程序： 1. 了解常见的应急种类、程序和行动，如碰撞应急、火灾应急、进水与沉没应急(0.75 h) 2. 掌握船舶各种应急计划的知识(0.5 h) 3. 掌握船舶应变部署及正确使用个人安全设备(0.5 h) 4. 掌握听到警报信号后的行动(0.25 h)	教员五	个人安全与社会责任
		3～4		4. 掌握听到警报信号后的行动(0.25 h) 5. 掌握逃生路线、船上内部应急通信与报警系统(0.5 h) 6. 掌握船员日常安全教育、船上培训及演习(0.5 h)	教员五	
		4～6	多媒体教室	7. 了解船舶的安全评估方法(0.25 h) 8. 了解国际和国内安全管理规则(0.25 h) 9. 了解船旗国与港口国监督检查(0.25 h)	教员五	
		7～8		船上安全作业方法： 1. 了解遵守安全作业方法的重要性(0.5 h) 2. 了解适用于船舶上防止潜在危害的安全和保护装置及规程，如个人劳动安全保护、高空作业安全规程、舷外作业安全规程	教员五	
	二	1～2	多媒体教室	掌握系离泊作业安全规程、热工作业安全规程、开关舱扫舱作业安全规程、金工作业安全规程、进入封闭处所的安全规程(1.5 h)	教员五	
		3～4	多媒体教室	3. 了解《中华人民共和国海船船员值班规则》中有关适用标准(0.5 h) 4. 熟悉职业健康及防止工伤事故的国际措施(1 h) 5. 熟悉船上常见工伤事故案例分析(0.5 h)	教员五	

表6-6(续4)

周次(日期)	星期	课时	教室	授课内容	授课教师	备注
	三	5~6	多媒体教室	防止海洋环境污染的措施: 1. 了解航运对海洋环境的影响及操作性或事故性污染对海洋环境危害的基本知识(0.5 h)	教员五	
		7~8		2. 掌握国际防止船舶造成污染的基本要求(1.5 h)	教员五	
		1~2	多媒体教室	3. 掌握国内防止船舶造成污染的基本要求(0.5 h) 4. 了解海洋环境多样性、复杂性的基本知识(0.5 h) 5. 了解防止油污染器材的使用(0.5 h) 6. 掌握防污染应急基本程序(0.5 h)	教员五	
		3~4	多媒体教室	船上信息交流和语言技能: 1. 了解语言技能对信息交流的影响(0.25 h) 2. 熟悉船上个人和团队之间有效交流的原则及障碍(0.5 h) 3. 掌握建立和保持有效交流的能力(0.25 h)	教员五	
		5~6		船员人际关系: 1. 熟悉船员人际关系特点(0.25 h) 2. 熟悉保持船上良好的人际关系和工作关系的重要性(0.25 h) 3. 掌握船员群体及其心理特征(0.5 h)	教员五	
		7~8	多媒体教室	4. 掌握危害安全的不良心理素质(0.25 h) 5. 熟悉团队工作的原则和方法、冲突的解决(0.5 h) 6. 掌握船员的社会责任、任职资格及雇用条件(0.25 h) 7. 熟悉船员的基本权利和义务(0.25 h) 8. 熟悉船员的职业道德和纪律(0.25 h) 9. 掌握滥用药物和酗酒的危害及控制方法(0.5 h)	教员五	

表 6 - 6(续 5)

周次(日期)	星期	课时	教室	授课内容	授课教师	备注
	四	1 ~ 2	多媒体教室	防止和消除疲劳的措施: 1. 了解必要休息的重要性(0.25 h) 2. 熟悉睡眠、作息时间与生理节律、身体紧张刺激因素、船舶内外环境的紧张刺激因素、作息时间的改变对海员疲劳的影响(1.5 h) 3. 了解消除疲劳的方法和措施(0.25 h)	教员五	
		3 ~ 4	多媒体教室	小结与复习	教员五	防火与灭火
		5 ~ 6	模拟船舶	1. 能正确认识救生设备的种类与配备标准(艇、筏、衣、浮具、求生信号、通信设备、抛绳设备及属具)(1.5 h)	教员二、教员三、教员一	
		7 ~ 8	实训室	1. 能正确穿着救生衣(1 h) 2. 能正确穿着救生衣(0.5 h)	教员二、教员三、教员一	
	五	1 ~ 2	模拟船舶 跳水池	1. 能正确穿着和使用浸水保温服(0.5 h) 2. 能安全从高处跳入水中(0.5 h) 3. 能穿着救生衣扶正倾覆救生筏(0.5 h)	教员二、教员三、教员一	
		3 ~ 4	跳水池	1. 能穿着救生衣游泳(0.5 h) 2. 能穿着救生衣从船上或水中登上救生艇筏(1 h)	教员二、教员三、教员一	
		5 ~ 6	跳水池	1. 能未穿着救生衣保持漂浮(0.5 h) 2. 为了增加获救机会,在登上救生艇筏后能采取正确的初始行动(1 h)	教员二、教员三、教员一	
		7 ~ 8	跳水池	1. 能正确抛放流锚或海锚(1 h)	教员二、教员三、教员一	
第三周	一	1 ~ 2	实训室	1. 能正确操作救生艇筏上的设备(1 h) 2. 能正确操作定位仪器,包括无线电设备(1 h)	教员二、教员三、教员一	
		3 ~ 4	模拟船舶	1. 能熟悉船舶消防应变部署表和正确使用应变任务卡(0.5 h) 2. 能识读船舶防火控制图,并识别灭火器的位置和应急逃生路线(1 h)	教员四、教员五	

表6－6(续6)

周次(日期)	星期	课时	教室	授课内容	授课教师	备注
		5～6	模拟船舶	1. 能熟悉船舶烟火检测系统和自动报警系统(1 h) 2. 能了解各类灭火剂的原理和使用注意事项(0.5 h)	教员四、教员五	
		7～8	模拟船舶	1. 能熟悉船舶消防组织与应急行动(1 h) 2. 能正确使用各种类型手提式灭火器(0.5 h)	教员八、教员四、教员五	
	二	1～2	模拟船舶	1. 能正确使用各种类型手提式灭火器(0.5 h) 2. 能正确使用消防员装备(1 h)	教员八、教员四、教员五	个人求生
	二	3～4	模拟船舶	1. 能扑灭小火，如电器火、油火、丙烷火(0.5 h) 2. 能正确使用泡沫、干粉或其他合适的化学剂灭火(1 h)	教员八、教员四、教员五	
	二	5～6	模拟船舶	1. 能正确使用喷水枪及散射喷枪扑灭较大火灾(0.5 h) 2. 能正确使用救生索，但不戴呼吸装置进入或通过已喷注了高膨胀泡沫的舱室(1 h)	教员八、教员四、教员五	
	二	7～8	模拟船舶	1. 能正确佩戴自给式呼吸装置在充满烟雾的封闭处所灭火(0.5 h) 2. 能正确使用水雾或其他合适的灭火剂扑灭油火，以及冒着浓烟的居住舱室或模拟机舱的火灾(1 h)	教员八、教员四、教员五	
	三	1～2	模拟船舶	1. 能正确使用水雾喷头和散射喷枪、化学干粉或泡沫喷头扑救油火(0.5 h) 2. 能正确佩戴呼吸装置在充满烟雾的舱室实施营救(1 h)	教员八、教员四、教员五	
	三	3～4	模拟船舶	1. 能正确使用水雾喷头和散射喷枪、化学干粉或泡沫喷头扑救油火(0.5 h) 2. 能正确佩戴呼吸装置在充满烟雾的舱室实施营救(1 h)	教员八、教员四、教员五	
	三	5～6	模拟船舶	1. 能正确使用水雾喷头和散射喷枪、化学干粉或泡沫喷头扑救油火(0.5 h) 2. 能正确佩戴呼吸装置在充满烟雾的舱室实施营救(1 h)	教员八、教员四、教员五	

表6－6(续7)

周次(日期)	星期	课时	教室	授课内容	授课教师	备注
	四	1～2	实训室	1. 能正确使用止血带止血(1 h) 2. 能进行临时骨折固定(1 h)	教员七、教员六	个人安全与社会责任实操
		3～4	实训室	1. 能使用简单三角巾包扎(2 h)	教员七、教员六	
		5～6	实训室	1. 能使用简单三角巾包扎(2 h)	教员七、教员六	
		7～8	模拟船舶	1. 能开展火灾应急、碰撞应急、进水与沉没应急的演示(0.5 h) 2. 能掌握各项应急的程序和方法(0.5 h) 3. 能开展使用各种安全和防护设备的演示(0.5 h)	教员五、教员三	
	五	1～2	模拟船舶	1. 能开展进入封闭舱室的安全训练的演示(0.5 h) 2. 能对船上垃圾进行分类与处理(0.5 h) 3. 能开展防止船上冲突及冲突解决办法的训练	教员五、教员三	基本急救实操
		3～4	模拟船舶	1. 了解各种防污染器材(1.5 h)	教员五、教员三	

说明：第1～4节上课时间为08:15—12:00；第5～8节上课时间为14:15—18:00。
按培训大纲84 h(实际安排112课时，每课时45 min)，其中理论48 h(64课时)，实操36 h(48课时)。

项目负责人：　　　　电话：　　　　班主任：　　　　电话：

制表(项目负责人)：　　　　　　　　复核(系部主任)：

审核：审批(分管副院长)：

××培训机构

年　月　日

6.2.5 基本安全培训实施计划

1. 培训纲要

本课程采用主管机关制定的培训纲要：《中华人民共和国船员基本安全专业培训、考试和发证办法》和《海船船员培训大纲(2016版)》Z01的培训大纲。

2. 适用对象

本课程适用对象为年满16周岁但不超过60周岁；身体健康，符合作为一名船员的基本条件。

3. 培训时间与规模

培训时间:100 学时(理论 60 小时,实操 40 小时)。

培训规模:40 人/班 ×2 班

4. 培训手段

根据培训纲要、培训实施计划和课程表,安排符合要求的教师进行理论教学与实操教学。

学校的基本安全(Z01)培训方式目前采用理论与实操相结合,集中进行培训方式为主,实操分组交叉同时进行;理论教学在多媒体教室进行,采用 PPT、培训录像、结合互联网 + 、云课堂等培训方式进行教学;实操以现场教学、实船训练及项目教学法等培训方式,先示范后训练,能确保教学质量,采用的授课方法、手段、程序科学、有效。

5. 培训师资

本课程培训师资见表 6 – 7。

表 6 –7 基本安全师资情况表

姓名	学历	专业	所持证书	教学资历/月	船上资历/月	教学科目	备注
教员四	本科	轮机管理	B01	144	12	基本安全理论/实操	自有/讲师
教员三	大专	船舶驾驶	Z01	120	72	基本安全理论/实操	自有/助理实验师
教员一	本科	航海技术	内河一类三副、Z01	156	23	基本安全理论/实操	自有/副教授
教员五	本科	航海技术	内河一类三副、GMDSS、Z01	144	29	基本安全理论/实操	自有/讲师
教员六	大专	临床医学	B01	240	0	基本急救/急救实操	自有/主治医师
教员二	本科	轮机管理	Z01	144	30	基本安全理论/实操	自有/讲师
教员七	中专	护士	B01	228		基本急救/急救实操	自有/护理师

备注:以上老师(除教员五外)均参加了交通运输部海事局的《海船船员基本安全》师资培训班,考核合格。

6. 教学管理人员情况一览表

教学管理人员情况一览表见表 6 – 8。

表6-8　教学管理人员情况一览表

姓名	学历	所持证书	教学资历	职务	职责	备注
					教学管理	自有
					教学管理	自有
					资产管理	自有
					教务管理	自有
					设备管理	自有
					人事管理	自有
					教学管理	自有
					学生管理	自有
					培训教学管理	自有
					教学管理(在校学历班)	自有
					教学管理/培训发证(社会人员)	自有
					教学设施设备管理(实训教学)	自有
					档案管理(质量档案)	自有
					教学管理(在校学历班)	自有
					档案管理/培训发证(社会班档案)	自有

7. 培训场地、设施及设备

培训场地、设施及设备情况见表6-9。

表6-9　基本安全场地、设施及设备情况表

配备标准			目前实际配备情况			
序号	场地、设施、设备名称	要求	实际数量	实际状态	所有权	备注(注明变更情况)
1	教室	1间,能容纳40人	2间	每间可容纳50人	自有	新增1
2	投影仪	1台	2台	满足配备要求	自有	新增1
3	50 m×25 m游泳池	设5 m跳台1个	1个	良好	自用	
4	救生衣	40件	60件	良好	自有	LXYT(5564-1)
5	防水保温服	5套	5套	良好	自有	RSF-1
6	气胀式救生筏	2个	3个	良好	自有	CFVF-A-6,新增1个

表6－9(续1)

配备标准			目前实际配备情况			
序号	场地、设施、设备名称	要求	实际数量	实际状态	所有权	备注(注明变更情况)
7	直升机救援吊运设备	模型、挂图或影像资料	1套	良好	自有	IMO相关挂图
8	模拟消防舱室	1间:分上下两层舱,设通道、直梯或斜梯、人孔防火门、通风筒,预设2个以上燃烧点(池或盒)、烟雾发生器1个、模拟人体2个、担架2具、急救箱2个、对讲机4个、防火毯若干、沙箱和消防水桶各2个	1间	良好	自有	新增实船1艘作消防舱室,烟雾发生器1个、模拟人体2个、担架2具、急救箱2个、对讲机4个、防火毯若干、沙箱和消防水桶各2个
9	各类手提式灭火器	二氧化碳、泡沫、干粉等灭火器至少各5个	各5个	良好	自有	
10	应急消防泵	2台,具有水井或水池供水	2台	良好	自有	CWY－27型
11	水龙带	12条	12条	良好	自有	
12	消防栓	6个	6个	良好	自有	新增实船1艘,消防栓更换至实船上
13	水枪	6个(直流和开花两用)	6个	良好	自有	
14	国际通岸接头	2个	2个	良好	自有	
15	储压式空气呼吸器	5套	5套	良好	自有	RHZK6－30
16	紧急逃生呼吸装置(EEBD)	5套	5套	良好	自有	THB/15－1型
17	防毒面具	5套	6套	良好	自有	
18	防火服	6套	6套	良好	自有	DTXF－93－I
19	消防服、头盔、靴、帽、安全带	各20套	各20套	良好	自有	
20	安全索、安全灯、太平斧、消防钩	各2套	各4套	良好	自有	
21	二氧化碳(或泡沫灭火系统)	1套	各1套	良好	自有	

表 6 –9(续 2)

配备标准			目前实际配备情况			
序号	场地、设施、设备名称	要求	实际数量	实际状态	所有权	备注(注明变更情况)
22	火灾自动报警器	6 个(室内模拟操作实验)	6 个	良好	自有	
23	测爆仪、测氧仪	各 2 套	各 2 套	良好	自有	TN4、CY – 12
24	全套的卫生知识挂图	1 套	1 套	良好	自有	
25	人体骨骼模型	1 具	1 具	良好	自有	大自然 XC – 101
26	人体模型	2 具	2 具	良好	自有	GD/CPR300S – A
27	急救箱	2 个	2 个	良好	自有	
28	止血器	6 套	6 套	良好	自有	
29	担架	1 具	2 具	良好	自有	
30	绷带、三角巾	若干	若干	良好	自有	
31	听诊器、血压计、体温计、注射器	各 6 个	各 6 个	良好	自有	
32	国际、国内有关法规和资料	2 套	2 套	良好	自有	
33	适用于船上安全的特殊保护装置	2 套	2 套	良好	自有	
34	海事影像资料	2 套	2 套	良好	自有	

注:新增移动式高倍泡沫发生器 2 套、高倍数泡沫液 2 套、移动式低倍泡沫发生器 2 套、低倍数泡沫液 2 套。

8. 培训内容

(1)个人安全与社会责任

本课程讲授各种紧急情况时,实施应急计划;各种紧急情况下的应变部署;掌握防止海洋污染的措施和安全作业方法;搞好船上人际关系;掌握船上信息交流和语言知识。通过本课程知识的学习,提高船员个人安全基本知识及其承担的社会责任。

(2)船舶防火与灭火

本课程介绍船舶火灾的特点以及船舶灭火的程序;火灾、燃烧定义,火的分类,灭火的方法,灭火剂,船用消防设备,船舶消防组织和灭火行动,船员日常防火行为守则等船舶防火与灭火知识。通过本课程知识的学习,提高船员防火与灭火的基本技能。

(3)个人求生

本课程介绍海上个人求生的特点、求生要素,求生过程中的主要困难;救生设备的种类,配备标准以及基本要求与功能,救生设备的布置,掌握救生设备的使用方法;应变的部署、程序,应变信号的使用和应变演习的内容、要求;弃船时应采取的行动、正确的跳水方法以及离开难船后的行动;掌握在低温水中、海面有油火时、鲨鱼出没水域应采取的正确行动;救生艇筏上应采取的正确行动以及操纵救生艇筏上各种设备;海上求生的原则,辨认方向以及荒岛求生;船舶救援、飞机救援等常识。通过本课程知识的学习,提高船员水上救生与求生的基本技能。

(4)基本急救

本课程介绍船员病情轻重的判断,急救技术,人工呼吸,人工胸外心脏挤压术,外伤出血与止血,常见伤、病的急救,急救箱与常用的急救药品等基本急救常识。通过本课程知识的学习,使每一个海上工作人员熟悉必需而正确的紧急自救和互救知识,掌握基本的急救技术。

(8)案例分析

通过选择典型的海事案例分析事故的原因和应吸取的教训,提高船员的基本安全技能。

9. 培训教材

本课程所用教材见表6-10。

表6-10　基本安全培训课程教材一览表

<table>
<tr><th>序号</th><th>教材名称</th><th>主编</th><th>出版社</th></tr>
<tr><td>1</td><td>《基本安全(个人求生)》</td><td>中华人民共和国海事服务中心组织编写</td><td rowspan="4">人民交通出版社
大连海事大学
出版社</td></tr>
<tr><td>2</td><td>《基本安全(船舶防火与灭火)》</td><td>中华人民共和国海事服务中心组织编写</td></tr>
<tr><td>3</td><td>《基本安全(基本急救)》</td><td>中华人民共和国海事服务中心组织编写</td></tr>
<tr><td>4</td><td>《基本安全(个人安全与社会责任)》</td><td>中华人民共和国海事服务中心组织编写</td></tr>
</table>

10. 培训进度

(1)教学时间分配表(表6-11)

表6-11　基本安全培训课程教学时间分配表

培训内容	学时	
	理论	实操
个人安全与社会责任	20	6
个人求生	14	12
船舶防火与灭火	13	14
基本急救	13	8
合计	60	40

(2)授课计划(表 6 - 12)

表 6 - 12　基本安全培训课程授课计划表

序号	课次	内容	学时		备注
			理论	实操	
1	1	1. 了解可能发生的紧急情况的类型,如碰撞、失火、沉没(0.5 h) 2. 掌握救生设备的种类与配备标准(艇、筏、衣、浮具、求生信号、通信设备、抛绳设备及属具)(0.5 h) 3. 熟悉救生艇筏内的设备(0.5 h)	2	0	个人求生
2	2	4. 熟悉个人救生设备的位置(0.5 h) 5. 熟悉海上求生培训和演习的价值(1 h)	2	0	
3	3	6. 掌握船上个人防护服及器具的组成和使用方法(1 h) 7. 掌握为任何紧急情况做好准备的必要性(0.5 h)	2	0	
4	4	8. 掌握被召至救生艇筏位置时应采取行动的方法(1.5 h)	2	0	
5	5	9. 掌握弃船时应采取的行动、掌握在水中时应采取的行动(1.5 h)	2	0	
6	6	10. 熟悉在救生艇筏上应采取的行动,熟悉求生者的主要危险(1.5 h)	2	0	
7	7	课程总结	2	0	
8	8	1. 了解船舶消防组织与应急行动(0.5 h) 2. 了解船舶应变部署表、消防应变信号、值班巡逻制度、人员集合点及各自的职责、通信方式(0.5 h) 3. 了解船舶消防演习(0.5 h)	2	0	防火与灭火
9	9	4. 了解船舶防火控制图(灭火器的位置和应急逃生路线)(0.25 h) 5. 掌握燃烧的基本知识(0.75 h) 6. 了解船舶火灾的种类和原因(0.25 h) 7. 了解火的蔓延(0.25 h)	2	0	
10	10	8. 了解火灾危险、船舶消防工作的重要性及日常防火的必要性(0.25 h) 9. 了解船舶结构防火及船舶火灾的预防措施(0.25 h) 10. 了解火灾自动探测及报警系统(0.25 h) 11. 熟悉火的种类及特点(0.25 h)	2	0	
11	11	12. 掌握灭火剂的种类及灭火原理(0.75 h) 13. 熟悉灭火剂适用的对象及灭火注意事项(0.25 h) 1. 熟悉固定灭火系统的作用与操作(0.5 h)	2	0	

表6－12(续1)

序号	课次	内容	学时		备注
			理论	实操	
12	12	2. 了解消防员装备的组成与性能(0.25 h) 3. 了解个人设备(包括紧急逃生呼吸器(EEBD)、防毒面具)性能与要求(0.25 h) 4. 熟悉各种手提式灭火器的结构、灭火级别、灭火作用和使用方法(0.5 h)	2	0	
13	13	5. 了解各种移动式灭火装置的结构、灭火作用和使用方法(0.5 h) 6. 了解其他消防器材及其作用(0.25 h) 7. 了解灭火的基本方法(0.25 h)	2	0	
14	14	8. 掌握船舶灭火程序与基本原则(0.5 h)及课程总结	1	0	
15	15	1. 掌握评估伤员的需要和对自身安全的威胁(0.5 h) 2. 了解人体构造和功能(1 h) 3. 熟练掌握止血术(1 h)	3	0	基本急救
16	16	4. 了解治疗休克的基本措施(1 h) 5. 了解治疗烧伤和烫伤,包括电击伤的应急措施(1 h)	2	0	
17	17	5. 了解治疗烧伤和烫伤,包括电击伤的应急措施(1 h) 6. 了解抢救运送伤员的措施(1 h)	2	0	
18	18	7. 掌握简易的包扎方法和急救箱内物品的使用(1 h)	2	0	
19	19	7. 掌握简易的包扎方法和急救箱内物品的使用(1.5 h)	2	0	
20	20	理解在紧急情况下应采取的应急措施: 1. 了解安置伤员(0.5 h) 2. 掌握心肺复苏术(1 h)	2	0	
21	21	船舶应急应变知识和程序: 1. 了解常见的应急种类、程序和行动:碰撞应急、火灾应急、进水与沉没应急(0.75 h) 2. 掌握船舶各种应急计划的知识(0.5 h) 3. 掌握船舶应变部署及正确使用个人安全设备(0.5 h) 4. 掌握听到警报信号后的行动(0.25 h)	2	0	个人安全与社会责任

表 6 – 12(续 2)

序号	课次	内容	学时		备注
			理论	实操	
22	22	4. 掌握听到警报信号后的行动(0.25 h) 5. 掌握逃生路线、船上内部应急通信与报警系统(0.5 h) 6. 掌握船员日常安全教育、船上培训及演习(0.5 h) 7. 了解船舶的安全评估方法(0.25 h) 8. 了解国际和国内安全管理规则(0.25 h) 9. 了解船旗国与港口国监督检查(0.25 h)	2	0	
23	23	船上安全作业方法: 1. 了解遵守安全作业方法的重要性(0.5 h) 2. 了解适用于船舶上防止潜在危害的安全和保护装置及规程:个人劳动安全保护、高空作业安全规程、舷外作业安全规程、系离泊作业安全规程、热工作业安全规程、开关舱扫舱作业安全规程、金工作业安全规程、进入封闭处所的安全规程(1.5 h)	2	0	
24	24	3. 了解《中华人民共和国海船船员值班规则》中有关适用标准(0.5 h) 4. 熟悉职业健康及防止工伤事故的国际措施(1 h) 5. 熟悉船上常见工伤事故案例分析(0.5 h)	2	0	
25	25	防止海洋环境污染的措施: 1. 了解航运对海洋环境的影响及操作性或事故性污染对海洋环境危害的基本知识(0.5 h) 2. 掌握国际防止船舶造成污染的基本要求(1.5 h)	2	0	
26	26	3. 掌握国内防止船舶造成污染的基本要求(0.5 h) 4. 了解海洋环境多样性、复杂性的基本知识(0.5 h) 5. 了解防止油污染器材的使用(0.5 h) 6. 掌握防污染应急基本程序(0.5 h)	2	0	
27	27	船上信息交流和语言技能: 1. 了解语言技能对信息交流的影响(0.25 h) 2. 熟悉船上个人和团队之间有效交流的原则及障碍(0.5 h) 3. 掌握建立和保持有效交流的能力(0.25 h) 船员人际关系: 1. 熟悉船员人际关系特点(0.25 h) 2. 熟悉保持船上良好的人际关系和工作关系的重要性(0.25 h) 3. 掌握船员群体及其心理特征(0.5 h)	2	0	

表6－12(续3)

序号	课次	内容	学时		备注
			理论	实操	
28	28	4. 掌握危害安全的不良心理素质(0.25 h) 5. 熟悉团队工作的原则和方法、冲突的解决(0.5 h) 6. 掌握船员的社会责任、任职资格及雇用条件(0.25 h) 7. 熟悉船员的基本权利和义务(0.25 h) 8. 熟悉船员的职业道德和纪律(0.25 h) 9. 掌握滥用药物和酗酒的危害及控制方法(0.5 h)	2	0	
29	29	防止和消除疲劳的措施： 1. 了解必要休息的重要性(0.25 h) 2. 熟悉睡眠、作息时间与生理节律、身体紧张刺激因素、船舶内外环境的紧张刺激因素、作息时间的改变对海员疲劳的影响(1.5 h) 3. 了解消除疲劳的方法和措施(0.25 h)	2	0	
30	30	熟悉睡眠、作息时间与生理节律、身体紧张刺激因素、船舶内外环境的紧张刺激因素、作息时间的改变对海员疲劳的影响(1.5 h),课程总结	2	0	
31	31	能正确认识救生设备的种类与配备标准(艇、筏、衣、浮具、求生信号、通信设备、抛绳设备及属具)(1.5 h)	0	2	个人求生实操
32	32	1. 能正确穿着救生衣(1 h) 2. 能正确穿着和使用浸水保温服(0.5 h)	0	2	
33	33	1. 能正确操作救生艇筏上的设备(1 h) 2. 能正确操作定位仪器,包括无线电设备(1 h)	0	2	
34	34	1. 能安全从高处跳入水中(0.5 h) 2. 能穿着救生衣扶正倾覆救生筏(0.5 h) 3. 能穿着救生衣游泳(0.5 h)	0	2	
35	35	1. 能穿着救生衣从船上或水中登上救生艇筏(1 h) 2. 能未穿着救生衣保持漂浮(0.5 h)	0	2	
36	36	1. 为了增加获救机会,在登上救生艇筏后能采取正确的初始行动(1 h) 2. 能正确抛放流锚或海锚(1 h)	0	2	
37	37	1. 熟悉船舶消防应变部署表和正确使用应变任务卡(0.5 h) 2. 能识读船舶防火控制图,并识别灭火器的位置和应急逃生路线(1 h) 3. 能了解各类灭火剂的原理和使用注意事项(0.5 h)	0	2	

表 6 – 12(续 4)

序号	课次	内容	学时		备注
			理论	实操	
38	38	1. 熟悉船舶烟火检测系统和自动报警系统(1 h) 2. 熟悉船舶消防组织与应急行动(1 h)	0	2	船舶防火与灭火实操
39	39	1. 能正确使用各种类型手提式灭火器(1 h) 2. 能正确使用消防员装备(1 h)	0	2	
40	40	1. 能扑灭小火,如电器火、油火、丙烷火(0.5 h) 2. 能正确使用泡沫、干粉或其他合适的化学剂灭火(1 h) 3. 能正确使用喷水枪及散射喷枪扑灭较大火灾(0.5 h)	0	2	
41	41	1. 能正确使用救生索,但不戴呼吸装置进入或通过已喷注了高膨胀泡沫的舱室(1 h) 2. 能正确使用水雾或其他合适的灭火剂扑灭油火,以及冒着浓烟的居住舱室或模拟机舱的火灾(1 h)	0	2	
42	42	1. 能正确佩戴自给式呼吸装置在充满烟雾的封闭处所灭火(0.5 h) 2. 能正确使用水雾喷头和散射喷枪、化学干粉或泡沫喷头扑救油火(0.5 h) 3. 能正确佩戴呼吸装置在充满烟雾的舱室实施营救(1 h)	0	2	
43	43	1. 能正确使用水雾喷头和散射喷枪、化学干粉或泡沫喷头扑救油火(0.5 h) 2. 能正确佩戴呼吸装置在充满烟雾的舱室实施营救(1 h)	0	2	
44	44	能进行心肺复苏术(2 h)	0	3	基本急救实操
45	45	1. 能正确使用止血带止血(1 h) 2. 能进行临时骨折固定(1 h)	0	3	
46	46	能使用简单三角巾包扎(2 h)	0	2	
47	47	1. 能开展火灾应急、碰撞应急、进水与沉没应急的演示(0.5 h) 2. 能掌握各项应急的程序和方法(0.5 h) 3. 能开展使用各种安全和防护设备的演示(0.5 h)	0	2	个人安全与社会责任实操
48	48	1. 能开展进入封闭舱室的安全训练的演示(0.5 h) 2. 能对船上垃圾进行分类与处理(0.5 h) 3. 开展防止船上冲突及冲突解决办法的训练	0	2	
49	49	了解各种防污染器材(1.5 h)	0	2	
50	50	理论考试			
合计			60	40	

6.2.6 基本安全实操训练方案

我校的基本安全培训规模为40人/班×2班，为保证实操训练的教学质量，两个班开展实操的训练方案见表6－13、表6－14。

表 6－13　基本安全 1 班实操训练方案

项目	星期	节数	实操内容		教学过程组织	课时	场地	设备及数量	教学方法	老师	备注
个人求生实操	第二周星期四	1～2	能正确认识救生设备的种类与配备标准(艇、筏、衣、浮具、求生信号、通信设备、抛绳设备及属具)(1.5 h)	共 1.5 h	分 2 组,每组 20 人。一组在模拟船舶进行现场认识教学训练;一组在船艺室实物设备操作训练,并播放设备操作录像,学员看着录像在老师指导下进行训练。1 课时后 2 组交叉进行,每位学员训练 90 mn	2	模拟船舶、船艺室	艇、筏、衣、浮具、求生信号、通信设备、抛绳设备及属具	示范教学法、录像教学法	2～3 位老师	
		3～4	能正确穿着救生衣(1 h)	共 1 h	分 2 组,每组 20 人,每位老师指导 1 组。同时进行穿着救生衣训练,每人训练 90 min。由 1 位老师负责指导浸水保温服训练,5 套保温服同时使用训练,每位学员训练 11.25 min	2	实训室	救生衣、保温服	示范教学法、练习教学法	2～3 位老师	
		5～6	能正确穿着和使用浸水保温服(0.5 h)	共 0.5 小时	分 2 组,每组 20 人。第 1 组 1 位老师带,救生艇筏和相关设备共 3 套,指导老师负责用 3 套设备进行训练,每位学员训练练习时间 9 min;第 2 组进行无线电示位标、雷达应答器等训练,设备有 3 套,每位学员训练时间为 9 min。1 课时后互换	2	实训室	救生筏、无线电示位标、雷达应答器等	示范教学法、练习教学法	3 位老师	

表 6 - 13(续 1)

项目	星期	节数	实操内容		教学过程组织	课时	场地	设备及数量	教学方法	老师	备注
	第二周星期五	1 ~ 2	能安全从高处跳入水中(0.5 h)	共 1.5 h	分 2 组,每组 20 人。1 位老师负责高处跳水,1 位老师负责扶正倾覆救生筏,每人训练 2 ~ 3 次,每位学员训练时间 6 min;第 1 组由 1 位老师负责指导能穿着救生衣游泳训练,20 位学员同时训练,每位学员训练 30 min;第 2 组由 1 ~ 2 位老师指导穿着救生衣从船上或水中登上救生艇筏,每人训练 2 ~ 3 次,每位学员训练时间 3 min。1 课时后互换	2	跳水池、游泳池	救生衣	示范教学法、练习教学法	2 ~ 3 位老师	
			能穿着救生衣扶正倾覆救生筏(0.5 h)					救生筏			
			能穿着救生衣游泳(0.5 h)								
		3 ~ 4	能穿着救生衣从船上或水中登上救生艇筏(1 h)	共 1.5 h	分 2 组,每组 20 人。第 1 组由 1 位老师负责指导学生穿着救生衣保持漂浮训练,20 位学员同时训练,每位学员训练 30 min;第 2 组由 1 ~ 2 位老师指导采取正确的初始行动训练,每人训练 2 ~ 3 次,每位学员训练时间 3 ~ 5 min;1 课时后互换	2	跳水池、游泳池	救生筏	示范教学法、练习教学法	2 ~ 3 位老师	
			能未穿着救生衣保持漂浮(0.5 h)								

表 6－13(续 2)

项目	星期	节数	实操内容		教学过程组织	课时	场地	设备及数量	教学方法	老师	备注
		5～6	为了增加获救机会,在登上救生艇筏后能采取正确的初始行动(1 h)	共 2 h	第 1 组 1 位老师带,海锚有 2 套,每位老师负责用 1 套;海锚进行训练,每人训练 2～3 次,每位学员练习时间约 5 min;没有轮到的学员在傍边观模。第 2 组 1 位老师带,救生艇筏和相关设备有 3 套,指导老师负责用 3 套设备进行训练,每位学员练习时间 9 min。1 课时后互换	2	跳水池	救生衣	示范教学法、录像教学法	2～3 位老师	
			能正确抛放流锚或海锚(1 h)					海锚	示范教学法、录像教学法	2～3 位老师	
防火与灭火实操	第三周星期一	1～2	熟悉船舶消防应变部署表和正确使用应变任务卡(1 h)	共 2.5 h	分 2 组,每组 20 人。每位老师带 1 组,部署表和正确使用应变任务卡有 5 套,每位学员练习时间 7.5 min;一组进行识读船舶防火控制图,并识别灭火器的位置和应急逃生路线训练,在模拟船舶进行,船舶防火控制图有 2 套,灭火器的位置(有 5 处)、急逃生路线(有 2 条),可同时供 9 位学员训练,每位学员训练时间为 27 min;另一组学员训练了解各类灭火剂的原理和使用注意事项,在模拟船舶的主甲板进行。每组学员综合训练时间为 45 min。 1 课时后互换	2	模拟船舶	应变部署表	示范教学法、练习教学法	2～3 位老师	
			能识读船舶防火控制图,并识别灭火器的位置和应急逃生路线(1 h)					船舶防火控制图、模拟船舶			
			了解各类灭火剂的原理和使用注意事项(0.5 h)								

表 6－13(续3)

项目	星期	节数	实操内容		教学过程组织	课时	场地	设备及数量	教学方法	老师	备注
		3～4	熟悉船舶烟火检测系统和自动报警系统(1 h)	共2 h	分2组,每组20人,每位老师带1组。一组进行熟悉船舶烟火检测系统和自动报警系统训练,在模拟船舶机舱进行;另一组进行熟悉船舶消防组织与应急行动全组学员集中综合演练,时间45 min。1课时后互换	2	模拟船舶	船舶烟火检测系统和自动报警系统	示范教学法、练习教学法	2～3位老师	
			熟悉船舶消防组织与应急行动(1 h)								
		5～6	正确使用各种类型手提式灭火器(1 h)	共2 h	分2组,每组20人,每位老师带1组。一组进行正确使用各种类型手提式灭火器;演练,在模拟船舶进行。使用各种类型手提式灭火器在消防训练基地进行。各类灭火器共有15个,3个火盘可同时供3位学员训练,学员每人使用灭火器训练时间为2 min(共40 min),教员讲解5 min,共45 min。另一组学员正确使用消防员装备训练,用各种类型手提式灭火器在消防训练基地进行。正确使用消防员装备训练在模拟船舶进行。各类灭火器共有15个,3个火盘可同时供3位学员训练,学员每人训练使用灭火器时间为2 min(共40 min),教员讲解5 min,共45 min。消防员装备5套(每4位学员1套)同时进行训练。每2人一组配合训练,每组训练时间为20 min(共40 min),教员示范讲解5 min。45 min后互换	2	模拟船舶、消防训练基地	各种类型手提式灭火器、消防员装备	示范教学法、练习教学法	2～3位老师	
			能正确使用消防员装备(1 h)								

表 6－13(续 4)

项目	星期	节数	实操内容	教学过程组织	课时	场地	设备及数量	教学方法	老师	备注
		7 ~ 8	能扑灭小火,如电器火、油火、丙烷火(0.5 h)	分 2 组,每组 20 人,每位老师带 1 组。一组进行扑灭小火训练,在训练基地进行;另一组学员训练正确使用泡沫、干粉或其他合适的化学剂灭火,在消防训练基地进行。各类灭火器共有 15 个,设定电器火、油火、丙烷火火盘 3 个可同时供 3 位学员训练,学员每人训练使用灭火器时间为 2 min,共 45 min。使用泡沫、干粉或其他合适的化学剂灭火(每 10 位学员一组),同时在模拟船舶进行泡沫、干粉灭火训练。每组训练时间为 45 min。进行正确使用喷水枪及散射喷枪扑灭较大火灾训练,在模拟船舶的货舱甲板进行。1 课时后互换	2			示范教学法、练习教学法	2 ~ 3 位老师	
			能正确使用泡沫、干粉或其他合适的化学剂灭火(1 h)							
			能使用喷水枪及散射喷枪扑灭较大火灾(0.5 h)							
	第三周星期二	1 ~ 2	能使用救生索,但不戴呼吸装置进入或通过已喷注了高膨胀泡沫的舱室(1 h)	分 2 组,每组 20 人,每位老师带 1 组。一组学员训练正确使用救生索,但不戴呼吸装置进入或通过已喷注了高膨胀泡沫的舱室训练,在模拟船舶的模拟消防舱(注了高膨胀泡沫的舱室)进行。每组学员综合训练时间为 45 min;另一组学员训练正确使用水雾或其他合适的灭火剂扑灭油火,以及冒着浓烟的居住舱室或模拟机舱的火灾训练,在模拟船舶的机舱进行。开花水枪 6 支,分 4 个小组(每小组 5 人)训练,每组训练时间 10 min。每组学员综合训练时间为 45 min。1 课时后互换	2	模拟船舶、训练基地	各种类型手提式灭火器	示范教学法、练习教学法	2 ~ 3 位老师	
			能正确使用水雾或其他合适的灭火剂扑灭油火,以及冒着浓烟的居住舱室或模拟机舱的火灾(1 h)				救生索喷注了高膨胀泡沫的舱室、水枪			

表 6-13(续5)

项目	星期	节数	实操内容		教学过程组织	课时	场地	设备及数量	教学方法	老师	备注
		3~4	能正确佩戴自给式呼吸装置在充满烟雾的封闭处所灭火(0.5 h)	共 1.5 h	分 2 组,每组 20 人,每位老师带 1 组。两组分别进行正确佩戴自给式呼吸装置在充满烟雾的封闭处所灭火训练,在模拟船舶的货舱进行。自给式呼吸装置(EEBD)共 5 套,分 4 个小组(每小组 5 人)训练,每组训练时间 10 min。1 课时后互换	2	模拟船舶	各种类型灭火器	示范教学法、练习教学法	2~3 位老师	
			能正确佩戴呼吸装置在充满烟雾的舱室实施营救(1 h)								
		5~6	能正确使用水雾喷头和散射喷枪、化学干粉或泡沫喷头扑救油火(1 h)	共 1 h	分 2 组,每组 20 人,每位老师带 1 组。一组训练正确使用水雾喷头和散射喷枪、化学干粉或泡沫喷头扑救油火灾,在模拟船舶的机舱进行。开花水枪 6 支,分 4 个小组(每小组 5 人)训练,每组训练时间 10 min;另一组进行正确佩戴呼吸装置在充满烟雾的舱室实施营救训练,在模拟船舶的机舱进行。佩戴呼吸装置共 5 套,分 5 个小组(每小组 4 人)训练,每组训练时间 8 min	2	模拟船舶	各种类型水枪、灭火器、自给式呼吸装置	示范教学法、练习教学法	2~3 位老师	
			能正确佩戴呼吸装置在充满烟雾的舱室实施营救(1 h)	共 1 h							
	第三周星期三	1~2	能进行心肺复苏术(2 h)	共 2 h	分 2 组,每组 20 人。每位老师带一组同时进行训练。每组进行心肺复苏术训练,共有人体模型 2 具;每位老师带一组(20 人),每位学员轮流进行训练,每人训练 2~3 次,每人训练时间约 7 min	2	实训室	模拟假人	示范教学法、练习教学法	2~3 位老师	

表6-13(续6)

项目	星期	节数	实操内容		教学过程组织	课时	场地	设备及数量	教学方法	老师	备注
基本急救实操		3-5	能正确使用止血带止血(1 h)	共2 h	分2组,每组20人,每位老师带1组同时进行训练。一组进行正确使用止血带止血训练,共有止血带6套,每人训练8 min;另一组进行进行临时骨折固定训练,绷带、夹板6套,每人训练8 min。1课时后互换	3	实训室	止血带	示范教学法、练习教学法	2~3位老师	
			能进行临时骨折固定(1 h)					夹板			
		6-8	能使用简单三角巾包扎(2 h)	共2 h	分2组,每组20人,每位老师带1组同时进行训练。一组进行三角巾包扎练习,三角巾10套,每2位学员1套,学员互换包扎训练;另一组进行绷带包扎练习,绷带10套,每2位学员1套,学员互换包扎训练。1课时后互换	3	实训室	三角巾等	示范教学法、练习教学法	2~3位老师	
		1~2	能开展火灾应急、碰撞应急、进水与沉没应急的演示(0.5 h)	共1.5小时	分2组,每组20人,每位老师带1组。一组观摩火灾应急、碰撞应急、进水与沉没应急的演示和各项应急的程序及方法,在多媒体教室进行,并进行讨论与总结;另一组开展使用各种安全和防护设备的使用训练,在模拟船舶进行。设备有消防服、头盔、靴、帽、安全带共20套。1课时后互换	2	模拟船舶、多媒体教室	视频资料	视频教学法练习教学法	2~3位老师	
			能掌握各项应急程序和方法(0.5 h)								
			能开展使用各种安全和防护设备的演示(0.5 h)								

表 6 - 13(续 7)

项目	星期	节数	实操内容		教学过程组织	课时	场地	设备及数量	教学方法	老师	备注
个人安全与社会责任实操	第三周星期四	3～4	能开展进入封闭舱室的安全训练的演示(0.5 h)	共 1.5 h	分 2 组,每组 20 人,每位老师带 1 组。一组观摩进入封闭舱室的安全训练、对船上垃圾进行分类与处理,在多媒体教室进行,并进行讨论与总结;另一组学员开展进入封闭舱室的安全训练的演示,在模拟船舶机舱进行。分两个小组进行训练。训练时间为 45 min。1 课时后互换	2	模拟船舶	视频资料	视频教学法	2～3 位老师	
			能对船上垃圾进行分类与处理(0.5 h)								
			能开展防止船上冲突及冲突解决办法的训练(0.5 h)								
		5～6	了解各种防污染器材(1.5 h)	共 1.5 小时	分 2 组,每组 20 人,每位老师带 1 组。一组在模拟船舶上了解安装的各种防污染器材,老师现场进行介绍与讲解其功能与作用,时间为 45 min;另一组在实训室了解各种防污染器材,时间为 45 min。1 课时后互换	2	模拟船舶、实训室	防污染器材	示范教学法	2～3 位老师	

表 6－14　基本安全 2 班实操训练方案

项目	星期	节数	实操内容		教学过程组织	课时	场地	设备及数量	教学方法	老师	备注
防火与灭火实操	第二周星期四	1～2	熟悉船舶消防应变部署表和正确使用应变任务卡(1 h)	共 2.5 h	分 2 组,每组 20 人。每位老师带 1 组,部署表和正确使用应变任务卡有 5 套,每位学员练习时间 7.5 min;一组进行识读船舶防火控制图训练,并识别灭火器的位置和应急逃生路线,在模拟船舶进行。船舶防火控制图有 2 套,灭火器的位置有 5 处、急逃生路线有 2 条,可同时供 9 位学员训练,每位学员训练时间为 27 min。另一组学员训练了解各类灭火剂的原理和使用注意事项,在模拟船舶的主甲板进行。每组学员综合训练时间为 45 min。 1 课时后互换	2	模拟船舶	应变部署表	示范教学法、练习教学法	2～3 位老师	
			能识读船舶防火控制图,并识别灭火器的位置和应急逃生路线(1 h)					船舶防火控制图、模拟船舶			
			能了解各类灭火剂的原理和使用注意事项(0.5 h)								
		3～4	熟悉船舶烟火检测系统和自动报警系统(1 h)	共 2 h	分 2 组,每组 20 人,每位老师带 1 组。一组进行熟悉船舶烟火检测系统和自动报警系统训练,在模拟船舶机舱进行;另一组进行熟悉船舶消防组织与应急行动全组学员集中综合演练,时间 45 min。1 课时后互换	2	模拟船舶	船舶烟火检测系统和自动报警系统	示范教学法、练习教学法	2～3 位老师	
			熟悉船舶消防组织与应急行动(1 h)								

表6-14(续1)

项目	星期	节数	实操内容		教学过程组织	课时	场地	设备及数量	教学方法	老师	备注
船舶防火与灭火实操		5~6	能正确使用各种类型手提式灭火器(1 h)	共2 h	分2组,每组20人,每位老师带1组。一组进行正确使用各种类型手提式灭火器演练,在模拟船舶进行。使用各种类型手提式灭火器在消防训练基地进行。各类灭火器共有15个,3个火盘可同时供3位学员训练,学员每人使用灭火器训练时间为2 min(共40 min),教员讲解5 min,共45 min。另一组学员正确使用消防员装备训练,用各种类型手提式灭火器在消防训练基地进行。正确使用消防员装备在模拟船舶进行训练。各类灭火器共有15个,3个火盘可同时供3位学员训练,学员每人训练使用灭火器时间为2 min(共40 min),教员讲解5 min,共45 min。消防员装备5套(每4位学员1套),同时进行训练。每2人1组配合训练,每组训练时间为20 min(共40 min),教员示范讲解5 min。45 min后互换	2	模拟船舶,消防训练基地	各种类型手提式灭火器消防员装备	示范教学法、练习教学法	2~3位老师	
			能正确使用消防员装备(1 h)								

表6-14(续2)

项目	星期	节数	实操内容		教学过程组织	课时	场地	设备及数量	教学方法	老师	备注
		7~8	扑灭小火,如电器火、油火、丙烷火(0.5 h)	共2 h	分2组,每组20人,每位老师带1组。一组进行扑灭小火训练,在训练基地进行。另一组学员训练正确使用泡沫、干粉或其他合适的化学剂灭火,在消防训练基地进行。各类灭火器共有15个,设定电器火、油火、丙烷火火盘3个,可同时供3位学员训练,学员每人训练使用灭火器时间为2 min(共45 min)。使用泡沫、干粉或其他合适的化学剂灭火(每10位学员一组),同时在模拟船舶进行泡沫、干粉灭火训练,每组训练时间为45 min。进行正确使用喷水枪及散射喷枪扑灭较大火灾训练,在模拟船舶的货舱甲板上进行。1课时后互换	2			示范教学法、练习教学法	2~3位老师	
			能正确使用泡沫、干粉或其他合适的化学剂灭火(1 h)								
			正确使用喷水枪及散射喷枪扑灭较大火灾(0.5 h)								
防火与灭火实操	第二周星期五	1~2	正确使用救生索,但不戴呼吸装置进入或通过已喷注了高膨胀泡沫的舱室(1 h)	共2 h	分2组,每组20人,每位老师带1组。一组学员训练正确使用救生索,但不戴呼吸装置进入或通过已喷注了高膨胀泡沫的舱室,在模拟船舶的模拟消防舱(注了高膨胀泡沫的舱室)进行。每组学员综合训练时间为45 min。另一组学员训练正确使用水雾或其他合适的灭火剂扑灭油火,以及冒着浓烟的居住舱室或模拟机舱的火灾,在模拟船舶的机舱进行。开花水枪6支,分4个小组(每小组5人)训练,每组训练时间10 min。每组学员综合训练时间为45 min。1课时后互换	2	模拟船舶、训练基地	各种类型手提式灭火器	示范教学法、练习教学法	2~3位老师	
			能正确使用水雾或其他合适的灭火剂扑灭油火与浓烟的居住舱室或模拟机舱的火灾(1 h)					救生索、喷注了高膨胀泡沫的舱室、水枪			

表 6-14(续3)

项目	星期	节数	实操内容		教学过程组织	课时	场地	设备及数量	教学方法	老师	备注
		3~4	能正确佩戴自给式呼吸装置在充满烟雾的封闭处所灭火(0.5 h)	共1.5 h	分2组,每组20人,每位老师带1组。一组进行正确佩戴自给式呼吸装置在充满烟雾的封闭处所灭火训练,在模拟船舶的货舱进行。自给式呼吸装置(EEBD)共5套,分4个小组(每小组5人)训练,每组训练时间10 min。1课时后互换	2	模拟船舶	各种类型灭火器	示范教学法、练习教学法	2~3位老师	
			能正确佩戴呼吸装置在充满烟雾的舱室实施营救(1 h)								
		5~6	能正确使用水雾喷头和散射喷枪、化学干粉或泡沫喷头扑救油火(1 h)	共1 h	分2组,每组20人,每位老师带1组。一组训练正确使用水雾喷头和散射喷枪、化学干粉或泡沫喷头扑救油火灾,在模拟船舶的机舱进行。开花水枪6支,分4个小组(每小组5人)训练,每组训练时间10 min。另一组进行正确佩戴呼吸装置在充满烟雾的舱室实施营救训练,在模拟船舶的机舱进行。佩戴呼吸装置共5套,分5个小组(每小组4人)训练,每组训练时间8 min	2	模拟船舶	各类型水枪、灭火器、自给式呼吸装置	示范教学法、练习教学法	2~3位老师	
			能正确佩戴呼吸装置在充满烟雾的舱室实施营救(1 h)	共1 h							

表6-14(续4)

项目	星期	节数	实操内容		教学过程组织	课时	场地	设备及数量	教学方法	老师	备注
个人求生实操	第三周星期一	1~2	能正确认识救生设备的种类与配备标准(艇、筏、衣、浮具、求生信号、通信设备、抛绳设备及属具)(1.5 h)	共1.5 h	分2组,每组20人。一组在模拟船舶进行现场认识教学训练;一组在船艺室实物设备操作训练,并播放设备操作录像,学员看着录像在老师指导下进行训练。1课时后两组互换,每位学员训练90 min	2	模拟船舶、船艺室	艇、筏、衣、浮具、求生信号、通信设备、抛绳设备及属具	示范教学法、录像教学法	2~3位老师	
		3~4	能正确穿着救生衣(1 h)	共1.5 h	分2组,每组20人。每位老师指导1组同时进行穿着救生衣训练,每人训练90 min,由1位老师负责指导浸水保温服训练。5套保温服同时使用,每位学员训练11.25 min	2	实训室	救生衣保温服	示范教学法、录像教学法	2~3位老师	
			能正确穿着和使用浸水保温服(0.5 h)								
		5~6	能正确操作救生艇筏上的设备(1 h)	共1 h	分2组,每组20人。第1组1位老师带,救生艇筏和相关设备有3套,指导老师负责用3套设备进行训练,每位学员练习时间9 min;第2组进行无线电示位标、雷达应答器等训练,设备有3套,每位学员训练时间为9 min。1课时后互换	2	实训室	救生筏、无线电示位标、雷达应答器等	示范教学法、录像教学法	2~3位老师	
			能正确操作定位仪器,包括无线电设备(1 h)								

表6－14(续5)

<table>
<tr><th>项目</th><th>星期</th><th>节数</th><th colspan="2">实操内容</th><th>教学过程组织</th><th>课时</th><th>场地</th><th>设备及数量</th><th>教学方法</th><th>老师</th><th>备注</th></tr>
<tr><td rowspan="5"></td><td rowspan="5">第三周星期二</td><td rowspan="3">1～2</td><td>能安全从高处跳入水中(0.5 h)</td><td rowspan="3">共1.5 h</td><td rowspan="3">分2组,每组20人。1名老师负责高处跳水,1名老师负责扶正倾覆救生筏,每人训练2～3次,每位学员训练时间6 min;第1组由1位老师负责指导穿着救生衣游泳训练,20位学员同时训练,每位学员训练30 min;第2组由1～2位老师指导穿着救生衣从船上或水中登上救生艇筏训练,每人训练2～3次,每位学员训练时间3 min。1课时后互换</td><td rowspan="3">2</td><td rowspan="3">跳水池、游泳池</td><td>救生衣</td><td rowspan="3">示范教学法、练习教学法</td><td rowspan="3">2～3位老师</td><td rowspan="5"></td></tr>
<tr><td>能穿着救生衣扶正倾覆救生筏(0.5 h)</td><td rowspan="2">救生筏</td></tr>
<tr><td>能穿着救生衣游泳(0.5 h)</td></tr>
<tr><td rowspan="2">3～4</td><td>能穿着救生衣从船上或水中登上救生艇筏(1 h)</td><td rowspan="2">共1.5 h</td><td rowspan="2">分2组,每组20人。第1组由1位老师负责指导穿着救生衣保持漂浮训练,20位学员同时训练,每位学员训练30 min;第2组由1～2名老师指导采取正确的初始行动训练,每人训练2～3次,每位学员训练时间3～5 min。1课时后互换</td><td rowspan="2">2</td><td rowspan="2">跳水池、游泳池</td><td rowspan="2">救生筏</td><td rowspan="2">示范教学法、练习教学法</td><td rowspan="2">2～3位老师</td></tr>
<tr><td>能未穿着救生衣保持漂浮(0.5 h)</td></tr>
</table>

表 6 – 14(续 6)

项目	星期	节数	实操内容		教学过程组织	课时	场地	设备及数量	教学方法	老师	备注
		5 ~ 6	为了增加获救机会,在登上救生艇筏后能采取正确的初始行动(1 h)	共 2 h	第 1 组 1 位老师带,海锚有 2 套,每位老师负责用 1 套;海锚进行训练,每人训练 2 ~ 3 次,每位学员练习时间约 5 min;没有轮到的学员在傍边观模。第 2 组 1 位老师带,救生艇筏和相关设备有 3 套,指导老师负责用 3 套设备进行训练,每位学员练习时间 9 min。1 课时后互换	2	跳水池	救生衣	示范教学法、练习教学法	2 ~ 3 位老师	
			能正确抛放流锚或海锚(1 h)					海锚			
个人安全与社会责任实操	第三周星期三	1 ~ 2	能开展火灾应急、碰撞应急、进水与沉没应急的演示(0.5 h)	共 1.5 h	分 2 组,每组 20 人,每位老师带 1 组。一组观摩火灾应急、碰撞应急、进水与沉没应急的演示和各项应急的程序、方法,在多媒体教室进行,并进行讨论与总结;另一组学员开展使用各种安全和防护设备的使用训练,在模拟船舶进行。设备有消防服、头盔、靴、帽、安全带共 20 套。1 课时后互换	2	模拟船舶、多媒体教室	视频资料	视频教学法、练习教学法	2 ~ 3 位老师	
			能掌握各项应急的程序和方法(0.5 h)								
			能开展使用各种安全和防护设备的演示(0.5 h)								

表 6－14(续7)

项目	星期	节数	实操内容		教学过程组织	课时	场地	设备及数量	教学方法	老师	备注
		3～4	能开展进入封闭舱室的安全训练的演示(0.5 h)	共1.5 h	分2组,每组20人,每位老师带1组。一组观摩进入封闭舱室的安全训练、对船上垃圾进行分类与处理,在多媒体教室进行,并进行讨论与总结;另一组开展进入封闭舱室的安全训练演示,在模拟船舶机舱进行,分2个小组进行训练。训练时间为45 min。1课时后互换	2	模拟船舶	视频资料	视频教学法	2～3位老师	
			能对船上垃圾进行分类与处理(0.5 h)								
			能开展防止船上冲突及冲突解决办法的训练(0.5 h)								
		5～6	了解各种防污染器材(1.5 h)	共1.5 h	分2组,每组20人,每位老师带1组。一组在模拟船舶上了解安装的各种防污染器材,老师现场进行介绍与讲解其功能与作用,时间为45 min;另一组学员在实训室了解各种防污染器材,时间为45 min。1课时后互换	2	模拟船舶、实训室	防污染器材	示范教学法	2～3位老师	
		1～2	能进行心肺复苏术(2 h)	共2 h	分2组,每组20人,每位老师带1组,同时进行心肺复苏术训练。共有人体模型2具,每位学员轮流进行训练,每人训练2～3次,每人训练时间约7 min	2	实训室	模拟假人	示范教学法、练习教学法	2～3位老师	

表 6－14(续 8)

项目	星期	节数	实操内容		教学过程组织	课时	场地	设备及数量	教学方法	老师	备注
		3－5	能正确使用止血带止血(1 h)	共 2 h	分 2 组,每组 20 人,每位老师带 1 组同时进行训练。一组进行正确使用止血带止血训练,共有止血带 6 套,每人训练 8 min;一组进行进行临时骨折固定训练,绷带、夹板 6 套,每人训练 8 min。1 h 后互换	3	实训室	止血带	示范教学法、练习教学法	2～3 位老师	
			能进行临时骨折固定(1 h)					夹板			
		6－8	1. 能使用简单三角巾包扎(2 h)	共 2 h	分 2 组,每组 20 人,每位老师带 1 组同时进行训练。一组进行三角巾包扎练习,三角巾 10 套,每 2 位学员 1 套三角巾进行包扎练习,学员互换包扎训练;一组进行绷带包扎练习,绷带 10 套,每 2 位学员 1 套绷带进行包扎练习,学员互换包扎训练。1 h 后互换	3	实训室	三角巾等	示范教学法、练习教学法	2～3 位老师	

参 考 文 献

[1] 中华人民共和国交通运输部. 交通运输部办公厅关于发布《海船船员培训大纲(2016版)》的通知[EB/OL]. (2017-03-07). http://zizhan.mot.gov.cn/zfxxgk/bzsdw/bhsj/201704/t20170406_2186197.html.

[2] IMO. 1978年海员培训、发证和值班标准国际公约马尼拉修正案[M]. 中华人民共和国海事局,译. 大连:大连海事大学出版社,2010.

[3] 王兴琦. 对IMO示范课程的认识[J]. 航海教育研究,2005,22(3):44-45.

[4] 邢永恒. 基于IMO示范课程模式下的培训课程认可探讨[J]. 航海教育研究,2014,31(4):20-22.

[5] 欧阳军. IMO示范课程及对我国航海教育的启示[J]. 航海教育研究,2007,24(1):65-66.

[6] 朱国君. 保障航海安全途径的探索:实行船员非技术技能培训之研究[J]. 科技资讯,2006(33):162.

[7] 黄勇亮,关腾飞. 航海技术专业教学标准与课程标准[M]. 北京:人民交通出版社,2012.